dtv

Eigentlich sollte es ein entspannter Urlaub werden: Christine will nach Norderney, um ihrer Freundin Marleen bei der Renovierung ihrer Kneipe zu helfen. Doch dann wird sie von ihrer Mutter dazu verdonnert, ihren Vater mitzunehmen. Schon die Hinreise bringt sie an den Rand eines Nervenzusammenbruchs, denn Heinz (73) hat seine ganze eigene Sicht der Dinge. Kaum auf der Insel angekommen, übernimmt Papa denn auch mit Charme und Sturheit das Zepter auf der Baustelle. Doch es kommt noch schlimmer, als Heinz den Inselreporter Gisbert von Meyer kennenlernt ...
»Freuen Sie sich, liebe Leser, auf eine äußerst humorvolle Geschichte, kurzweilig und flott geschrieben.«
(Westfalen-Blatt)

Dora Heldt, geboren 1961 auf Sylt und gelernte Buchhändlerin, ist seit 1992 als Verlagsvertreterin unterwegs und lebt in Hamburg. Nach ihren ersten Erfolgen mit ›Ausgeliebt‹ (<u>dtv</u> 21006) und ›Unzertrennlich‹ (<u>dtv</u> 21133) hat sie mit ›Urlaub mit Papa‹ sämtliche Bestsellerlisten erobert. 2009 ist ihr neuester, herrlich komischer Roman ›Tante Inge haut ab‹ (<u>dtv</u> 21209) erschienen.

Dora Heldt

Urlaub mit Papa

Roman

Deutscher Taschenbuch Verlag

Von Dora Heldt
sind im Deutschen Taschenbuch Verlag erschienen:
Ausgeliebt (21006)
Unzertrennlich (21133)
Tante Inge haut ab (21209)

Ausführliche Informationen über
unsere Autoren und Bücher
finden Sie auf unserer Website
www.dtv.de

Ungekürzte Ausgabe 2009
8. Auflage 2010
© 2008 Deutscher Taschenbuch Verlag GmbH & Co. KG,
München
Dieses Werk wurde vermittelt durch die Literarische Agentur
Thomas Schlück GmbH, Garbsen
Umschlagkonzept: Balk & Brumshagen
Umschlagbild: Gerhard Glück
Satz: Greiner & Reichel, Köln
Druck und Bindung: Druckerei C. H. Beck, Nördlingen
Gedruckt auf säurefreiem, chlorfrei gebleichtem Papier
Printed in Germany · ISBN 978-3-423-21143-7

Für meinen Vater,
in dem auch ein bisschen Heinz steckt,
und für meine Mutter,
die zum Glück tadellose Knie hat.

Nachts ging das Telefon
– Hilde Seipp –

»Es sind doch nur zwei Wochen.«

Die Stimme meiner Mutter klang freundlich und sehr entschlossen. Ich hatte schon zu Beginn des Telefonats ein ungutes Gefühl gehabt.

»Und er ist dein Vater. Andere Kinder würden sich freuen.«

»Mama, was heißt hier andere *Kinder*? Ich bin 45!«

Ich hätte das Gespräch gar nicht annehmen sollen. Meine Mutter überging meine Antwort. »Ich habe ihm gesagt, dass ihr seine Hilfe gut gebrauchen könnt, weil Handwerker auf den Inseln doch so teuer sind. Und sie machen ja, was sie wollen, gerade wenn niemand daneben steht. Er kann doch ein Auge auf die Arbeiten haben. Und hier und da mal Hand anlegen. Er hilft doch so gerne.«

Ich musste jetzt etwas sagen. »Mama, warte mal. Ich fahre doch nach Norderney, um Marleen zu helfen, ihre Pension und die Kneipe zu renovieren, ich kann mich da nicht auch noch um Papa ...«

»Ach, du brauchst dich doch gar nicht groß um ihn zu kümmern, er macht das alles schon allein. Und zu Mittag essen müsst ihr doch auch, da könnt ihr ja für ihn mitkochen. Abends reicht ihm eine Kleinigkeit und Kuchen für nachmittags könnt ihr auch kaufen, Marleen muss ja nicht extra backen.«

Ich überlegte, seit wann mein Vater alles allein machte. Vor sechs Wochen hatte ich meine Eltern das letzte Mal besucht, da war es noch anders gewesen. Ganz anders. Ich bemühte mich, die aufsteigende Panik aus meiner Stimme zu verdrängen.

»Mama, ich halte das für keine gute Idee, ich ...«

»Christine, ich habe dich noch nie um etwas gebeten. Das ist ein Notfall. Ich muss zwei Wochen in der Klinik bleiben, da kann Heinz unmöglich alleine zu Hause herumsitzen.«

»Ich denke, er kann alles allein.«

»Doch nicht kochen und waschen und so. Jetzt hör mal auf. Er ist dein Vater. Und du kannst ihn ja wohl mal zwei Wochen mitnehmen. Du hast doch frei. Stell dich nicht so an. Und nach Norderney wollte er sowieso immer mal.«

»Aber ich kann mich da überhaupt nicht mit ihm beschäftigen. Und wie ...«

»Ach, das geht alles schon. Außerdem wohnt doch Kalli auf Norderney, du weißt doch, Papas alter Freund. Den kann er auch mal besuchen.«

»Dann kann er doch auch bei denen wohnen.«

»Christine, ich bitte dich. Hanna ist auf dem Festland. Ihre Jüngste, Kathrina, bekommt doch das zweite Baby. Deine Schwester und du, ihr kriegt das ja nicht auf die Reihe.«

Nur Mütter schaffen solche Themenwechsel.

»Mama, ich bin ...«

»Eben, sag ich doch. Also abgemacht. Papa kommt nächsten Samstag nach Hamburg, du holst ihn am Bahnhof ab und ihr fahrt gemeinsam nach Norderney. Er kennt das ja alles nicht, mit der Fähre und so. Da ist es schon besser, du bist dabei. Und ich gehe beruhigt ins Krankenhaus und lasse mein Knie operieren.«

Meine letzte Chance: »Lass uns da mal in Ruhe drüber sprechen, das geht so nicht, ich ...«

»Mach dir keine Gedanken, mein Schatz. Ich schreibe dir noch alles Wichtige auf und schicke es dir. Also dann, schönen Abend noch und Grüße von Papa. Er freut sich. Tschüss.«

Ich starrte auf das Display des Telefons. Verbindung beendet. Anscheinend war es beschlossene Sache. Ich würde mit meinem Vater Ferien machen. Das erste Mal nach dreißig Jahren. Die letzte Reise endete damit, dass er mich aus pädagogischen Gründen auf dem Rasthof in Kassel stehen ließ. Ich hatte eine schwere Pubertät, das gebe ich zu, aber Kassel fand ich trotzdem zu hart. Auch wenn er mich nach einer halben Stunde wieder abholte und drei Wochen lang ein schlechtes Gewissen hatte. Und nun, nach dreißig Jahren, fingen wir wieder damit an. Wenigstens führte die Fahrt dieses Mal nicht über Kassel.

O mein Papa
– Lys Assia –

Mein Bruder beschrieb unseren Vater mal mit den Worten: »Er hat Augen wie Terence Hill und Schiss wie Rantanplan.« Letztgenannter ist der feige Hund von Lucky Luke, diese magere Töle, die bei jedem unbekannten Geräusch, jeder fremden Person und jeder Veränderung vor lauter Angst seinem Herrchen auf den Schoß springt. Mein Vater springt natürlich niemandem auf den Schoß, dazu ist er zu gut erzogen, und er ist auch keineswegs so dumm wie dieses Tier, aber er hat wirklich sehr blaue Augen. Die Beschreibung ist gar nicht so schlecht.

Während ich die Treppen zu Dorotheas Wohnung hochstieg, dachte ich darüber nach, wie ich ihr die Umstände für unsere Reisebegleitung schonend beibringen könnte. Dorothea und ich kennen uns seit fünfzehn Jahren, sie kennt meine ganze Familie, der Satz »Heinz kommt mit nach Norderney« würde schon alles sagen. Ich musste diesem Satz den Schrecken nehmen, schließlich hatten wir uns auf diese zwei Wochen gefreut, ich wollte auch nicht, dass jemand meinen Vater anstrengend fand, was er aber leider war. Ich formulierte die Sätze im Kopf. »Dorothea, stell dir vor, Heinz kommt mit, ist das nicht nett?« Das ging nicht. »Hallo, Dorothea, meine Mutter hat endlich einen OP-Termin für ihr künstliches Knie, macht es dir etwas aus, dass Heinz mit nach Norderney kommt? Er kriegt es leider nicht auf die Reihe, sich allein zu ernähren.« Ging auch nicht. »Dorothea, du kennst und magst doch meinen Vater. Wie findest du die Idee, ihn mit nach Norderney zu nehmen, damit er meiner Mutter in der Klinik nicht auf die Nerven geht?« Großartig. »Dorothea, ich habe mir überlegt, dass Heinz uns bei der Renovierung von Marleens Pension helfen könnte, ich möchte ihn gern mitnehmen.« Das würde sie mir nicht glauben. »Dorothea, sag mal …«

Die Wohnungstür wurde geöffnet, Dorothea stand vor mir, einen Einkaufskorb in der Hand. »Hallo, Christine, ich wollte gerade zum …«

»Heinz kommt mit.«

Das war nicht gut formuliert. Dorothea runzelte die Stirn.

»Zum Einkaufen?«

»Nach Norderney.«

»Welcher Heinz? … Dein …?«

»Ja, der.«

»Mit uns? Zu Marleen? Am Samstag?«

»Ja.«

Ich wartete auf einen Zusammenbruch, einen verständnislosen Blick oder einen Schreikrampf, aber nichts passierte. Ungerührt stellte Dorothea ihren Einkaufskorb ab und ging zurück in ihre Wohnung. Ich folgte ihr in die Küche und sah zu, wie sie begann, Tee zu kochen. Pfeifend. Ich erkannte ›O mein Papa‹ und bemühte mich um ihr Verständnis.

»Meine Mutter hat mich vorhin angerufen. Sie bekommt doch ein neues Kniegelenk und jetzt ist ganz plötzlich ein OP-Termin frei geworden, irgendjemand ist da wohl abgesprungen. Meine Tante ist im Urlaub, meine Schwester segelt in Dänemark, mein Bruder ist auf Geschäftsreise, also bin ich die Einzige, die sie erreichen konnte. Du kennst ja meinen Vater, der kann nicht zwei Wochen allein zu Hause bleiben. Er weiß noch nicht mal, wie man Kaffee kocht. Geschweige denn eine Kartoffel. Oder ein Ei. Außerdem ist er farbenblind und dementsprechend zieht er sich auch an, wenn keiner guckt.«

Ich überlegte, was ich noch sagen könnte, ohne ihm die Würde zu nehmen. Es war schwierig, Dorothea sollte nicht schlecht über ihn denken, andererseits hatte er einige Angewohnheiten, die, vorsichtig umschrieben, eher ungewöhnlich waren.

»Ich finde deinen Vater witzig.«

Ich schluckte. Dieses Wort hätte ich nicht gewählt. Dorothea goss kochendes Wasser in die Teekanne und drehte sich zu mir um.

»Heinz ist doch noch richtig fit. Und wenn er Lust hat, uns zu helfen, ist das doch nett. Wenn ihm das nicht zu anstrengend wird.«

Wenn *ihm* das nicht zu anstrengend wird?

Dorothea stellte die Teekanne auf den Tisch und nahm Tassen aus dem Schrank.

»Mach doch nicht so ein besorgtes Gesicht. Wir können ja drauf achten, dass er sich nicht zu viel zumutet.«

»Dorothea, du verstehst mich nicht. Ich habe eher Sorge, dass er *mir* zu viel zumutet. Er kann ein bisschen anstrengend sein. Er kann wirklich nichts allein, er muss beschäftigt werden, er mischt sich in alles ein, er weiß alles besser, er hat vor allem Neuen Angst, er …«

Ich biss mir auf die Zunge, das wollte ich alles gar nicht erzählen. Ich habe meinen Vater gern. Am liebsten mit drei Stunden Fahrzeit zwischen uns. Oder im Beisein meiner Mutter. Oder mal auf eine Tasse Kaffee. Aber zwei Wochen in einer Ferienwohnung mit ihm, mit drei Stunden Fahrzeit *zu* meiner Mutter, die in einer Hamburger Klinik ihr neues Kniegelenk pflegt, das konnte zu ungeahnten Turbulenzen führen. Aber das würde Dorothea nicht verstehen. Das würde sie erleben müssen. Ich rührte Zucker in meinen Tee und sah Dorothea an.

»Na ja, vielleicht wird es tatsächlich ganz entspannt und Marleen freut sich über seine Hilfe.«

Ich glaubte mir selbst kein Wort. Dorothea nickte.

»Siehst du. Ich freue mich jedenfalls auf die beiden Wochen, auch mit Heinz. Da werden wir doch einiges erleben, oder?«

Ich versuchte zu nicken. Darauf konnten wir wetten.

Meine Freundin Marleen hatte eine alte Pension mit Kneipe auf Norderney übernommen. Eine Tante von ihr hatte sie jahrzehntelang geführt und vor einem Jahr, mit fast 70, beschlossen, dass sie jetzt endlich mal leben müsse. Treibende Kraft bei diesen Plänen war Hubert, ein 74-jähriger Witwer aus Essen, der seit 20 Jahren als Stammgast zu ihr kam, achtzehn Jahre mit der Gattin, dann ohne. Tante Theda hatte ihrer Nichte Marleen erzählt, dass Hubert auf einmal ein ganz neuer Mensch sei, »so was von abenteuerlustig, das glaubst du nicht«, und seiner lang bekannten Pensionswirtin eine feurige Liebeserklärung gemacht habe. Er wolle zwar nicht wieder heiraten, habe er verkündet, das sei ja dummes Zeug, aber er wolle mit Theda um die Welt reisen, erst mal nach Sylt, dann Mallorca und danach vielleicht Amerika. Theda war geschmeichelt, aber noch verhalten. Im selben Gespräch erzählte Marleen ihrer Tante, dass sie sich von ihrem Freund, mit dem sie eine Kneipe führte, getrennt habe. Das Mitleid ihrer Tante hielt sich in Grenzen, sie quittierte die Neuigkeit mit dem Satz: »Na, das ist doch wunderbar, dann kommst du für ein paar Monate nach Norderney und schmeißt die Pension, ich kann das mit Hubert ausprobieren und du musst den Blödmann zu Hause nicht mehr sehen. Und Kneipe ist Kneipe, hier kannst du auch arbeiten.«

Sie hatten alles richtig gemacht, Theda und Hubert waren voneinander begeistert, Marleen war es von Norderney und die Pensionsgäste waren es von Marleen. Hubert schlug vor, Theda solle für sich eine kleine Ferienwohnung einrichten und das übrige Gebäude mitsamt der Kneipe Marleen überschreiben. Marleen ließ sich von ihrem Exfreund auszahlen und steckte das Geld in die Renovierung der Kneipe. Sie war fast fertig, in drei Wochen sollte die neue Bar eröffnet werden.

Dorothea und ich hatten für diese Zeit Urlaub genommen, Marleen hatte uns eine Ferienwohnung gemietet, morgens wollten wir beim Renovieren oder in der Pension helfen, nachmittags am Strand liegen und abends in der »Milchbar« oder der »Weißen Düne« kalten Weißwein trinken. Bis jetzt.

Ich wählte die Telefonnummer von Marleen.

»Haus Theda, mein Name ist de Vries, guten Tag.«

»Hallo, Marleen, hier ist Christine.«

»Sag jetzt bitte nicht, dass ihr nicht kommen könnt. Die Pension ist voll, die Handwerker schneckenlangsam und eine meiner Aushilfen hat sich eine Muschel in den Fuß getreten. Jetzt habe ich nur noch Gesa, die mir hilft. Ich drehe hier durch. Und Theda und Hubert haben sich fürs Wochenende angekündigt, sie wollen aber nur gucken, nicht helfen, schließlich seien sie beide Rentner. Also, sag jetzt, was du sagen wolltest, aber denk bitte daran, ich stehe am Rande des Nervenzusammenbruchs.«

Hätte sie dabei nicht gelacht, hätte ich es ihr geglaubt. Dabei war das doch eine wunderbare Überleitung. Ich bemühte mich um eine neutrale Tonlage.

»Na, dann habe ich doch die ultimative Lösung: Ich bringe Heinz mit. Er braucht nur ein Bett. Und Spielgefährten. Und einmal am Tag warmes Essen. Und eine Aufgabe. Und ab und zu ein Weizenbier. Wie findest du das?«

»Du bringst deinen Vater mit? Im Ernst? Wie bist du denn da drauf gekommen?«

»Ich?! Diese grandiose Idee stammt von meiner Mutter. Sie hat nächste Woche in Hamburg ihre Operation für das künstliche Kniegelenk. Das war ursprünglich erst für Oktober geplant, aber sie hat jetzt diesen Termin bekommen und will es schnell hinter sich bringen. Kann ich ja auch verstehen. Aber nun ist meine Tante im Urlaub, die befreundeten Nachbarn mit dem Roten Kreuz in Norwegen, meine Geschwister können beide nicht, also muss ich mich um meinen Vater kümmern. Die Alternative wäre, dass ich nach Sylt fahre und ihn da bekoche, dann müsste ich dir jetzt absagen, was ich nicht will. Also hat meine Mutter ihm erzählt, dass wir doch froh über seine Hilfe wären, außerdem wohnt sein alter Freund auf Norderney. Mein Vater hat sich etwas widerwillig bereit erklärt, fühlt sich aber jetzt als Retter. So, das war die Kurzfassung.«

»Du, das ist gar nicht so schlecht. Ich kenne deinen Vater ja nicht besonders gut, aber er ist doch sehr hilfsbereit und macht den Eindruck, als sei er überall einsatzfähig.«

Mir entfuhr ein nervöses Kichern. O ja, den Eindruck machte er.

»Hast du Husten? Jedenfalls habe ich genug für ihn zu tun, er kann ein bisschen retten. Und wenn er mir nur Hubert vom Hals hält. Der ist zwar ganz reizend, weiß aber immer alles besser und mischt sich überall ein.«

»Die beiden werden sich lieben.«

»So schlimm wie Hubert ist Heinz bestimmt nicht. Also gut, ich sage der Vermieterin der Ferienwohnung Bescheid, dass ihr zu dritt kommt. Mareike soll ein zusätzliches Bett ins Wohnzimmer stellen, ihr habt ja nur zwei Schlafräume. Aber das geht schon. Ich bin froh, dass ihr kommt, du kannst mir morgens in der Pension helfen und Dorothea kann die Handwerker becircen.«

Wir legten auf und ich sah mich auf einer Pritsche im Wohnzimmer liegen, während mein Vater auf dem Bildschirmtext die HSV-Ergebnisse suchte.

Wunderbar, dachte ich, Hubert kann sich warm anziehen.

List/Sylt, den 10. Juni

Liebe Christine,

ich habe jetzt meinen Krankenhauskoffer gepackt, man braucht ja doch eine ganze Menge Zeug für zwei Wochen. Ich habe mir erst mal sechs neue Nachthemden gekauft, ganz schick, so mit Ringeln und eins mit Herzen, sehr süß. Aber Agnes, Du weißt, aus dem Süderhörn, das dritte Haus von links, die hat letztes Jahr auch ein neues Knie bekommen und sagt, man braucht ab dem dritten Tag sowieso nur noch Jogging-Anzüge. Na, ist egal, ich glaube, die passen Dir auch, ich trage ja eigentlich keine Nachthemden. Du kannst sie ja mitnehmen, wenn du das nächste Mal auf Sylt bist.

So, zum eigentlichen Thema: Ich habe Papa gesagt,

dass er Marleen helfen soll, nicht den ganzen Tag, aber so ein, zwei Stunden vielleicht. Du weißt ja, wie er ist, wenn er nichts zu tun hat. Irgendwas findet Ihr schon für ihn. Denk dran, dass er nicht schwer heben soll, seine Hüfte ist ja nicht in Ordnung, und auf Leitern steigen kann er auch nicht, da wird ihm schwindelig. Wenn er mit anstreichen soll, sieh Dir die Farbeimer an, Du weißt, er kann keine Farben unterscheiden. Er hat übrigens die Gästetoilette letzte Woche türkis gestrichen, er dachte, es wäre graublau, aber man gewöhnt sich dran. Hoffe ich wenigstens. Sei nicht gleich ungeduldig, wenn er sich mal irrt, er meint es nur gut und ist immer so empfindlich.

Einmal am Tag muss er warm essen, er kriegt schnell Sodbrennen, also nichts Scharfes, wenig Salz und keinen Kohl. Fett auch nicht. Auf keinen Fall Milch- oder Mehlspeisen, dann muss er spucken. Er traut sich nur nie, etwas zu sagen. Nachmittags hat er gern Kaffee und Kuchen. Nur keine Torte und nichts mit Kirschen. Und Kaffee nur ohne Koffein. Falls es Tee gibt, nur Früchtetee, nach schwarzem schläft er schlecht.

Sei so lieb und sieh ihn Dir an, bevor er das Haus verlässt, er sieht die Farben nicht und hat auch nicht so richtig viel Geschmack, nicht dass er losläuft wie ein Hottentotte. Das fällt ja dann irgendwie auch auf mich zurück.

Er geht so gern spazieren, wenn Ihr keine Zeit habt, soll er ein Handy mitnehmen und es anmachen, so besonders gut ist seine Orientierung in fremden Orten nicht. Und er fragt nicht gern Fremde. Habe ich irgendetwas vergessen?

Ich glaube, das war alles. Er hat sich mit Kalli verabredet, vielleicht kannst Du ihn da hinfahren, ich weiß nicht, ob er überhaupt die Adresse hat. Dein Vater ist ja pflegeleicht, wenigstens muss er keine Medikamente nehmen, höchstens mal eine Kompensan gegen Sodbrennen.

Also, ich wünsche Euch ganz schöne Ferien, pass ein bisschen auf Deinen Vater auf, er war noch nie allein im Urlaub. Wird schon schiefgehen.

Liebe Grüße,
Mama

Ich faltete den Brief wieder zusammen und atmete tief durch. Ich trage nie Nachthemden und ich begann, mich vor meinen Ferien zu fürchten.

Es fährt ein Zug nach Nirgendwo
– Christian Anders –

Eine Woche später stand ich am Hamburger Hauptbahnhof und sah auf den Bahnsteig 12 a, an dem in 40 Minuten der Intercity aus Westerland einfahren sollte. Ich hatte mich links neben der Rolltreppe, die zum Bahnsteig hinabführte, postiert, genau so, wie ich es meinem Vater in unserem Telefonat erklärt hatte.

»Wenn du aus dem Zug ausgestiegen bist, gehst du nach rechts, Richtung Wandelhalle. Da ist nur eine Rolltreppe, auf der fährst du hoch, und oben, von dir aus gesehen rechts, stehe ich und warte.«

»Ja, ja, ich finde dich schon, ich bin ja nicht senil. Was ich einfach nicht begreife ist, dass ich für dieselbe Strecke, also Westerland–Hamburg, dauernd verschiedene Preise bezahlen soll. Mit der Regionalbahn wäre ich viel billiger gefahren.«

»Papa! Du wolltest nicht in Elmshorn umsteigen, außerdem hast du dich beschwert, dass die Nord-Ostsee-Bahn immer Verspätung hat.«

»Hat sie auch. Bei viel Verspätung kriegt man einen Gutschein. Ich frage dich, was soll ich mit einem Gutschein? Ist doch Quatsch.«

»Jetzt kommst du ja mit dem Intercity. Also, gute Fahrt und bis morgen dann.«

»Sei pünktlich, ich hasse es, lange zu warten. Bei dem Wucherpreis wird der Zug ja keine Verspätung haben.«

Sicherheitshalber war ich eine Stunde früher losgefahren, eigentlich brauchte ich für die Strecke nur zehn Minuten. Aber ich hatte Angst, dass ein Unfall, ein Stau, eine Polizeikontrolle oder Parkplatzmangel gleich zu Beginn zum Chaos führen würde, das käme noch früh genug. Nachdem ich siebenmal die Runde um den Bahnhofsvorplatz gedreht hatte, erwischte ich den ersten Parkplatz direkt neben dem Eingang. Der Himmel war mit mir, mein Vater mochte keine langen Wege.

Noch 35 Minuten.

Mein Vater verreist nicht gern. Das ist untertrieben. Er mag keine fremden Orte. Das ist auch noch untertrieben. Er hasst es, Sylt zu verlassen. Nicht nur die Insel, sondern auch sein Bett, seinen Platz am Esstisch, seine morgendliche Runde zum Hafen, um Zeitungen zu kaufen, seine Nachbarn, seinen Garten, sein Sofa. Er mag keine zusammengelegten Hemden aus dem Koffer, keine Handtücher und Bettwäsche, die fremde Menschen vor ihm benutzt hatten, er isst nur, was er kennt, und weigert sich, seinen gewohnten Tagesablauf zu verändern. Ich wusste nicht, wie meine Mutter es schaffte, ihn wenigstens einmal im Jahr von der Insel wegzubewegen, vor allen Dingen wusste ich nicht, was sie ihm alles versprochen und erzählt hatte, dass er jetzt im Zug saß. Und eigentlich wollte ich es auch gar nicht wissen.

Noch 25 Minuten.

Mein Hals fühlte sich ausgetrocknet an. Wenn ich nervös bin, bekomme ich immer stechenden Durst. Hinter mir war ein Stand mit Würstchen und Getränken. Ich kaufte mir eine Dose Cola, nicht weil ich sie gern trinke, sondern, weil mein Vater sie uns früher verboten hatte. Er hatte mir als Kind die gesundheitsschädliche Wirkung demonstriert, indem er über Nacht ein Gummibärchen in Cola einweichte. Am nächsten Morgen dümpelte ein deformiertes Weingummiteil im Glas, das er mir triumphierend zeigte. »Und genauso sieht dein Bauch hinterher von innen aus. Außerdem macht Cola dumm.« Ich habe ihm lange geglaubt. Mit einem rebellischen Gefühl zerdrückte ich die leere Coladose und warf sie in den Mülleimer. Natürlich nicht in den, neben dem ich stand. Man konnte ja nie wissen.

Noch 10 Minuten.

Als ich wieder auf meinem Posten stand, spürte ich meine Blase. Es war schwachsinnig gewesen, Cola zu trinken, mein konditionierter Körper wollte sie sofort wieder loswerden. Die Toilette war am Ende des Bahnsteigs. Ich müsste hinlaufen, vermutlich wären alle Kabinen besetzt, ich hätte Wartezeit, dann wieder zurück, es könnte knapp werden. Ich hielt an.

Noch 3 Minuten.

Während ich von einem Fuß auf den anderen trat, hörte ich die Durchsage: »Achtung, auf Gleis 12a. Der Intercity 373 ›Theodor Storm‹ von Westerland mit Weiterfahrt nach Bremen, planmäßige Abfahrt 13 Uhr 42, hat voraussichtlich zehn Minuten Verspätung.«

Ich hatte es geahnt. Meine Blase verstärkte ihren Druck. Ich stellte mir vor, wie mein Vater nach einem kurzen suchenden Blick umgehend in den nächsten Zug zurück Richtung Norden steigen würde, hörte den Satz: »Christine war nicht da«, und sah den Blick meiner Mutter. Ich hielt weiter an.

Dann fuhr der Zug ein. Er hielt quietschend und zischend, die Türen klappten auf, die ersten Reisenden stiegen aus. In der Mitte des Bahnsteigs entdeckte ich ihn. Er trug seine rote Windjacke, Jeans und eine blaue Schirmmütze. Ich sah, wie er seinen riesigen Koffer aus dem Zug wuchtete und ihn einen Meter neben der Bahnsteigkante abstellte. Ich begann zu winken, es war überflüssig. Mein Vater verschwendete keinen Blick an seine Umwelt. Er nahm seinen Rucksack vor die Brust und setzte sich auf seinen Koffer, das Gesicht genau in meine Gegenrichtung. Ich bahnte mir einen Weg durch die mir entgegenkommenden Menschen und blieb kurzatmig vor ihm stehen. Er sah zu mir hoch.

Augen wie Terence Hill, dachte ich.

»Wie soll man sich in dem Gewühle hier finden?« Seine Stimme klang beleidigt.

Und benimmt sich wie Rantanplan.

»Hallo, Papa, ich habe es dir doch erklärt, du gehst nach rechts, Richtung Wandelhalle, die Rolltreppe hoch und oben rechts von dir stehe ich.«

»Das höre ich jetzt zum ersten Mal.« Er stand auf und klopfte seine Hose ab. »Hast du das mitgekriegt? Der Zug hatte schon wieder Verspätung. Weißt du, ab wann man diese Gutscheine bekommt?«

Ich wollte ihm seinen Rucksack abnehmen, er hielt ihn fest.

»Den nehme ich selbst, danke. Ab wie viel Verspätung kriegt man denn jetzt den Gutschein?«

»Nicht nach nur zehn Minuten. Gib mir bitte den Rucksack, ich kann doch auch was tragen.«

Er wandte sich in Richtung der Rolltreppe. »Ja, nimm du mal den Koffer. Ich darf mit meiner Hüfte nichts heben.«

Beim Anheben des Koffers blieb mir fast die Luft weg. Ich stellte ihn wieder ab und versuchte ihn zu ziehen.

»Papa, warte doch mal, was ist denn mit den Rollen?«

Mein Vater blieb stehen und sah mich ungeduldig an.

»Die sind kaputt, aber für die paar Male, die wir verreisen, geht das auch so. Nun komm.«

Ich wuchtete den Koffer mit völlig schiefer Körperhaltung hinter ihm her und versuchte, meine Atmung zu kontrollieren.

»Und sonst … trägt … Mama ihn?«

»Unsinn.«

Ohne weitere Erklärungen ging er mit langen Schritten zur Rolltreppe. Das Sprechen strengte mich an.

»Sag mal, was … ist denn da … alles drin?«

Seine Antwort konnte ich kaum verstehen, weil er vor mir lief und sich nicht umdrehte.

»Meine Bohrmaschine, mein Akkuschrauber und so ein bisschen anderer Kram, ich kann nicht mit fremdem Werkzeug arbeiten.«

Oben angekommen musste ich den Koffer abstellen, ich konnte nicht mehr. Ich erwischte meinen Vater gerade noch am Ärmel.

»Bleib mal kurz stehen … Ich muss ganz dringend … zum Klo. Stell dich hier neben … den Koffer … ich beeile mich.«

»Das hättest du ja auch früher erledigen können. Das passiert, wenn man immer auf den letzten Drücker kommt.«

»Ja, ja …«

Mir war alles egal, ich rannte los.

Ich musste zwar erst Geld wechseln, dann noch die drei Damen, die vor mir in der Schlange standen, vorlassen, trotzdem hatte die ganze Aktion keinesfalls länger als fünfzehn Minuten gedauert. Als ich zurückkam, stand der Koffer einsam an der Stelle, allerdings standen zwei schwarzblau uniformierte Polizisten daneben. Einer von ihnen sprach hektisch in ein Funkgerät, ich verstand nur »herrenlos … Hunde bringen … absperren« und bekam Schweißausbrüche. Und dann sah ich meinen Vater. Er stand fünf Meter weiter, aß einen Hotdog und beobachtete interessiert das Geschehen. Genauso wie eine Anzahl weiterer Zuschauer, die nach und nach stehen blieben. Der Polizist, auf den ich zustürmte, hob abwehrend den Arm, ich grüßte beschwichtigend.

»Mit dem Koffer ist nichts. Das ist unserer, ich war nur auf der Toilette.«

Ich warf meinem Vater einen wütenden Blick zu, doch er drehte sich weg. Der andere schwarzblau Uniformierte ließ das Funkgerät sinken und sah mich drohend an.

»Was heißt das? Sie lassen ein Gepäckstück unbeaufsichtigt stehen und gehen zur Toilette? Wo kommen Sie denn her? Haben Sie noch nie etwas von den Sicherheitsvorkehrungen gehört? Oder von Kofferbomben?«

Sein Kollege ging einen Schritt auf mich zu. Er wirkte nicht besser gelaunt.

»Ich glaube, ich spinne! Sie verursachen hier fast eine Sperrung des Hauptbahnhofs und kommen zurück, als wenn gar nichts passiert wäre? Ich fasse es ja wohl nicht!«

Die schadenfroh-neugierigen Gesichtsausdrücke der umstehenden Zuschauer gaben mir den Rest.

»Papaaa!«

Meine Stimme klang schrill und etwas weinerlich. Die Polizisten sahen sich bedeutungsvoll an. Einige der Gaffer schüttelten mitleidig die Köpfe. Ich versuchte, Haltung zu wahren, zeigte mit dem Finger in Richtung meines Vaters, der mich ungerührt ansah und sich dabei die dänische Mayonnaise von den Fingern leckte.

»Das da ist mein Vater. Es ist *sein* Koffer. Er sollte aufpassen. Und jetzt isst er Hotdogs. Was kann ich denn dafür?«

Eine Frau sah erst mich, dann meinen Vater, dann ihre Begleiterin an und sagte laut: »Entweder ist die durchgeknallt oder betrunken. Peinlich, komm lass uns weitergehen.«

Mein Vater und ich blieben ungefähr zehn Minuten im Büro der Bahnpolizei. Wir mussten den Koffer öffnen, alles noch mal erklären und fünfzig Euro für die Bahnhofsmission spenden, bevor wir ziemlich ungnädig entlassen wurden.

Ich kochte innerlich. Mein Vater hatte seine »Ich höre schwer, bin gehbehindert und weltfremder Insulaner« – Nummer abgezogen, er hätte gar nichts mitbekommen, es sei ihm ja so unangenehm. Und seine Tochter wäre plötzlich weggewesen, das wäre nicht zum ersten Mal passiert. Ich zog den Koffer hinter mir her, als hätte er Rollen, was einen Heidenlärm machte. Mein Vater warf mir einen vorsichtigen Blick zu.

»Das ist aber …«

»Papa! Wenn du jetzt noch ein Wort sagst, lasse ich dich wirklich mitsamt deinem blöden Koffer hier stehen.«

Mein Vater schwieg tatsächlich die nächsten Minuten, wenn man von dem Satz: »Das ist sehr weitläufig hier mit den Parkplätzen«, absah, den ich ignorierte, weil ich in der Zeit den Koffer in den Kofferraum wuchtete und danach die Klappe lauter als nötig zuknallte. Papa zuckte zusammen, was mir guttat.

Wir stiegen ein. Während ich den Motor anließ, sagte ich, ohne meinen Vater anzusehen: »Wir fahren jetzt zu Dorothea.«

Er traute sich anscheinend nicht zu antworten.

Das Außenthermometer zeigte 25 Grad, der Himmel war knallblau, es war Ferienwetter, wie es sein sollte. Und Vater und Tochter schwiegen sich böse an. Ich warf einen vorsichtigen Seitenblick auf meinen Vater. Niemand konnte so zerknirscht aussehen wie er. Da saß er, drehte seine Schirmmütze in den Händen, der Reißverschluss seiner roten Windjacke war bis oben hin zugezogen, von seiner Stirn perlten Schweißtropfen. Schon tat er mir wieder leid. Es ging mir jedes Mal so. Er benahm sich unmöglich, ich war sauer auf ihn und hatte anschließend ein schlechtes Gewissen. Und ich machte wie immer den Anfang.

»Es ist warm, oder? Warum hast du denn deine Jacke nicht ausgezogen?«

Er sah mich treuherzig an. »Wir hatten zu wenig Zeit. Aber ich kann es aushalten.«

Einige Meter weiter war ein freier Parkplatz auf dem Seitenstreifen. Ich fuhr in die Parklücke und stellte den Motor aus. Mein Vater sah sich um.

»Hier wohnt Dorothea? Das ist aber keine schöne Gegend.«

»Sie wohnt auch nicht hier. Ich habe angehalten, damit du deine Jacke ausziehen kannst.«

Er strahlte mich an. »Das ist sehr nett.«

Während er sich abschnallte, umständlich ausstieg, seine Jacke auszog, sie ordentlich auf die Rückbank legte, wieder einstieg und sich anschnallte, kam ich zu dem Entschluss, die Kofferszene nicht mehr zu erwähnen.

Mein Vater strich sich erleichtert über die Stirn. »Ja, so ist es besser. Das ist aber auch warm. Ich glaube, das kommt durch die Abgase in der Stadt. Die Hitze, jetzt. Auf Sylt tragen die Polizisten keine schwarzen Uniformen. Die gefallen mir überhaupt nicht, ich finde sie zu bedrohlich.«

Ich suchte einen Sender im Autoradio und drehte die Lautstärke höher.

Dorothea schloss gerade ihr Auto ab, als wir auf den Parkplatz vor ihrem Haus fuhren. Sie kam uns lächelnd entgegen.

»Da seid ihr ja endlich. Ich habe schon vor einer halben Stunde mit euch gerechnet. Hatte der Zug so viel Verspätung?«

Sie umarmte erst meinen Vater, dann mich. Über ihre Schulter warf ich ihm einen warnenden Blick zu. Er nickte beruhigend zurück.

»Natürlich hatte der Zug Verspätung, aber nicht genug für so einen Gutschein, aber den kann ich sowieso nicht gebrauchen und dann ist uns ...«

Ich unterbrach ihn. »So, wir trinken jetzt erst einen Kaffee und dann packen wir das Auto. Wir fahren mit Dorotheas Wagen, Papa, ihr Kofferraum ist größer. Und dann sollten wir auch bald los, sonst verpassen wir die Fähre.«

Dorothea sah zwischen uns hin und her. »Der Kaffee ist fertig. Sag mal, Heinz, musst du nicht was Warmes essen oder reicht dir ein Stück Kuchen?«

»Ich hatte am Bahnhof schon so ein Würstchen mit Brötchen, damit ging das Theater ja ...«

»Komm, Papa.« Ich schob ihn vor mir her. »Wir trinken jetzt erst mal Kaffee.«

Eine halbe Stunde später wischte sich Dorothea zum wiederholten Mal die Lachtränen ab, was nicht viel nützte, sobald sie mich ansah, prustete sie wieder los. Sie konnte kaum zusammenhängend reden.

»Ach, Heinz, ich sehe dauernd Christine vor mir, umringt von schwarzen Polizisten, die sie mit Maschinengewehren in Schach halten. Und eine Herde lärmender Schäferhunde. Und Christines blödes Gesicht. Und du isst in aller Ruhe einen Hotdog. Hahaha, ich könnte mich wegschmeißen.«

Sie krümmte sich regelrecht. Heinz-Judas lachte ebenfalls. Ich fand die Geschichte beim zehnten Mal nicht mehr witzig. Beim ersten Mal übrigens auch nicht. Also stand ich auf.

»Sie hatten keine Maschinengewehre, es gab keine Hunde und wir sollten langsam los, wenn wir die Fähre kriegen wollen. Umpacken müssen wir auch noch. Wir können das Thema an dieser Stelle also beenden.«

Dorothea kicherte albern. Und mein Vater sagte zu ihr: »Sie ist zwar nett, aber manchmal eine Spaßbremse.«

Ich zwang mich zum Schweigen.

Kurz darauf öffnete ich auf dem Parkplatz die Kofferraumklappe von Dorotheas Kombi. Vor dem Auto standen vier große Reisetaschen, drei Stoffbeutel, ein Korb mit Lebensmitteln und der Trumm von einem Koffer. Und daneben Dorothea und mein Vater. Sie machten nicht den Eindruck, als würde einer von ihnen eines dieser Gepäckstücke jemals anfassen. Ich sah die beiden an.

»Was ist? Wollen wir jetzt einpacken?«

Mein Vater machte eine abwehrende Handbewegung. »Kind, ich kann nicht, meine Hüfte. Das weißt du doch. Mir ist der Koffer zu schwer.«

Dorothea lachte schon wieder. »Und ich kann den noch nicht mal angucken.«

Ich schloss kurz die Augen. Ich wollte mich nicht aufregen, ich hatte Urlaub. Also hievte ich den Koffer hoch, schob ihn ganz ans Ende des Kofferraums. Dorothea reichte mir ihre beiden Reisetaschen, ich stellte sie neben den Koffer, meine erste Tasche passte nur knapp, die zweite gar nicht mehr, der Rest lag noch vor dem Auto.

»Ich habe gleich gesehen, dass du den Koffer längs packen musst. Quer geht das nicht.«

»Danke, Papa.«

Ich holte die Reisetaschen wieder raus, drehte den Koffer um, der Schmerz schoss mir in den Ischiasnerv. Ich stöhnte. Mein Vater griff an mir vorbei und schob den Koffer um einen weiteren Zentimeter.

»So.« Seine Stimme klang zuversichtlich. »Das sieht doch schon viel besser aus.«

Jetzt gingen drei Taschen daneben, die vierte stellte ich oben drauf. Die Heckklappe ging nicht zu. Mein Vater kippte die obere Tasche auf die Seite, stopfte zwei der drei Stoffbeutel davor und legte den Kopf schief.

»Müsst ihr wirklich so viel Zeug mitnehmen? Man braucht auf einer Insel doch nur Jeans und eine Regenjacke.«

Ich gab keine Antwort, nahm die Reisetasche wieder heraus, legte alle Stoffbeutel auf den Koffer, klemmte den Korb davor und fragte Dorothea, wo unsere Jacken seien. Sie holte sie, ich stemmte mich solange gegen den Korb, damit die Konstruktion hielt. Dorothea kam mit zwei Regenjacken, zwei Mänteln und drei Flaschen Wein zurück.

»Für Marleen.«

Ich stopfte abwechselnd die Flaschen und die Jacken in die Zwischenräume, versuchte dann vorsichtig, die Klappe zu schließen. Es ging, Millimeterarbeit. Ich drehte mich stolz um.

»Und?«

»Du hast eine Reisetasche vergessen.«

»Nein, Papa, habe ich nicht, die kommt auf den Rücksitz. Da ist Platz genug.«

»Ich sitze aber nicht hinten.«

»Brauchst du auch nicht. Ich kann mich nach hinten setzen.«

»Und wenn Dorothea scharf bremst, kriege ich die Tasche ins Kreuz.«

»Heinz, ich bremse nie scharf, außerdem können wir die Tasche auch auf die andere Seite der Rückbank stellen. Dann kriege ich sie ins Kreuz.«

»Gut.« Mein Vater wirkte beruhigt. Er sah auf seine Uhr. »Da haben wir doch tatsächlich über eine halbe Stunde gebraucht. Wenn man nicht so oft Autos bepackt, hat man auch keine Übung. Ich war damals ja wahnsinnig schnell, als meine Hüfte noch in Ordnung war und wir alle naselang verreist sind. So, jetzt geht noch mal aufs Klo und dann fahren wir los.«

Er ging zum Haus, Dorothea folgte ihm lächelnd, ich lehnte mich ans Auto und zündete mir eine Zigarette an. Es war mir egal, dass mein Vater gleich einen Anfall bekommen würde, wenn er mich rauchen sah. Ich war jetzt schon sehr erschöpft.

Reif für die Insel
— Peter Cornelius —

Eine gute halbe Stunde später überquerten wir die Elbbrücken. Mein Vater sah unverwandt auf die Straßenkarte, die auf seinem Schoß lag. Zum einen, weil er Dorotheas Navigationsgerät und meinem Orientierungssinn misstraute, zum anderen, weil er mich durch sein beharrliches Schweigen für das Rauchen bestrafen wollte. Ich konnte im Moment sehr gut damit leben, sah aus dem Fenster auf die Elbe und freute mich auf die Nordsee. Dorothea summte leise irgendeinen Popsong aus dem Radio mit, Heinz schwieg weiter. Ich schob die Reisetasche ein Stück zur Seite und beugte mich nach vorn.

»Dorothea, hast du noch Pfefferminzbonbons im Handschuhfach?«

»Ich glaube ja. Heinz, guckst du mal bitte?«

»Ach, nee, hast du Halsschmerzen? Woher das wohl kommt? Und Pfefferminz hilft nicht gegen Raucherschäden. Da müssen ganz andere Geschütze aufgefahren werden. Und …«

»Heinz.« »Papa.«

»Ja, ja, ihr werdet euch noch wundern. Raucht euch ruhig kaputt, bitte, aber sagt nicht, ich hätte euch nicht gewarnt.«

Er öffnete die Klappe des Handschuhfachs, die ihm mit Schwung auf die Knie fiel. Mein Vater brüllte sofort los, Dorothea zuckte zusammen.

»Meine Güte, Heinz, ich wäre fast gegen die Leitplanke gefahren. Was ist denn?«

»Ach, dieses blöde Handschuhfach. Voll auf die Knie. Das tut so weh, und alles bloß, weil sie geraucht hat.« Er griff zum Rückspiegel und drehte ihn so, dass er mich vorwurfsvoll darin ansehen konnte.

»Sag mal«, Dorothea stellte den Spiegel wieder in die richtige Position, »dreh dich doch um, du kannst mir doch nicht einfach den Spiegel verstellen.«

Heinz sah sie an. »Ich kann mich kaum bewegen. Ihr habt den Sitz so weit nach vorn geschoben, nur weil Christine die Reisetasche nicht mehr in den Kofferraum bekam.«

»Papa, du kannst gerne hinten sitzen.«

»Das geht nicht, mir wird hinten schlecht. Wie lange fahren wir denn noch?«

Ich verdrehte die Augen, er sah mich ja nicht. »Ungefähr zweieinhalb Stunden.«

»So lange? Um Himmels willen. Das ist gar nicht gut für meine Hüfte. Ich muss mir zwischendurch mal die Beine vertreten.« Er beugte sich vor, um das Autoradio besser sehen zu können. »Was ist denn das für ein Sender?«

Es lief ein altes Stück von Fleetwood Mac.

»Diese Hottentottenmusik macht mich ganz verrückt. Wo ist denn der NDR 1?«

Ohne zu fragen, tippte er mit dem Finger auf die Sendertaste. Ich befürchtete das Schlimmste. Und es passierte: ›Steig in das Traumboot heute Nacht, Anna Lena‹ in voller Lautstärke.

»Das passt ja wie die Faust aufs Auge.« Mein Vater stupste Dorothea an und sang verzückt mit. Dorothea sah mich entsetzt im Rückspiegel an.

»Was ist das denn?«

»Traumboot heut Nacht, lalalala. Das ist Costa Cordalis. Ein schönes Lied. Und so passend. Obwohl wir nicht erst heute Nacht einsteigen und diese Fähre ja wohl kein Traumboot ist. Na, Christine, das ist doch wenigstens Musik, oder?«

Er wippte mit den Knien, ich lehnte meinen Kopf an die Scheibe und schloss die Augen.

Eine Stunde später und fast betäubt von Textzeilen wie ›Ich fange nie mehr was an einem Sonntag an‹, ›Eine Goldmedaille für deine Supertaille‹ oder ›Du musst mit den Wimpern klimpern‹ fuhr Dorothea mit angestrengter Schulterhaltung auf eine Raststätte. Sie parkte vor einer Tanksäule und stellte den Motor ab. Stille. Das Radio war aus, wir hörten nur noch Heinz, der mit geschlossenen Augen voller Hingabe die Zeile zu Ende sang. Dorothea und ich sahen erst uns, dann ihn stumm an. Mein Vater öffnete die Augen und lächelte.

»Das ist Renate Kern. Dolle Frau. Nicht richtig hübsch, aber durchaus patent. Hat schöne Schlager gesungen. Damals.« Er schnallte sich ab und öffnete seine Tür. »So, Mädels, lasst den Herrn mal tanken, ihr könnt noch einen Moment sitzen bleiben, danach trinken wir eine schöne Tasse Kaffee. Aber nicht wegfahren.« Er stieg aus und schlug die Tür hinter sich zu.

Dorothea drehte sich zu mir um. »Du hättest mir das sagen müssen. Ich hätte das Radio ausgebaut. Er kann ja jeden Text mitsingen. Seit wann ist dein Vater so ein Schlagerkönig?«

»Och, immer schon.« Ich verschwieg ihr, dass auch ich alle Texte konnte. Ob Monica Morell oder Bernd Clüver, nichts war mir fremd. Meine wichtigen Jahre von zehn bis sechzehn hatte ich damit zugebracht, jeden Sonntag die deutsche Schlagerparade mit einem Grundig-Tonbandgerät aufzunehmen. Meine Eltern feierten gern, beim kleinsten Anlass wurde das Sideboard im Esszimmer zum Büfett umfunktioniert, die Teppiche aufgerollt und die Lampen hochgebunden. Man trank Erdbeerbowle und Bier, aß Nudelsalat mit Erbsen und dann tanzte man. Nächtelang. Die Tonbandspulen liefen 60 Minuten, es mussten mindestens fünf verschiedene Bänder vorhanden sein. Dafür war ich zuständig. Ich habe fast jeden deutschen Schlager in diesen Jahren irgendwann einmal aufgenommen. Von Renate und Werner Leismann über Christian Anders und Dorthe Kollo bis hin zu Exoten wie Andrea Andergast oder Hoffmann & Hoffmann. Alle. Die Kunst bestand darin, immer wieder andere Reihenfolgen zu kreieren und zum richtigen Zeitpunkt, nämlich *vor* den Verkehrsmeldungen, auf den Pauseknopf zu drücken. Während dieser sechs Jahre hatte ich eine ausgefeilte Technik entwickelt. Meine Zusammenschnitte waren perfekt. Lautstärken, Pausen, Übergänge, alles stimmte. Es gab ein einziges Band, das meine Schwester aufgenommen hatte. Ich war auf einer Klassenfahrt und sie musste mich an zwei Sonntagen vertreten. Auf der Party, deren Anlass das neue Fahrrad meiner Mutter war, bemerkte mein Vater das erste Mal, dass es auf NDR 2 halbstündlich Nachrichten gab. Keiner der Gäste empfand die Tanzpausen als störend, es wurde aber sehr viel mehr getrunken. Und es war an diesen Sonntagen viel los auf den Autobahnen.

Vor einigen Jahren hat mein Vater diese alten Schlagerbänder sortiert. Er rief mich danach an, um mir zu erzählen, dass er es ganz spannend gefunden hätte, die damaligen Nachrichten noch einmal zu hören und dass es irgendwie schade sei, dass mich damals nur die Musik interessiert hätte.

»Christine, was summst du da eigentlich?«

Dorotheas Stimme riss mich aus meinen Gedanken. ›Du entschuldige, i kenn' di‹ von Peter Cornelius, ich versuchte, die Melodie abzuschütteln.

»Nichts, wo bleibt denn der Schlagerkönig?«

In mir sang Peter weiter und wurde erst von Heinz abgewürgt, der ›Immer wieder sonntags‹ pfiff, während er sich wieder auf den Beifahrersitz setzte.

»So, die Damen, Wagen betankt, Rechnung bezahlt. Jetzt muss ich eine Pause haben.«

Er dirigierte Dorothea auf den Parkplatz vor dem Rasthof. Nach dem Aussteigen musterte er mich.

»Was ist los? Du bist so blass.«

In meinem Kopf tobten die Dämonen, lang vergessene Namen und Texte fielen mir ein, Schlagerparaden, Schallplatten, Grundig-Geräte, ich würde sofort alle Howard-Carpendale-Lieder mitsingen, ich hatte gedacht, es läge hinter mir. Schlagerprinzessin.

»Papa, danach hören wir bitte andere Musik. Oder keine. Aber nicht mehr diese blöden Schlager.«

»Was bist du denn so gereizt? Früher hast du das gern gehabt. Du konntest sogar alles mitsingen.«

Ich floh vor Dorotheas fassungslosem Gesicht und ging auf die Toilette.

Als ich zurückkam, standen mein Vater und Dorothea mit einem Tablett vor den Auslagen. Dorothea sah mich ernsthaft an. »Und deine Lieblingssängerin war Wencke Myhre? Da sieht man mal, wie wenig man voneinander weiß.« Sie kicherte.

»Ich war elf.« Ich griff an ihr vorbei, um ein Tablett aus dem Regal zu nehmen.

Mein Vater schüttelte den Kopf. »Nein, nein, das ging viel länger. Hattest du nicht sogar schon den Führerschein?«

»Quatsch. Höchstens zwölf. Und nur wegen eurer blöden Partys. Weißt du, was du essen willst?«

Eine der Servicekräfte stand uns gegenüber. Mein Vater nickte ihr freundlich zu.

»Ich glaube, du hattest schon den Führerschein. Hm, was will ich denn essen? Was ist das denn da hinten?«

»Das ist Leberkäse. Wir machen ihn mit Spiegelei und Brot.«

»Ist da Gammelfleisch drin?«

»Papa.« »Heinz.«

Die blonde Frau im weißen Kittel sah ihn komisch an. »Natürlich nicht. Aber Sie müssen es ja nicht essen.«

»Genau. Aber man muss heutzutage fragen. Irgendwo wird dieses Gammelfleisch ja abgeblieben sein.«

Die Blonde guckte sauer. Mein Vater lächelte sie an. »Nichts für ungut. Was nehmt ihr denn?«

Dorothea sah ihn kurz an, dann bestellte sie drei Käsebrötchen und drei Tassen Kaffee.

Mein Vater nickte. Als er das Brötchen sah, sagte er nur: »Dieses Salatblatt sieht irgendwie komisch aus. Das ist doch ein Käsebrötchen, wozu ist denn das Grünzeug da?«

Ich griff nach seinem Teller, stellte ihn aufs Tablett und lächelte der Bedienung beruhigend zu. Sie sah eisig zurück.

An der Kasse bestand mein Vater darauf, alles zu bezahlen. Was ihm auch das Recht gab, seine Meinung zur Preispolitik der deutschen Autobahnraststätten zu sagen. Auch die Kassiererin guckte anschließend eisig.

Wir setzten uns an den hintersten Tisch. Heinz klappte sein Brötchen auf, entfernte das Salatblatt, die Tomaten- und Gurkenscheiben und fing an zu essen. Kauend sah er uns abwechselnd an.

»Das ist kein frisches Gemüse. Hab ich mal gelesen. Da muss man aufpassen, wegen der Keime und so.«

Dorothea salzte ihre Tomatenscheibe und steckte sie in den Mund.

»Ach, Heinz.«

Er drückte aufmunternd ihre Hand.

»Gammelfleisch ist schlimmer.«

Es gab keine weiteren Zwischenfälle. Ich verkniff mir die Zigarette, mein Vater kaufte sich eine Zeitung, Dorothea eine Illustrierte, ich setzte mich hinters Steuer und schnallte mich an. Als ich den Wagen anließ, hielt sich mein Vater am Türgriff fest und sah hektisch an mir vorbei. »Du siehst, dass der Mercedes hinter dir auch losfährt?«

»Ja, Papa.«

Ich steuerte auf die Auffahrt zur Autobahn, beschleunigte und schaltete in den nächsten Gang.

»Gibst du kein Zwischengas?«

»Papa, das hat man vor dreißig Jahren getan, bei den alten Getrieben, heute ist das Quatsch.«

»Es schont den Motor.«

»Blödsinn.«

»Hm ... Blinkst du eigentlich nie?«

Dorothea lachte leise, sagte aber nichts. Ich reihte mich in den Verkehr ein und stellte den Rückspiegel nach.

»Also, Christine, das macht man, bevor man die Fahrt antritt. Du musst doch auf die Straße gucken.«

»Papa, lies doch einfach Zeitung.«

Er beugte sich zu mir, um den Tacho sehen zu können. Mit einer Hand stützte er sich an der Konsole ab.

»140. Wieso rast du denn so?«

Dorotheas Hand legte sich beruhigend auf meine Schulter.

»Heinz, wir sind die ganze Zeit so schnell gefahren.«

»Aber Christine fährt hier einen Fremdwagen. Wie schnell hat man sich überschlagen? Du musst ein bisschen mehr Abstand halten, ich glaube, der Laster schert gleich aus.«

»Papa, es ist gut. Ich habe seit 27 Jahren den Führerschein, unfallfrei, und ich bin auch schon öfter mit diesem Auto gefahren.«

»Du hattest aber sehr wenige Fahrstunden, damals, das weiß ich noch.«

Ich gab auf.

Eine gute halbe Stunde, bevor die Frisia-Fähre von der Norddeicher Mole ablegte, fuhren wir auf den Hafen zu. Bevor ich den Koffer meines Vaters kannte, hatten wir vor, das Auto in der dafür vorgesehenen Garage unterzustellen und zu Fuß zur Fähre zu gehen. Auf Norderney hätten wir uns dann ein Taxi genommen und wären zu Marleen gefahren. Die Vorstellung, dass ich diesen Koffer zur Fähre schleppen müsste, dazu noch zwei Reisetaschen und diverse Stoffbeutel, um dann auf der Insel das ganze Zeug wieder mühsam in ein Taxi zu laden, schreckte mich so ab, dass ich vorhin beschlossen hatte, das Auto mitzunehmen. Dorothea sah das genauso. Mein Vater, der sich den Prospekt der Frisia-Reederei durchgelesen hatte, fand das unsinnig. »Das ist doch albern. Hier steht, dass man gar nicht überall fahren darf, und dann ist die Fahrkarte so teuer und die Insel so klein, wozu brauchen wir da ein Auto?«

Mittlerweile war auch Dorothea zu müde, um in eine Diskussion einzusteigen. Wir fuhren auf die Wartespur an der Mole und gingen zum Fahrkartenschalter.

»Ein Auto, drei Erwachsene. Heute hin und in zwei Wochen zurück.«

Ich lächelte den Fahrkartenverkäufer an und versuchte, meinem Vater, der dicht hinter mir stand, den Blick auf die Kasse zu versperren. Es nützte nichts. Die Antwort kam durch ein Mikrofon. »114 Euro bitte.«

»Wie viel? Und was kostet das ohne Auto?« Mein Vater hatte sich vor mich geschoben.

»15 Euro pro Person.«

»Und nur weil wir im Auto sitzen, mit dem wir auf der kleinen Insel sowieso nicht überall fahren dürfen, macht ihr solche Preise? Das ist ja Wucher.«

»Sie können das Auto auch in der Garage stehen lassen, das machen die meisten Gäste.«

»Das sag ich doch, Christine. Wissen Sie, meine Tochter hat nur so viel Gepäck und will es nicht tragen. Ich komme ja von Sylt, also da ist das so, dass …«

»Heinz, komm mal bitte.« Dorothea packte meinen Vater am Ellenbogen und zog ihn zum Eingang. »Wir beide warten draußen in der Sonne.«

Ich sah ihnen nach und dann wieder den Fahrkartenverkäufer an. Hinter mir standen mittlerweile acht Urlauber.

»Ein Auto, drei Erwachsene, heute hin, in vierzehn Tagen zurück.«

»Ihr Vater?«

Der Mann sah mich mitleidig an, während er mir die Norderney-Karten und die Quittungen durchs Fenster schob. Ich nickte.

»Ich wünsche Ihnen trotzdem eine schöne Zeit auf Norderney.«

Ich hatte das Gefühl, ich müsste ihm etwas erklären, hatte aber keine Ahnung, wo ich anfangen sollte. »Danke, es wird schon schiefgehen. Ich meine, es wird sicher schön, also …«

Er bediente schon den nächsten, ich ging zu unserem Auto und meinem Vater zurück.

Die meisten Fahrzeuge, die vor der Verladung standen, waren Kleinbusse, Lieferwagen oder Autos mit Auricher Kennzeichen, also Einheimische. Heinz stieg erst ein, nachdem er die Autoreihen abgelaufen hatte.

»Kein Wunder, bei den Preisen ist man doch behämmert, wenn man den Wagen mitnimmt. Die denken alle, wir halten uns für was Besseres. Peinlich.«

»Papa, jetzt hör auf, ich kann es nicht mehr hören, dein blöder Koffer hat mich schon genug Nerven gekostet, den schleppe ich jetzt nicht mehr weiter durch die Gegend.«

Mein Vater sah mich ungerührt an. »Du bist aber auch nervös. Es ist wirklich an der Zeit, dass du mal Ferien machst, du regst dich ja über jede Kleinigkeit auf. Warte mal ab, nach diesen zwei Wochen bist du ein ganz neuer Mensch.«

Ich legte meine Stirn auf das Lenkrad und schloss für einen Moment die Augen.

Es gab einen großen Vorteil: Mit dem Auto ersparten wir uns die Schlange der Reisenden an der Gangway. So betraten wir als Erste den Salon, in dem es eine Restauration gab. Wir saßen schon an einem Fenstertisch, während die Passagiere die Gangway stürmten. Alle zogen Trolleys hinter sich her oder hatten Rucksäcke auf dem Rücken, sie drängelten und schoben sich gegenseitig ungeduldig weiter.

Dorothea beobachtete das Treiben. »Meine Güte, das hört ja gar nicht auf. Was wollen diese Massen denn alle auf Norderney?«

»Wir müssen ja auch hin«, antwortete mein Vater sofort. »Und habt ihr das gesehen? Die meisten der Leute sind zwanzig Jahre älter als ihr und sie tragen alle ihr Gepäck.«

»Die haben Koffer mit Rollen, Heinz, im Gegensatz zu einem hüftkranken Herrn hier am Tisch.«

Heinz griff mit beleidigtem Gesicht zur Speisekarte. »Ich weiß wirklich nicht, was ihr dauernd mit meinem Koffer habt.« Er überflog die Seiten. »Würstchen, das ist gut. Ich esse auf Fähren immer Würstchen. Irgendwie gehört das dazu.«

Ich nahm ihm die Karte aus der Hand. »Ich denke, du hast Angst vor Gammelfleisch.«

Er sah erstaunt hoch. »Das ist doch nicht in Würstchen. Das glaube ich nicht. Außerdem habe ich keine Angst davor. So doll hat meine Mutter ja auch nicht gekocht.« Er blickte sich interessiert um. »Ein feines Schiff. Und so sauber. Und größer, als ich es mir vorgestellt habe. Wie eine richtige Fähre.«

»Papa, das ist eine richtige Fähre.«

»Die Rømø-Sylt-Linie ist größer.«

»Das ist Quatsch.«

Mein Vater wollte aufstehen, Dorothea hielt ihn zurück. Sie kämpfte seit Minuten mit einem Lachkrampf.

»Bleib sitzen, wo willst du denn hin?«

»Ich gehe auf die Brücke und frage den Kapitän. Wieso lachst du denn so albern?«

Dorothea versuchte zu antworten. »Wegen … deiner … Mutter … ich …« Sie lachte jetzt haltlos. Ich ließ mich anstecken.

Mein Vater verstand es nicht. »Du kanntest meine Mutter doch gar nicht.«

Er wurde von einem Kellner unterbrochen, der plötzlich vor unserem Tisch stand.

»Haben Sie einen Wunsch?«

»Ja, kennen Sie die Daten von diesem Schiff?«

Der Kellner war Vietnamese. Er sah uns freundlich an.

»Nur Wünsche mit Essen und Trinken.«

»Gut. Dann wünsche ich mir zwei Würstchen und eine Coca Cola. Und wenn ihr beide euch mal endlich zusammenreißen und entscheiden würdet, könnte der junge Mann auch noch andere Gäste bedienen.«

Ich war bereits wieder ernst. »Seit wann trinkst du denn Cola?«

»Immer schon. Deine Mutter findet nur, die macht dick, deswegen kauft sie die nie.«

»Ich durfte als Kind nie Cola trinken.«

»Unsinn, die gab es doch damals noch gar nicht.«

Dorothea kam aus dem Lachkrampf nicht raus.

»Heinz, Cola gibt es länger als Christine.«

»Tatsächlich? Dann mochte sie die wohl nicht. Kind, dann trink doch jetzt eine.«

Der Kellner wartete freundlich.

»Ich möchte ein Wasser. Und ich mochte Cola gerne.«

Mein Vater runzelte die Stirn und sah Dorothea an.

»Manchmal verstehe ich sie einfach nicht. Trinkst du wenigstens eine Cola mit mir?«

Ich hatte plötzlich das deformierte Gummibärchen im Kopf und wollte sie warnen. Aber dann erinnerte ich mich daran, dass ich 45 und einfach nur nervös war.

Mittlerweile hatte die Fähre abgelegt und Kurs auf Norderney genommen. Erstaunlicherweise hatten fast alle Passagiere Plätze gefunden, ganz vereinzelt suchten Nachzügler noch eine Sitzgelegenheit.

Mein Blick fiel auf zwei Frauen, die sich laut und lachend unterhielten. Ich war nicht nur durch die schrille Lautstärke auf sie aufmerksam geworden, sondern durch ihr unglaubliches Outfit. Sie waren zwischen Anfang und Mitte sechzig. Die kleinere der beiden hatte eine Hochsteckfrisur, die ich das letzte Mal bei Tante Anke auf einer der legendären Partys meiner Eltern gesehen hatte. Original 70er-Jahre, Unmengen von strassbesetzten Haarnadeln, Haarspray, vor den Ohren Korkenzieher. Sie trug rote Lacklederstiefel und einen zugeknöpften, knöchellangen Daunenmantel. Es war immer noch 25 Grad warm. Die andere war einen Kopf größer, ihre Haare waren nur wenig toupiert, gingen bis zum Kinn und waren karottenrot. Leuchtend rot. Die Klamotten, die sie trug, wären selbst in den 70er-Jahren auffällig gewesen: rosa Wollrock, roter Wollpullover, orangefarbener Poncho, gelber Schal und bunt gemusterte Strümpfe. Alles war gestrickt.

Dorothea bemerkte meinen fassungslosen Blick und suchte den Grund. Als sie ihn gefunden hatte, verschluckte sie sich. Ich versuchte, ernst zu bleiben.

»Na, Dorothea, was sagt dein geschultes Kostümbildnerauge zu so einem Styling?«

Bevor sie antworten konnte, hatte auch mein Vater die beiden erspäht.

»Habt ihr die beiden Damen gesehen?«

Dorothea räusperte sich. »Bunt ist lustig, oder?«

Mein Vater sah versonnen auf die Farbexplosion. »Ich finde, das sieht schön aus. Deine Mutter zieht sich ja auch meistens schön an, aber manchmal doch ein bisschen trist.«

Ich nahm mir vor, Dorothea umgehend von der Farbschwäche meines Vaters zu unterrichten, es könnte sonst größere Missverständnisse geben.

Die Würstchen hatten meinen Vater von dem Vorhaben, auf die Brücke zu gehen, abgelenkt. Erleichtert sah ich aus dem Fenster. Die Hochhäuser der Insel waren schon zu erkennen. Plötzlich stand mein Vater auf.

»Ich gehe zur Toilette. Bis gleich.«

Er sah sich suchend um, ich zeigte ihm die Richtung. Er lächelte kurz, dann ging er los. Ich atmete tief durch und fragte Dorothea:

»Weißt du jetzt, warum ich dagegen war?«

Dorothea lachte. »Ach was, ich finde Heinz lustig. Er meint es ja nur gut, ihm passieren einfach ab und zu komische Geschichten.«

»So kann man das auch sehen.«

Ich wollte mit Dorothea keine Vater-Tochter-Themen diskutieren, ich wollte auch nicht illoyal sein, aber so einfach, wie sie es sah, war dieser Mann nicht. Doch wozu sollte ich ihr Angst machen? Dorothea deutete auf Norderney und auf den Himmel.

»Schau es dir an, Sommer, Insel, Meer. Ich freue mich so, dass wir Marleen zugesagt haben.«

Marleen hatte mich im Frühjahr gefragt, ob ich ihr während der Renovierung helfen könnte. Über handwerkliche Fähigkeiten verfüge ich eher nicht, dafür habe ich jahrelang in der Pension meiner Großmutter geholfen. Ich schaffte die Grundreinigung eines Fremdenzimmers in 15 Minuten, Frühstück für 20 Personen war meine leichteste Übung. Marleen hätte Zeit, sich um die Handwerker zu kümmern. Die Pension war ausgebucht, meine Vormittage waren also verplant.

Die Kneipe sollte am kommenden Wochenende wiedereröffnet werden. Marleen wollte etwas ganz Besonderes daraus machen, schöne Farben, schönes Licht. Dabei war ihr eingefallen, dass Dorothea Kostüm- und Bühnenbildnerin war. Bei einem ihrer Besuche zeigte Marleen Dorothea die Pläne, die so begeistert war, dass sie ihr anbot, mit mir zusammen auf die Insel zu kommen. Sie hatte ein sicheres Gespür für Farben, ganz im Gegensatz zu meinem Vater. Dorotheas Frage holte mich in die Gegenwart zurück.

»Wie geht es Marleen eigentlich privat? Hat sie die Trennung ganz gut weggesteckt?«

»Ich glaube schon. Sie hatte aber auch so viel um die Ohren, dass sie gar nicht ständig über diesen Blödmann nachdenken konnte.«

»Dann sind wir drei ja zum ersten Mal gleichzeitig Singles. Da müsste sich in diesem Sommer doch mal was machen lassen. Christine, das wäre doch was, so eine richtig nette Sommerliebe.«

»Mit Heinz an der Hacke?«

Dorothea lachte. »Den müssen wir dann mal abschütteln, wie früher, da sind wir auch heimlich rauchen, trinken und knutschen gegangen.«

Ich dachte kurz darüber nach, dass sich die nächsten zwei Wochen vermutlich auch nicht viel anders gestalten würden, als mir auffiel, dass er schon viel zu lange weg war. Mein Herzschlag setzte kurz aus.

»Sag mal, wo bleibt er eigentlich? Ist er umgekippt oder doch auf die Brücke gegangen?«

Ich wollte gerade aufstehen und ihn suchen gehen, als ich ihn entdeckte. Er steuerte mit einem Lächeln und blitzenden Terence-Hill-Augen auf uns zu, im Schlepptau die beiden Grazien. Der Daunenmantel hielt sich dicht hinter ihm, das bunte Wollknäuel folgte ihr.

»Dorothea, jetzt reiß dich zusammen, sonst wirst du ohnmächtig.«

Sie drehte sich um, als das Trio unseren Tisch schon erreicht hatte. Heinz blieb stehen und wies mit großer Geste auf uns.

»Meine Damen, da wären wir. Darf ich vorstellen? Meine Tochter Christine, ihre Freundin Dorothea und das, Kinder, sind Frau Klüppersberg und Frau Weidemann-Zapek, die ich zu einem Getränk einladen möchte. Also, rutscht mal durch.«

Uns fiel nichts ein. Wortlos rutschten wir durch. Mein Vater setzte sich neben die bunte Frau Klüppersberg, was ihr einen giftigen Blick von Frau Weidemann-Zapek einbrachte. Dorothea fand ihre Fassung zuerst wieder.

»Heinz, ich glaube, wir können nichts mehr bestellen, wir haben auch schon bezahlt, das Schiff legt gleich an.«

Mein Vater sah aus dem Fenster, der Hafen war vor uns.

»Tatsächlich. Na ja, dann machen wir das später. Aufgeschoben ist nicht aufgehoben.«

Er lächelte, irgendwie verwegen, fand ich. Klüppersberg und Weidemann-Zapek kicherten künstlich. Dorotheas Blick war konzentriert. Sie war kurz vor dem Platzen. Um sich zu retten, fing sie an zu reden.

»Sind Sie das erste Mal auf Norderney?«

»Ja, das erste Mal«, antwortete Daunenmantel Weidemann-Zapek. »Wissen Sie, meine Freundin und ich reisen sehr viel und sehr gerne, aber bisher haben wir südliche Ziele bevorzugt. Wir sind ja Sonnenkinder.« Sie lachte etwas zu schrill.

Sonnenkinder, dachte ich und betrachtete Frau Klüppersberg. Es war tatsächlich alles gestrickt. Und aus der Nähe noch bunter. Sie wertete meinen Blick als Aufforderung.

»Aber diesen Sommer haben wir uns vorgenommen, die Nordsee zu erobern. Und wenn man gleich am ersten Tag auf so lustige Weise einen so charmanten Menschen wie Ihren Herrn Vater kennenlernt, ist das doch ein gutes Zeichen.«

Ich wollte nicht wissen, auf welch lustige Weise der charmante Herr diese beiden Vollblutweiber aufgerissen hatte, es blieb mir aber nicht erspart. Während ich Dorothea verzweifelt ansah, die aus dem Fenster starrte und sich dabei auf die Fingerknöchel biss, gab mein Vater schon die Erklärung:

»Ja, das war wirklich lustig. Ich habe die Toilettentür aufgemacht, als das Schiff gerade so geschaukelt hat. Da bin ich ins

Straucheln gekommen und mit Frau Weidemann-Zapek zusammengeprallt. Sie ist dann umgefallen, ich oben drauf und Frau Klüppersberg hat mir hochgeholfen.«

Dorothea wimmerte leise.

»Ja, genau.« Frau Klüppersberg nickte strahlend. »Mechthild hat sich nicht wehgetan, sie hat ja den dicken Daunenmantel an, der federt ordentlich ab.«

Dorothea bekam einen Hustenanfall. Ich merkte, dass mein Mund offen stand, und schloss ihn schnell wieder.

Mechthild Weidemann-Zapek sah ihre Freundin giftig an. Da schien sich ein kleiner Konkurrenzkampf abzuzeichnen. Mein Vater merkte das natürlich nicht. Er wandte sich an beide.

»Wo wohnen Sie denn auf der Insel?«

Sie antworteten gleichzeitig: »Im Haus Theda. In der Kaiserstraße.«

Dorothea sprang plötzlich auf. »Entschuldigung, ich muss kurz auf die Toilette, darf ich mal durch?«

Frau Weidemann-Zapek stand auf und ließ Dorothea vorbei. Die rannte fast zum Ausgang. Mein Vater sah ihr nach.

»Hoffentlich ist sie nicht seekrank, wo wir schon fast im Hafen sind.«

»Bleib ruhig, Papa, das ist sie bestimmt nicht.«

»Vielleicht Frauenprobleme.« Er sagte das leise, in einem verschwörerischen Ton. »Na, wird schon wieder. Wo waren wir stehen geblieben? Ach ja, Kaiserstraße. Und wo da?«

»Haus Theda.«

Er dachte kurz nach. Dann erhellte sich sein Gesicht.

»Nein, das gibt es doch nicht. So ein Zufall. Das ist ja Marleens Pension. Wissen Sie, wir sind auf dem Weg dahin, wir müssen ihr alle ein bisschen unter die Arme greifen und ihre Kneipe renovieren. Wir gehören also quasi zu Ihren Gastgebern.«

Jetzt musste auch ich aufs Klo.

Im Vorraum der Toilette stand Dorothea vor dem Waschbecken und ließ sich kaltes Wasser über die Handgelenke laufen. Als sie mich im Spiegel sah, fing sie an zu lachen. Mit meiner Beherrschung war es nun auch vorbei. Wir konnten nicht mehr

reden, ließen uns mit dem Rücken an der Wand hinabglei-
ten und wischten uns die Lachtränen ab. Dann hörten wir die
Durchsage.

»Meine Damen und Herren, wir bitten Sie jetzt, sich zu Ihren
Kraftfahrzeugen zu begeben, wir werden in Kürze auf Norderney anlegen.«

Dorothea atmete tief durch. »Um Himmels willen. Das glaubt
uns doch kein Mensch. So, komm, ich hoffe, wir müssen Heinz
nicht noch gewaltsam von diesem Gespann befreien.«

Wir bahnten uns mühsam einen Weg durch die Passagiere,
die vor dem Ausgang warteten. Weder Heinz noch seine Groupies waren in der Menge zu sehen. Ich hatte ein ungutes Gefühl,
gab Dorothea ein Zeichen und ging in Richtung Autodeck. Mein
Gefühl war richtig. Heinz lehnte am Wagen, Frau Weidemann-
Zapek, Frau Klüppersberg und ihre drei Koffer standen daneben. Als er uns sah, winkte er fröhlich.

»Da seid ihr ja. Na, Dorothea, geht es dir besser? Hört mal,
ihr wisst ja, wie unmöglich alles ist, wenn man ohne Auto
kommt. Ich habe den Damen schon gesagt, dass man entweder
mit dem Bus oder mit dem Taxi in den Ort fahren muss. Das ist
ja unzumutbar mit dem ganzen Gepäck. Wir haben doch sowieso dieselbe Adresse. Wir nehmen die Damen mit.«

Ich war sprachlos. Dorothea betrachtete die Koffer.

»Sag mal Heinz, wie sollen wir die Koffer der Damen denn
noch ins Auto kriegen?«

»Schließ den Wagen mal auf, das geht schon.«

Mein hüftkranker Vater öffnete den Kofferraum und die hinteren Türen und jonglierte in einer rasenden Geschwindigkeit
mit diversen Gepäckstücken. Nach kurzer Zeit war der Kofferraum wieder zu und die halbe Rückbank bis oben hin beladen.

»So.« Er rieb sich die Hände. »Zum Einsteigen bereit. Frau
Weidemann-Zapek vielleicht nach hinten und Frau Klüppersberg auf die Beifahrerseite?«

Während die Damen kichernd und umständlich einstiegen,
streckte mein Vater die Hand nach dem Schlüssel aus. Erst dann
bemerkte er unsere Mienen.

»Was habt ihr denn? Der Weg ist doch gar nicht so weit und ihr habt kein Gepäck. So ein kleiner Fußmarsch tut euch nach der ganzen Fahrerei sicher gut.«

»Sag mal, Papa, du weißt doch gar nicht, wo du hinmusst.«

»Doch, weiß ich. Erst mal haben unsere Gäste eine Anfahrtsskizze und außerdem kann Dorothea ihr Navigationsgerät einstellen. Und tu nicht immer so, als wäre ich ein seniler alter Sack, den man nicht alleine lassen kann.«

Ich verkniff mir eine Antwort, schließlich war er mein Vater.

So ein Mann
— Margot Werner —

Dorothea und ich hatten uns in die lange Schlange der Fahrgäste eingereiht, unsere Karten vorgezeigt und liefen nun gegen die Sonne in Richtung Kaiserstraße. Kurz nach dem Hafenplatz überholte uns Dorotheas Auto. Mein Vater hupte fröhlich und fuhr im zweiten Gang an uns vorbei. Ich folgte ihm mit den Blicken.

»Hat er dir gesagt, dass er seit zwanzig Jahren nur Automatikgetriebe fährt?«

»Ach, deshalb.« Dorothea schluckte. »Dann weiß er nicht mehr, wann man in den dritten schaltet. Egal, das Getriebe müsste das abkönnen. Hoffentlich.«

Dorothea war ein sehr gelassener Mensch. In diesem Moment war ich froh darüber, ansonsten hätte ich das zwingende Gefühl gehabt, meinen Vater verteidigen zu müssen. Sie hatte anscheinend meine Gedanken gelesen.

»Ich bin sehr gespannt, wie Heinz es schaffen wird, die beiden Walküren abzuschütteln. Sie kommen mir sehr entschlossen vor.« Sie lachte. »Christine, ich sage dir, mit denen werden wir noch viel Spaß haben.«

»Ist dir eigentlich klar, dass ich denen jeden Morgen in der Pension begegnen werde?«

»Stimmt, du bist ja zwei Wochen lang die Frühstücksfee. Hoffentlich machst du alles richtig. Frau Weidemann-Zapek hat betont, dass sie viel reisen, dann kennen sie sich bestimmt aus. Aber du kannst gar nichts falsch machen, sie

45

werden dich benutzen, um deinen Vater zu erlegen. Jede für sich natürlich.«

»Quatsch! Du siehst zu viele schlechte Filme.«

Dorothea blieb vor einer Bank stehen, von der aus man das Meer sehen konnte. »Ich habe das Glitzern in ihren Augen gesehen, meine Liebe. Mach dir da mal nichts vor. Und jetzt setzen wir uns hier hin, rauchen eine heimliche Zigarette und sammeln unsere Kräfte, bevor wir in die Pension und ins nächste Chaos kommen. Ich glaube, das wird der bunteste Urlaub, den wir beide jemals zusammen gemacht haben.«

Ich hatte Marleen schon zweimal auf der Insel besucht, deshalb kannte ich den Weg. Als ich im Januar das letzte Mal hier war, hatte sie gerade angefangen, die Pension zu renovieren. Ich erkannte das Haus kaum wieder. Es war schneeweiß gestrichen, das rote Ziegeldach war neu, in der großen Glasveranda waren die alten Scheiben ersetzt und die Fensterrahmen in den Gauben waren blau. Nur das Schild »Haus Theda« war noch das alte geblieben.

Dorothea blieb stehen. »Das ist ja zauberhaft. Ich hatte mir so eine alte verwohnte Kate vorgestellt. Und es ist richtig groß. Wie viele Zimmer sind es denn?«

Ich musste nachdenken. »Ich glaube zwölf. Oder dreizehn. Und sie sind gerade alle ausgebucht. Deswegen konnten wir nicht hier übernachten. Unsere Ferienwohnung ist übrigens direkt nebenan, das kleine rote Haus dort drüben. Das gehört Mareike, einer Freundin von Marleen. Sie selbst wohnt in der oberen Wohnung und unten vermietet sie. Sie arbeitet in der Hautklinik als Ärztin, aber hat im Moment Urlaub und ist deshalb gar nicht da. Wir haben das Haus also für uns. Geradezu ideal, findest du nicht?«

Dorotheas Auto stand auf zwei der drei hauseigenen Parkplätze. Ich warf einen Blick auf die Rückbank. Anscheinend hatte es eine Spontanheilung der Hüfte gegeben, das Gepäck war verschwunden. Mein Vater war Kavalier, er ließ Damen nicht schwer tragen, nur Töchter.

Marleen stand an der kleinen Rezeption und füllte Formulare aus. Sie hob den Kopf, als wir eintraten, und lächelte.

»Da seid ihr ja. Und, Dorothea, sind deine Kopfschmerzen besser?«

Sie kam um den Tresen und umarmte erst mich, dann Dorothea.

»Wieso Kopfschmerzen?«

»Heinz sagte, du hättest solche Kopfschmerzen, dass du nicht mehr Auto fahren könntest und lieber zu Fuß gehen wolltest. Und damit du nicht alleine umkippst, wollte Christine dich begleiten. Da hätte er sich angeboten, dein Auto herzufahren. Wieso habt ihr das überhaupt mit rübergenommen? Das braucht ihr hier doch gar nicht.«

Ich setzte mich auf eine Bank. »Das ist eine lange Geschichte. Genauso lang wie die Entstehung der Kopfschmerzen. Das erzähle ich vielleicht mal in Ruhe.«

Marleen sah mich besorgt an. »Ach, hast du etwa auch Kopfschmerzen?«

Dorothea ließ sich neben mich fallen. »Nein, Marleen, niemand hat Kopfschmerzen. Eigentlich ist alles in Ordnung. Wer hat übrigens mein Auto geparkt?«

»Heinz hat sich aus Versehen quer auf meine Parkplätze gestellt, man parkt aber schräg ein, na ja, ist egal, aber dafür ist er so nett gewesen, zwei meiner Pensionsgäste mitzubringen. Das war ja ein Zufall, dass die beiden bei euch am Tisch saßen.«

Mein Vater erstaunte mich immer wieder. Höchstens zwanzig Minuten Vorsprung und dann solche Geschichten. Mittlerweile war es fast 19 Uhr. Ich stand auf und streckte mich.

»Und wo steckt mein Vater jetzt? Ich würde nämlich ganz gern unsere Klamotten in die Wohnung bringen, schnell auspacken und dann in Ruhe mit dir essen und alles bereden. Und du solltest dich dabei auch langsam an Heinz gewöhnen.«

»Wieso, was ist denn mit Heinz? Er ist übrigens schon drüben in der Wohnung, ich habe ihm alles gezeigt.«

Dorothea drückte Marleens Hand. »Es ist sehr lustig mit

47

ihm. Du musst ihn nur machen lassen. Christine ist als Tochter vielleicht etwas empfindlich.«

»Und was ist mit unserem Gepäck?« Ich hatte schon wieder ein komisches Gefühl.

»Ich habe euren Koffer schon rübergetragen, Christine, du solltest dir mal einen mit Rollen kaufen. Und Heinz' Reisetaschen sind noch im Auto, die holt er selbst, hat er gesagt. Aber warte, der Autoschlüssel liegt noch hier, den könnt ihr gleich einstecken.«

Wir gingen zum Auto und öffneten den Kofferraum. Unsere Sachen waren noch vollständig da. Dorothea sah mein Gesicht.

»Du kannst nicht verlangen, dass er unsere Sachen schleppt.«

»Natürlich nicht, das macht er ja nicht mal mit seinen eigenen.«

»Aber er hat doch eine ...«

»Jetzt komm mir nicht mit seiner kaputten Hüfte. Die Koffer von Weidemann-Zapek und Klüppersberg hat er ganz lässig gehoben. Und die sahen auch nicht aus, als wären sie leer.«

»Strick und Daunen wiegen doch nichts.«

Dorothea lachte, während sie sich die Riemen der Tragetaschen über die Schultern schob. Ich verteilte die restlichen Taschen an meinem Körper, dann wankten wir beladen zum Eingang des roten Hauses.

Wir mussten fünfmal klingeln, bevor die Schritte meines Vaters im Flur zu hören waren. Er blieb hinter der Tür stehen und versuchte durch das kleine Glasfenster zu sehen.

»Wer ist da bitte?«

»Papa, mach auf.«

»Christine? Dorothea? Seid ihr das?«

Ich trat gegen die Tür. »Papa!«

»Moment.«

Wir hörten einen Schlüssel, der sich zweimal im Schloss drehte, dann ging die Tür langsam auf. Ich schob mich an meinem Vater vorbei, wobei mir die erste Tasche von der Schulter rutschte und die zweite gleich hinterher. Die beiden Leinenbeutel und drei Jacken ließ ich einfach fallen. Dorotheas Gepäck rutschte ebenfalls an ihr runter. Mein Vater betrachtete das Durcheinander und schüttelte den Kopf.

»Geht doch zweimal. Es war hier so schön aufgeräumt.«

Ich wunderte mich, dass Dorothea ihn noch nicht einmal giftig ansah, ich tat es nämlich schon wieder. Dorothea hingegen schob ihre Taschen mit dem Fuß in eine Ecke und hakte sich bei meinem Vater unter.

»So, Boss, dann mach mal mit uns eine Wohnungsbegehung.«

Er verneigte sich. »Mit Vergnügen. Es ist übrigens schön hier. Man merkt gleich, dass diese Ärztin eine ordentliche Person ist.«

Die Wohnung bestand aus einem langen Flur, von dem zwei Schlaf- und ein Wohnzimmer abgingen. Das Badezimmer war neben dem ersten Schlafzimmer, die Küche gegenüber. Vom Wohnzimmer aus führte eine Tür auf die Terrasse, von dort aus drei Stufen in den Garten. Ich trat auf die Terrasse und drehte mich zu meinem Vater um.

»Wo willst du schlafen?«

»Ich habe mich im ersten Schlafzimmer eingerichtet. Da bin ich am dichtesten an der Tür, falls eingebrochen wird.«

»Und wenn die Diebe durch die Terrassentür kommen?«

»Dann gehen die zur Haustür wieder raus.«

»Aha. Und das erste Schlafzimmer ist nicht zufällig das größte?«

Mein Vater sah mich freundlich an. »Nein, aber das Bett hat die beste Matratze. Ich habe auch das Gästebett im Wohnzimmer ausprobiert, wirklich gute Liegequalität. Da kann man gut drauf schlafen.«

Ich sah mich in lauschigen Sommernächten auf den Stufen der Terrasse eine heimliche Nachtzigarette rauchen, während Papa auf seiner guten Matratze schlief. Diese Aussicht ließ mich ihn anlächeln.

»Gut, dann nehme ich das Gästebett.«

Dorothea holte ihre Taschen aus dem Flur und stellte sie in das andere Schlafzimmer. Mein Vater sah ihr nach und ging ein paar Schritte auf mich zu.

»Sag mal, Christine«, sagte er leise, »könntest du mir nachher mal helfen, mit dem Koffer und so?«

»Ich helfe dir schon den ganzen Tag mit dem Koffer.«

»Nein, ich meine, mit dem Auspacken. Deine Mutter hat mir die Sachen, die ich zusammen anziehen soll, immer aufeinandergelegt.«

Sein Gesichtsausdruck war verlegen. Ich wollte es ihm nicht so leicht machen, er sollte mir sagen, was er wollte.

»Ja und?«

»Na ja«, er knetete seinen Daumen, »ich habe doch das Werkzeug noch dazugepackt und dabei ist mir die Ordnung so ein bisschen durcheinandergekommen und jetzt weiß ich nicht mehr genau, was zusammenpasst.«

Er rührte mich in seinem Bemühen, sich ohne meine Mutter zwei Wochen lang vernünftig anzuziehen.

»Dann lass mal sehen. Wir müssen das aber später auspacken, Marleen hat für 20 Uhr einen Tisch bestellt und es ist schon Viertel vor.«

Ich folgte ihm in sein Schlafzimmer, warf einen Blick in seinen Koffer und klappte ihn gleich wieder zu. Mein Vater hatte sein Werkzeug in die Mitte des Koffers gelegt und es ordentlich mit allen Kleidungsstücken umwickelt.

»Ja, du hast recht, das ist nicht mehr gut zu erkennen. Ich mache das nach dem Essen. Dann kann ich Marleen auch fragen, ob sie mir ihr Bügeleisen leiht.«

Mein Vater war erleichtert. »Vielen Dank, Christine. Mama hat die Hemden aber alle gebügelt, das brauchst du gar nicht mehr zu machen.«

Ich schob ihn auf den Flur und rief nach Dorothea, um zum Essen zu gehen.

Kurz vor 20 Uhr betraten wir die »Milchbar«, in der Marleen einen Tisch reserviert hatte. Sie war bereits da, saß an einem Platz, von dem aus man einen traumhaften Blick aufs Meer hatte. Mein Vater hatte sich am Eingang unsicher umgesehen. Ich ahnte seine Gedanken.

»Es heißt nur ›Milchbar‹, Papa, es ist ein ganz normales Lokal.«

»Du meinst, sie haben hier auch Weizenbier?«

»Bestimmt.«

Er wirkte sofort entspannt. Marleen erhob sich, als sie uns kommen sah.

»Schön, da seid ihr ja. Habt ihr schon alles ausgepackt? Geht das mit den Schlafplätzen? Wenn ihr noch irgendetwas braucht, sagt Bescheid.«

Dorothea ließ sich auf einen Stuhl fallen. »Es ist eine tolle Wohnung. Ich finde sie wirklich klasse. Christine schläft freiwillig im Gästebett, Heinz und ich haben eigene Zimmer.«

Heinz setzte sich erst neben Dorothea, stand dann aber wieder auf und nahm gegenüber Platz.

»Ich möchte das Meer sehen.« Er lächelte in die Runde. »Das sieht fast so aus wie zu Hause.«

Er sah sehnsüchtig aufs Wasser. Mir fiel ein, wie ungern er verreiste. Und dieses Mal auch noch ohne meine Mutter. Vielleicht war ich einfach zu ungeduldig mit ihm. Er sah ein bisschen verloren aus. Marleen unterbrach die Stimme meines schlechten Gewissens.

»Was wollt ihr trinken? Hier ist Selbstbedienung. Soll ich erst mal eine Runde Sekt zur Begrüßung holen?«

»Davon kriege ich sofort Sodbrennen. Gibt es hier Weizenbier?«

»Sicher, also für Heinz Weizenbier und für uns Sekt?«

Ich nickte, Dorothea stand auf. »Ich komme mit und helfe dir tragen.«

»Alles in Ordnung?«, fragte ich, als die beiden weg waren.

»Doch … schon … Mir gingen nur gerade ein paar Gedanken durch den Kopf.«

Mein Hals schnürte sich zu. »Was denn für welche?«

»Die Insel ist ja nicht so groß wie Sylt, da laufe ich in zwei Wochen hundertmal rum. Hoffentlich wird das nicht zu langweilig.«

»Und was noch?«

»Wenn ich Marleen jetzt fragen würde, wie Frau Klüppers-berg und Frau Weidemann-Zapek untergebracht sind, würde sie bestimmt sagen, sehr gut natürlich, oder? Das muss sie sagen, ist ja ihre Pension. Wie kriege ich denn raus, ob das auch stimmt?«

»Indem du die beiden Damen fragst.«

»Das wäre aber doch sehr aufdringlich.«

»Ach, Papa, du kannst natürlich auch morgen früh die Zimmerschlüssel an der Rezeption klauen und selbst nachsehen. Dann weißt du es.«

»Und du meinst, das würde nicht auffallen?«

»Was würde nicht auffallen?« Marleen stellte das Weizenbier und meinen Sekt auf den Tisch.

»Mein Vater ...«, ich spürte unter dem Tisch einen Tritt. »Au! Mein Vater überlegt, ob er morgen früh seinen alten Freund Kalli besucht, aber er hat ja seine Hilfe beim Renovieren angeboten und wollte deshalb wissen, ob es auffällt, wenn er sich gleich am ersten Tag verkrümelt. Nicht wahr, Papa?«

»Wer verkrümelt sich?« Dorothea stellte vorsichtig die beiden anderen Sektgläser auf den Tisch.

»Mein Freund Kalli ist nicht alt, der ist sogar jünger als ich, was man übrigens nicht sieht. Er wird erst 72.«

»Na dann!« Marleen hob ihr Glas. »Herzlich willkommen. Ich trinke auf schöne Ferien, mit ganz kleinen Urlaubsjobs.« Nachdem wir getrunken hatten, sah sie in die Runde. »Ich schlage vor, wir holen uns jetzt das Essen, und danach erzähle ich euch, wobei ich Hilfe brauche.«

Heinz weigerte sich, mitzukommen. »Also wirklich, wenn ich Selbstbedienung will, gehe ich in eine Pommes-Bude. Wenn ich jetzt aufstehe, ist mein Platz anschließend besetzt. Und dann stehe ich da am Tresen rum und kann mich nicht schnell genug entscheiden und dann wird die Bedienung ungeduldig und ...«

»Papa, ich bringe dir was mit.«

Er nickte. »Gerne was mit Bratkartoffeln, aber bitte keine Wurst mehr. Du findest schon was.«

Nach kurzer Zeit kamen wir mit Matjes und Bratkartoffeln

für alle zurück. Heinz unterhielt sich lautstark mit dem Ehepaar am Nachbartisch.

»Ich spiele lieber auf Sylt. Da gibt es zwei 18-Loch-Plätze, das ist mir hier zu wenig. Nur ein 9-Loch gibt es hier? Da kann ich ja gleich zum Minigolf gehen.«

Das Ehepaar nickte uns höflich zu. »Vielen Dank für die Information«, sagte die Frau, »das müssen wir in Ruhe besprechen, aber wahrscheinlich haben Sie recht. Schöne Tage noch und guten Appetit.«

Mein Vater sah erst mich, dann seinen Teller an. »Das ist doch was Anständiges. Ich frage mich nur, warum die das nicht an den Tisch bringen können.«

»Sag mal, was hast du denen denn erzählt?«

Er sammelte die Petersilie und die Salatgarnitur vom Teller und warf sie in den Aschenbecher.

»Nichts weiter. Ich habe die nur gefragt, warum sie hier sind.«

Marleen beobachtete seine Aufräumungsarbeiten. »Sie machen hier Urlaub, nehme ich an. Wie tausend andere.«

»Falsch.« Er zeigte mit seiner Gabel in Marleens Richtung. »Sie wollen hier Golf spielen.«

Ich hatte es geahnt. »Und du hast ihnen erzählt, dass man das auf Sylt besser kann?«

»Aber natürlich. Wir haben drei Golfplätze und einen vierten im Bau.«

Dorothea schüttelte den Kopf. »Du kannst doch hier keine Gäste abwerben.«

»Wieso nicht?« Er sah sie harmlos an.

Marleen verbiss sich das Lachen. »Man kann das ja als Tipp von Golfspieler zu Golfspieler werten, dann ist es keine böse Absicht.«

»Mein Vater hat noch nie im Leben Golf gespielt.«

»Das habe ich ja auch nicht behauptet. Aber unsere Plätze sind schön. Ich gehe da immer vorbei. Uwe Seeler spielt da auch.«

Mein Vater schob sich die Gabel in den Mund und nickte zur Bekräftigung.

Nach dem Essen holte Marleen Bauzeichnungen und Fotos aus ihrer Handtasche.

»Wir können uns morgen früh alles ansehen, heute geht das noch nicht, der Holzboden ist in Arbeit und darf erst morgen betreten werden. Aber so soll das mal aussehen.«

Das Wort Kneipe passte überhaupt nicht mehr. Sie wirkte auf den Zeichnungen eher wie eine Lounge. Marleen wollte neben die Bar Ledersofas und Sessel stellen, in die Mitte sollte ein rundum verglaster Kamin kommen, im anschließenden Raum würden Chromtische und Rattanstühle stehen, dort wollte sie kleine Gerichte servieren. Dorothea und ich waren beeindruckt. Heinz weniger.

»Und dann essen die Erbsensuppe und schmieren ihre fettigen Finger an der Couch ab«, sagte er.

»Heinz, es wird hier garantiert keine Erbsensuppe geben.«

Dorothea betrachtete konzentriert die Zeichnungen und sofort kamen ihr Ideen. Sie schlug Marleen verschiedene Farbkombinationen vor, suchte einen Stift in ihrer Tasche, kritzelte Farbbezeichnungen und Notizen auf die Seitenränder. Mein Vater sah verständnislos zu.

»Malt das doch einfach weiß, dann kann man wieder drüberstreichen. Oder nehmt Latex, das kann man sogar feucht abwischen.«

»Papa!« »Heinz ...«

»Ich meine ja bloß. Und was soll ich machen? Streichen mag ich nicht. Man kriegt die Farbe hinterher so schlecht von den Fingern.«

Dorothea hob den Kopf. »Also, am liebsten würde ich das sowieso gern selber machen. Ich glaube, so ein paar Meermotive dazwischen wären auch schön. Die male ich gleich mit rein. Marleen, ich hoffe, du vertraust mir.«

Marleen nickte. »Deswegen habe ich dich ja gefragt. Ich habe ein paar Schüler engagiert, die können unter deiner Anleitung die großen Flächen streichen, dann hast du Zeit für die Feinheiten.«

»Wunderbar. So etwas macht mir Spaß.«

Marleen sah wieder auf den Plan. »Also, das Problem ist vor allem, wer wo wann mithelfen kann. Ich habe die Pension voll und kann deshalb nicht vor 10 Uhr weg. Meine Aushilfe, die morgens Frühstücksdienst macht, hat sich den Fuß verletzt. Sie ist drei Wochen krankgeschrieben. Das kannst du übernehmen, Christine, nicht wahr?«

Ich nickte wortlos.

»Morgens kommen ab 8 Uhr die Handwerker in die Kneipe. Die Toiletten müssen noch gefliest werden und die Elektrik ist auch noch nicht fertig. Ich weiß nicht, Dorothea, wann du morgens anfangen willst, aber eigentlich muss immer jemand da sein.«

Dorothea schreckte auf. »Um 8 schon? Ist das dein Ernst? Da bin ich noch nicht ansprechbar.«

Mein Vater setzte sich gerade hin. »Handwerker zu beaufsichtigen ist ja wohl Männersache. Ich werde pünktlich um 8 Uhr auf der Matte stehen. Das ist überhaupt kein Problem.«

Marleen lächelte ihn an. »Das hatte ich gehofft, Heinz. Du musst auch gar nicht den ganzen Vormittag danebenstehen. Es sollte nur jemand da sein, um sie reinzulassen. Und falls es irgendwelche Probleme gibt.«

»Du, mit Handwerkern kenne ich mich aus. Man muss als Autorität auftreten, sonst tanzen die einem auf der Nase rum. Du bist bestimmt zu nett, das ist ganz gut, dass ich jetzt da bin.« Er sah sehr zufrieden aus. »Und Kalli kann ich auch am Nachmittag oder Abend besuchen. Der Bau geht jetzt vor.«

Auf dem Rückweg erzählte mein Vater stolz von seinen Erfahrungen mit Handwerkern. Ich schwieg. Viele der Geschichten kannte ich bereits durch meine Mutter, es wäre unhöflich gewesen, die Versionen dieser Autorität zu korrigieren. Vor dem »Haus Theda« verabschiedeten wir uns von Marleen.

»Bis morgen«, sagte sie, »zum Frühstück kommt ihr ja in die Pension, danach gehe ich mit Heinz und Dorothea in die Kneipe und zeige Christine alles Weitere. Schlaft gut.«

»Gute Nacht, Theda«, antwortete mein Vater, »Quatsch, ich meine natürlich Marleen. Nacht, Marleen.«

»Apropos Theda.« Mir war eingefallen, dass wir gar nicht über Marleens Tante und ihren neuen Liebsten gesprochen hatten. »Wollten Hubert und Theda nicht kommen?«

»Doch, wollten sie. Aber sie sind gerade in Konstanz am Bodensee und Theda findet die Blumen da so toll. Sie kommen nächstes Wochenende. Die beiden Turteltauben sind nur noch unterwegs.«

»Tja, Reisen bildet, sage ich immer.« Heinz sah Marleen wichtig an. »Also, dann gute Nacht allerseits.«

Er drehte sich um und steuerte auf unser Feriendomizil zu. Ich küsste Marleen auf die Wange.

»Ich muss den Mann einholen, er hat gar keinen Schlüssel. Schlaf gut.«

Noch bevor Dorothea sich verabschiedet hatte, hörte ich schon meinen Vater:

»Christine! Die Tür ist zu.«

Um Mitternacht saß ich endlich allein auf den Stufen, die von der Terrasse zum Garten führten und rauchte eine Zigarette. Es war sehr still, die Luft klar, ich sah in den Sternenhimmel.

Ich hatte den Koffer meines Vaters ausgepackt, während er auf dem Bettrand saß und mir zuschaute.

»Du kannst die Sachen, die zusammen gut aussehen, vielleicht aufeinanderlegen. Dann muss ich nicht dauernd fragen. Aber wir verlassen ja immer gemeinsam das Haus, oder?«

Hörte ich da Angst in seiner Stimme?

»Sag mal, Papa, findest du es jetzt ganz schlimm, dass du mit hier bist?«

Er dachte einen Moment nach. »Na ja, ich muss mir erst mal in Ruhe diese Insel angucken. Aber wie auch immer, ohne uns wäre Marleen doch aufgeschmissen. Und manchmal muss man eben Opfer bringen.«

Ich hatte die Zigarette gerade aufgeraucht, als ich Schritte hinter mir hörte.

»Rutsch mal.«

Mein Vater trug einen blau-weiß gestreiften Schlafanzug und hockte sich neben mich.

»Grillen die hier? Es riecht so angekokelt. Guck mal, die Sterne. Wenn eine Sternschnuppe fällt, darf man sich was wünschen.«

Wir saßen nebeneinander und starrten in den Himmel. Plötzlich fiel eine Sternschnuppe, gleich danach eine zweite. Keiner von uns sagte etwas. Ich wollte die friedliche Stimmung nicht stören. Ich hatte mir gewünscht, dass wir eine schöne Zeit vor uns hätten. Und dass meine Mutter ihre Knieoperation gut überstehen würde. Es waren ja zwei Sternschnuppen gewesen. Mein Vater gähnte und dehnte seinen Rücken.

»So, das hätten wir auch, ich gehe jetzt zu Bett. Ich verrate dir aber nicht, was ich mir gewünscht habe, nachher geht das nicht in Erfüllung.« Er lachte leise, dann stand er auf. »Da bin ich ja mal gespannt. Gute Nacht, Kind, schlaf gut. Wenn was ist, ich bin nebenan.«

Ich blieb noch einen Moment sitzen. Es fiel keine Sternschnuppe mehr. Für den Anfang waren zwei gar nicht schlecht, dachte ich, wer weiß, was alles in diesem Urlaub passieren würde.

Jetzt geht die Party richtig los
– Séverine –

Ich lief barfuß über eine Düne, die Sonne im Gesicht und das Meer vor Augen. Unten am Strand wartete jemand auf mich, ich war aufgeregt und hatte Herzklopfen. Das Dünengras kitzelte meine linke Wade. Plötzlich fiel mir auf, dass die Heckenrosen, die überall wild wuchsen, ganz anders rochen, als ich es gewohnt war. Das Gras kitzelte mich immer heftiger, der Geruch verstärkte sich und das Meer vor mir wurde undeutlich.

Ich öffnete die Augen. Mein Vater saß am Ende des Gästebetts, umhüllt von einer Wolke Davidoff, und strich mit einem Kugelschreiber an meiner Wade auf und ab. Ich winkelte mein Bein an und suchte meine Stimme. Er hatte seine schon.

»Guten Morgen. Na? Gut geschlafen? Die Träume der ersten Nacht erfüllen sich, ich hoffe, es lohnt sich. Was hast du denn geträumt?«

»Papa, bitte.« Ich rollte mich auf die Seite und zog die Decke hoch.

»Komm, sag mal. Ich erzähle dir dann auch meinen Traum.«

»Heckenrosen, die nach Davidoff riechen«, murmelte ich ins Kissen.

»Was hast du gesagt? Du musst es auch nicht erzählen. Bitte, behalte es für dich. Wann wollen wir denn frühstücken gehen? Ich habe so einen Hunger. Und Durst auch.«

Ich quälte mich hoch und setzte mich auf den Bettrand. Mein Blick fiel auf mein Bein. Lauter blaue Striche.

»Papa! Du hast mein ganzes Bein angemalt.«

Verblüfft sah er auf den Kugelschreiber in seiner Hand. »Dann ist der kaputt, ich hatte die Mine reingedrückt. Geht mit Bimsstein aber ab. Stehst du jetzt auf?«

Ich schaffte noch keine Gegenwehr, ging stumm und verschlafen an ihm vorbei ins Badezimmer. Auf der Konsole lag meine Uhr. 6 Uhr. Der Tag fing eine Stunde früher an, als er sollte.

Super, dachte ich und begutachtete meine müden Augen im Spiegel, Mama, ich tue das alles nur für dich. Und für dein blödes Knie.

Eine halbe Stunde später ging ich neben meinem Vater hinüber zum »Haus Theda«. Seinen fröhlichen Ruf: »Die Sonne scheint. Auf, auf in den Tag«, hatte Dorothea mit einem gezielten Kissenwurf und einem »Ihr seid wohl nicht ganz bei Trost!« beantwortet. Mein Vater hatte das Kissen ordentlich auf einen Stuhl gelegt, das Zimmer auf Zehenspitzen verlassen, leise die Tür hinter sich geschlossen und mich, mit dem Zeigefinger auf den Lippen, warnend angesehen.

»Psst. Dorothea ist noch müde, sie soll sich mal ausschlafen, sie hat ja Ferien.«

Ich war froh, die Zahnbürste noch im Mund zu haben, es war zu früh für einen Vatermord.

Als wir durch die Hintertür die Pension betraten, kam uns Marleen mit einem Tablett entgegen. Sie zuckte zusammen.

»Was wollt ihr denn schon so früh hier? Es ist erst halb sieben.«

»Der frühe Vogel fängt den Wurm.« Mein Vater nahm Marleen das Tablett ab und sah sie dann ratlos an. »Wo soll das hin?«

»In die Küche.«

Er überlegte kurz, dann gab er es mir. »Du warst doch schon mal hier und kennst den Weg. Ich stelle es sowieso nur falsch ab. Sag mal, Marleen, können wir schon frühstücken?«

Ich ging mit dem Tablett in die Küche, Marleen folgte mir, mein Vater ihr. In der kleinen Küche standen wir drei uns im Weg. Marleen griff nach dem Tablett und stellte es hinter meinem Vater ab, dabei rutschten zwei Brotkörbe auf den Boden.

»Hoppla!« Heinz bückte sich und riss dabei die Kaffeedose mit. »Das ist aber auch eng hier.«

Marleen und ich gingen gleichzeitig in die Hocke und stießen mit den Köpfen zusammen, mein Vater rammte mir beim Aufstehen das Knie in die Hüfte. Und das alles vor sieben Uhr. Ich stöhnte, mein Vater schüttelte den Kopf und Marleen schob uns beide aus der Küche.

»Ihr macht mich ganz wuschig. Geht mal in den Frühstücksraum, der Tisch hinten am Fenster ist für euch. Ich komme gleich.«

Ich rieb mir die Hüfte und humpelte den Flur entlang, gefolgt von meinem Vater, der sagte: »Christine ist morgens wie ihre Mutter. Die brauchen ewig, bis sie denken können und dann geht natürlich alles schief.«

Ich streckte meinen Rücken durch und ging schneller. Im Frühstücksraum blieb ich stehen und wartete auf meinen Vater. Er begutachtete das Büfett, ich fürchtete den nächsten Kommentar, er sah sich aber nur alles an und lächelte.

»Guck mal, was es alles gibt. Fünf Sorten Wurst und Obst und sogar Lachs. Da kann sich jeder genau das nehmen, was er gerne möchte. Schön.«

Marleen kam mit einer Kaffeekanne dazu, als ich gerade gähnte, ohne meine Hand vor den Mund zu halten.

»Sag mal! Wieso hast du denn nicht länger geschlafen? Wir hatten doch 8 Uhr ausgemacht. Und wo ist Dorothea?«

»Die darf schlafen.« Ich rieb mir die Augen, ich hatte vergessen, mich zu schminken, es war egal. Marleen musterte erst mich und dann Heinz, der gerade die Deckel der Marmeladengläser abschraubte.

»Dann trink erst mal Kaffee und werde richtig wach. Vor 8 Uhr kommt keiner der anderen Gäste.«

»Mein Vater trinkt koffeinfreien Kaffee, sonst wird ihm schlecht.«

»Bekommt er. Was hast du eigentlich am Bein?«

Ich hatte kurze Hosen an, schließlich war Sommer, und betrachtete meine Wade.

»Kugelschreiber. Geht aber mit Bimsstein ab. Sagt Heinz.«

Er tat so, als hätte er nichts mitbekommen, und setzte sich mit seinem voll beladenen Teller an unseren Tisch. Da saß er, sah sein Frühstück, dann uns an und strahlte.

»Das sieht sehr gut aus, Marleen. Nimm dir auch was, Christine, du weißt ja, morgens wie ein Kaiser, mittags wie ein König, abends wie ein Bettelmann. Jetzt ist morgens.«

Marleen guckte verwirrt. Ich nahm ihr die Kaffeekanne ab.

»So soll man essen. Dann wird man nicht dick. Ist das der normale Kaffee?«

Sie nickte. »Den anderen koche ich jetzt«, und verschwand in die Küche.

Die nächste halbe Stunde verlief friedlich. Ich kenne wenig Menschen, die mit einer solchen Hingabe und gleichzeitiger Systematik essen können wie mein Vater. Auf einem Teller hatte er das, was er essen wollte, akkurat angerichtet. Es durfte sich nichts berühren, zwischen dem Aufschnitt, dem Brot und der Marmelade musste ausreichender Abstand sein.

Mein Vater begann mit einer Scheibe Schwarzbrot, die er mit Butter bestrich, nicht einfach nur so, sondern mit exakten Streichbewegungen. Die Butter musste überall dieselbe Dicke haben, vom Brot durfte man nichts mehr sehen. Der Rand blieb sauber. Dann stellte er den Eierbecher genau vor die Mitte des Tellers und klopfte mit dem Eierlöffel die Schale locker. Die wurde im oberen Drittel vorsichtig abgelöst, die Kante musste dabei rundum denselben Abstand haben. Das Ei wurde kurz aus dem Eierbecher gehoben, die abgelöste Eierschale darin versenkt, das Ei wieder eingesetzt. Danach wurde gesalzt, dann gelöffelt. Als Zweites gab es ein Brötchen, keine Körner, kein Vollkorn, kein Mohn. Nur einfache Brötchen. Das Unterteil aß er mit Schinken, von dem er vorher etwa zehn Minuten lang jedes Fitzelchen Fett entfernt und es anschließend in die leere Eierschale gedrückt hatte. Auf die obere Brötchenhälfte verteilte er Marmelade, immer Erdbeere. Während ich ein trockenes Rosinenbrötchen kaute, sah ich ihm fasziniert zu. Er war völlig konzentriert, sah nicht hoch, sprach nicht, nahm nichts anderes

wahr als die Verarbeitung seiner Frühstücksutensilien. Irgendwie fühlte ich mich beruhigt. Das hier kannte ich. Mein Leben
lang. Und nichts hatte sich verändert.

Nach dieser friedlichen halben Stunde wischte er sich mit der
Serviette das Eigelb vom Mund, lediglich ein kleiner Krümel
verharrte im Mundwinkel, schob seinen Teller zur Seite und
lächelte mich zufrieden an.

»Gutes Frühstück haben die hier, nicht wahr?«

Ich tippte auf meinen Mundwinkel, doch bevor ich etwas
über Eireste sagen konnte, hörte ich Lärm auf dem Flur und sah
meinen Vater aufstehen.

»Guten Morgen, die Damen, ich hoffe, Sie hatten eine ange-
nehme Nacht.«

»Ah, der Retter der Meere, oder eigentlich der Fähre, na, egal.
Guten Morgen!«

Frau Weidemann-Zapek hatte den Daunenmantel auf ihrem
Zimmer gelassen und trug einen wollweißen Hosenanzug, Win-
terqualität, dazu hatte sie sich ungefähr zwanzig weiße Haar-
spängchen in die kunstvoll hochgesteckten Locken gerammt.

»Einen wunderschönen guten Morgen, was für ein schöner
Tag und er beginnt so nett. Sind bei Ihnen denn noch zwei
Plätzchen frei?«

Sie hatte bereits die Lehne des Stuhls, der neben meinem Vater
stand, umklammert. Frau Klüppersberg, in fünf verschiedene
Grüntöne eingestrickt, blieb vor dem Tischende stehen und
reichte meinem Vater huldvoll die Hand. Er bemerkte es aber
nicht, weil Marleen in diesem Moment dazukam.

»Guten Morgen. Ich hoffe, Sie haben gut geschlafen. Ich habe
für Sie diesen Tisch hier eingedeckt. Trinken Sie Kaffee oder
Tee?«

Frau Klüppersberg zog ihre Hand irritiert zurück. »Ich trinke
Tee. Aber hier sind doch noch zwei Plätze frei.«

»Nein.« Meine Stimme klang lauter, als ich wollte. Ich senkte
sie wieder. »Meine Freundin Dorothea kommt noch. Tut mir
leid, da müssen Sie wohl doch an den Nebentisch.«

Mein Vater nickte ihr entschuldigend zu. »Das stimmt. Aber

Sie sitzen ja gleich neben uns.« Er setzte sich wieder. »Marleen, die Dame trinkt Tee.«

»Beide?« Marleen bewies Haltung, ich hatte zwar eine Ahnung, was sie gerade dachte, anmerken konnte man ihr nichts.

»Ja.« Frau Weidemann-Zapek ließ ihre Handtasche neben ihren Stuhl fallen und setzte sich. »Aber bitte Ostfriesentee, nicht länger als vier Minuten und mit richtiger Sahne, keine Kondensmilch.«

»Natürlich. Kommt sofort.«

Marleen sah mich nur kurz an, dann verschwand sie in die Küche. Mein Vater wandte sich ihnen zu.

»Man hat ein sehr gutes Frühstück hier. Sie können sich nehmen, was Sie wollen, das ist ganz prima.«

Beide lächelten meinen Vater verzückt an und standen auf, um sich zu bedienen.

Mein Vater sah ihnen nach. »Die sind nett«, sagte er leise.

Ich schwieg. Er hielt mir seine Tasse hin, ich goss ihm aus der Kanne, die vor ihm stand, ein. Frau Klüppersberg war zuerst zurück. Ich war beeindruckt, in welcher Geschwindigkeit sie es geschafft hatte, ihren Teller so voll zu laden. Sie hatte einen Stapel Brot, Käse und Aufschnitt aufgetürmt, den sie oben mit dem Daumen festhielt. Der Blick meines Vaters fiel auf die oberste Scheibe Wurst, auf der sich der Daumen noch abzeichnete. Er zog die Augenbrauen hoch. Frau Weidemann-Zapek hatte gleich zwei Teller in der Hand. Vier Scheiben Brot, zwei Brötchen, der zweite voll Aufschnitt, Heringssalat und Tomatenscheiben. Mein Vater schluckte. Die Damen stellten die Teller ab und gingen wieder zum Büfett, um sich noch Eier und Saft zu holen. Dabei stieß eine der beiden gegen den Tisch, sodass eine Tomatenscheibe, die auf einem der gehäuften Teller lag, auf die Tischdecke fiel. Es bildete sich ein Fleck, tomatenrot und heringssalatviolett. Wir verfolgten beide seine Entstehung, schließlich fragte mein Vater leise:

»Ob die das alles aufessen?«

In diesem Augenblick kam Marleen mit zwei Teekannen zurück, stellte sie auf den Nachbartisch und setzte sich kurz zu uns.

»Na, Heinz, möchtest du noch etwas?«

»Nein, danke. Ich trinke noch meinen Kaffee aus, dann ist gut.«

»Und du, Christine?«

Ich hätte furchtbar gern geraucht, mein sehnsüchtiger Blick ging in den Garten, wo zwei Strandkörbe um einen kleinen Tisch, auf dem ein Aschenbecher stand, gruppiert waren. Marleen ahnte wohl, was ich dachte.

»In zehn Minuten kommt Gesa, das ist meine Aushilfe. Christine, du könntest ihr vielleicht ein bisschen beim Abräumen helfen, dann kann ich hier weg und gleich mit Heinz in die Kneipe gehen. Ist das in Ordnung?«

Wir nickten und Marleen ging zurück in die Küche. Inzwischen waren fast alle Tische besetzt. Marleens Gäste setzten sich aus fünf Ehepaaren und einer Gruppe von vier älteren Damen zusammen, die alle freundlich gegrüßt hatten, bevor sie sich an ihre Tische setzten.

Unsere Tischnachbarinnen waren wieder da. Frau Weidemann-Zapek warf mit Schwung Kandis in ihre Teetasse, was den nächsten Fleck zur Folge hatte. Mein Vater sah erst den Fleck, dann mich an.

»Ach, Heinz, ich darf doch Heinz zu Ihnen sagen?« Frau Klüppersberg beugte sich zu ihm und lächelte. Zwischen ihren Schneidezähnen waren Mohnkrümel. »Dürfen wir heute Morgen Ihre Fremdenführerbegabung nutzen, um die Insel kennenzulernen?«

Ich fragte mich, was er ihnen gestern während der Fahrt alles erzählt hatte. Es konnte nichts über Norderney gewesen sein, er kannte sich hier nicht aus, entweder hatte er über Sylt berichtet oder sich Geschichten ausgedacht. Wie auch immer, ich war gespannt, wie er aus der Sache rauskommen wollte, und ignorierte seinen hilfesuchenden Blick.

»Oh ja, das wäre nett.« Frau Weidemann-Zapek nahm ihr Messer in die Hand und umfasste den Eierbecher. »Wir machen die Insel zu dritt unsicher.«

Sie kicherte, während sie das Messer brutal in die Mitte des

Eies stieß. Mein Vater zuckte zusammen. Frau Klüppersberg belegte unterdessen eine Brotscheibe nach der anderen, schnitt sie in der Mitte durch, klappte sie zusammen und wickelte sie in Servietten ein. Zwischendurch biss sie in ihr Mohnbrötchen mit Heringssalat. Jetzt bemerkte sie Heinz' fassungslosen Blick.

»Das haben wir ja alles bezahlt. Da braucht man sich nachher nicht für teures Geld belegte Brötchen zu kaufen. Das sollten Sie auch tun, Seeluft macht hungrig.«

Das war selbst meinem höflichen Vater zu viel. Er schob seine leere Kaffeetasse beiseite und stand auf.

»Es wird Zeit für mich, meine Damen. Leider müssen Sie auf meine Dienste verzichten, ich bin ja hier, um Frau de Vries unter die Arme zu greifen. Versprochen ist versprochen, da müssen die Annehmlichkeiten zurückstehen. Ich wünsche Ihnen einen schönen Tag und viel Vergnügen.«

Er nickte kurz, dann zog er mich am Arm und ging vor. Ich war beeindruckt, wie charmant er eine Abfuhr verpacken konnte. Ich sah in die enttäuschten Gesichter und auf den verwüsteten Frühstückstisch und lächelte zufrieden. »Tschüss.«

Als ich in die Küche kam, stand mein Vater neben Marleen und erzählte ihr von den Flecken und der Proviantbeschaffung.

»Alles übereinandergeklatscht. Und wie kann man überhaupt so verfressen sein?«

Marleen räumte die Geschirrspülmaschine ein und verkniff sich das Lachen. »Lass sie, Heinz, es ist doch egal, ob sie alles sofort essen oder mitnehmen.«

»Aber ich finde es so unelegant. Wir sind doch nicht auf dem Campingplatz.«

»Papa, du fandest die beiden doch so nett. Ist der Zauber schon verflogen?«

Er sah mich missbilligend an. »Quatsch, Zauber. Man kann doch mal freundlich sein. Ich muss ja nicht gleich mit ihnen spazieren gehen. So. Und, was ist jetzt? Gehen wir gleich rüber?«

In diesem Moment kam eine junge Frau herein. Lange blonde Haare, fröhliches Lächeln, Jeans und T-Shirt.

»Hallo, Marleen. Ach, guten Morgen.« Sie streckte uns ihre Hand entgegen. »Ich bin Gesa und Sie sind bestimmt Christine. Und Sie sind der Vater? Ich habe leider den Namen vergessen.«

Mein Vater legte den Kopf schief und schüttelte ihr die Hand. »Na, das macht doch nichts. Ich bin Heinz, ich glaube, das Personal sollte sich duzen.«

Gesa lachte. »Gern. Also, auf gute Zusammenarbeit, Heinz.«

Gesa studierte in Oldenburg. Ihre Eltern wohnten zwei Häuser neben der Pension. Seit sie Schülerin war, half sie im »Haus Theda« aus. Jetzt verbrachte sie die Semesterferien zu Hause und verdiente sich so ein bisschen Geld dazu.

Marleen trocknete sich die Hände ab und warf das Handtuch über einen Stuhl.

»Gut. Gesa, du kannst nachher mit Christine im Frühstücksraum anfangen, wir haben heute keine An- und Abreise, also alles ganz normal. Ihr macht das schon. Ich gehe jetzt mit Heinz rüber. Ach so, ihr könntet vorher noch im Garten gucken, ob alles in Ordnung ist.«

Sie zwinkerte mir zu und schob meinen Vater aus der Küche.

»Bis später, ich komme dann nach.«

Ich drehte mich zu Gesa um, die sich einen Kaffee einschenkte.

»Möchtest du auch noch einen? Ich muss vor Dienstbeginn erst im Strandkorb einen Kaffee trinken und eine Zigarette rauchen.« Sie lächelte verlegen. »Meine Eltern wissen nicht, dass ich rauche, albern nicht wahr, dabei bin ich schon 24.«

Mein Herz wurde leicht. »Ja, ich möchte gerne noch einen Kaffee. Ich bin übrigens 45 und mein Vater will nicht, dass ich rauche. Und wir machen zwei Wochen zusammen Ferien.«

»Und deshalb rauchst du jetzt nicht mehr?«

»Doch. Aber nur heimlich. Ich riskiere da nichts. Du kennst meinen Vater noch nicht.«

Nach einer herrlichen Viertelstunde mit Morgensonne und Zigarette im Strandkorb zeigte Gesa mir, was ich die nächsten zwei Wochen morgens zu tun hatte. Ich würde mich um das Frühstück kümmern, sie sich um die Zimmer.

»Normalerweise macht Kathi, meine Schwester, das, aber die hat sich eine Muschel in den Fuß getreten. Meine Mutter fand, sie solle sich nicht so anstellen, und Kathi hat ihr geglaubt. Na ja, jetzt hat sich das entzündet, sie bekommt Antibiotika und darf nicht auftreten.«

»Wieso ist deine Schwester denn nicht zum Arzt gegangen? Das wäre mir doch egal gewesen, was meine Mutter findet.«

»Meine Mutter ist Ärztin.«

»Ach ...«

»Sie hatte immer Angst, uns zu verzärteln.«

Das war natürlich ein Argument. Es gab doch eine Menge schräger Eltern.

Ich hatte drei Tische abgeräumt, vier Kannen Kaffee gekocht, den Aufschnitt nachgelegt und mir schon drei Namen von Gästen gemerkt, als Dorothea zum Frühstück kam. Sie trug eine abgeschnittene Jeans und ein buntes T-Shirt und rannte auf dem Flur mit Gesa zusammen, die einen Wäschekorb in den Keller bringen wollte. Beide fanden sich gleich sympathisch und Gesa beschloss, eine kurze Kaffeepause im Garten einzulegen.

Während Dorothea im Strandkorb saß und frühstückte, ließen wir uns von Gesa die wunderbare Liebesgeschichte von Hubert und Theda erzählen.

»Hubert kommt aus Essen, er hat da irgendeine große Fabrik, keine Ahnung was für eine, aber egal, jedenfalls hat er richtig Kohle. Ich kenne ihn seit ich Kind bin, er kam jeden Sommer mit seiner Frau. Vor vier oder fünf Jahren starb Frau Sander. Hubert kam erst vorletztes Jahr wieder. Und er hat angefangen, Theda zum Essen einzuladen. Sie hat sich erst gewehrt, ich glaube, sie ist seit dem Tod von Onkel Otto vor zwanzig Jahren nie mehr mit einem Mann ausgegangen, aber schließlich hat sie doch zugesagt. So fing das an.«

Dorothea schluckte den Bissen runter. »Und wie alt sind die beiden?«

Gesa dachte nach. »Theda ist, glaube ich, fast 70 und Hubert 74 oder 75.«

»Christine, wir haben mit 40 schon gedacht, das war es für uns mit der Liebe. Da haben wir ja noch richtig Zeit.«

Ich fand die Geschichte sehr romantisch. »Und seit wann sind sie jetzt ein Paar?«

»Warte mal … letztes Jahr im Juni kam Marleen auf die Insel und seit August sind die beiden ständig zusammen auf Reisen. Also, ein knappes Jahr.«

Dorothea seufzte. »Schöne Geschichte. Und sie beruhigt mein ungeduldiges Herz. Irgendwann, Christine, werden auch wir von einem Hubert gefunden. Prost Kaffee!«

Feierlich hoben wir unsere Kaffeebecher.

Dorotheas Frage »Wo ist eigentlich Heinz?«, holte mich jäh aus meiner romantischen Stimmung zurück.

»Um Himmels willen, den hat Marleen mit in die Kneipe genommen, das war aber schon vor einer Stunde. Hoffentlich geht das gut.«

Ich stand abrupt auf. Gesa sah mich irritiert an. »Wieso nicht? Was ist denn mit den beiden?«

Dorothea trank in aller Ruhe ihren Kaffee aus. »Mit Marleen ist gar nichts. Christine hat ihren Vater nur nicht so richtig im Griff. Er ist, wie soll ich sagen, manchmal ein bisschen spontan.«

Gesa wurde immer verwirrter. Ich versuchte, es ihr zu erklären.

»Mein Vater verreist nicht gern, also eigentlich nie, zumindest nicht ohne meine Mutter. Deshalb ist er jetzt ein wenig aufgeregt. Es ist für ihn das erste Mal.«

»Aufgeregt ist gut.« Dorothea lachte. »Gesa, lass dich von seiner Tochter nicht beunruhigen, unser Heinz ist sehr lustig. Wir gehen jetzt rüber und gucken uns das an. Entweder hat Marleen ihn mit einem Elektrokabel erwürgt oder er hat mindestens acht neue Freunde. Ich halte Letzteres eher für wahrscheinlich. Übrigens, Christine, du hast da irgendetwas am Bein.«

»Ich trink auf dein Wohl, Marie«, die Stimme meines Vaters war lauter als die von Frank Zander, dessen Gassenhauer aus dem Radio kam. »Auf das, was mal waaaar …«

Ich sah ihn durch das geöffnete Fenster. Er stand auf einer Leiter und spachtelte ein Loch in der Wand zu. Als er uns hereinkommen hörte, drehte er sich um. Die Leiter wankte, ich hielt die Luft an.

»Meister, stürz mir nicht ab.«

Ein Schrank im Blaumann mit Vollbart stand plötzlich neben ihm und hielt die Leiter fest. Mein Vater lächelte ihm zu und stützte sich mit einer Hand auf die gerade verspachtelte Stelle.

»Als ob ich von einer Leiter fallen könnte! Ich habe einen hervorragenden Gleichgewichtssinn, da mach dir mal keine Sorgen.« Der Schrank sah ihn skeptisch an.

»Hallo, Christine, hallo, Dorothea. Das ist Onno, der Elektriker. Onno, da sind meine Tochter und Dorothea, die vom Fernsehen, die malt nachher die Kneipe an.«

Er strich sich mit seiner Hand über die Stirn, über die sich die Spachtelmasse verteilte. Seine Augen wirkten durch die hellgraue Farbe sehr blau. Dorothea sah ihn fasziniert an.

»Heinz, du hast da was im Gesicht.«

»So ist das eben.« Mein Vater stieg vorsichtig von der Leiter. »Arbeit hinterlässt Spuren. Ich habe hier erst mal die Löcher verspachtelt, damit du eine glatte Fläche zum Malen hast. Die Wand sah vielleicht aus, das kannst du dir nicht vorstellen, regelrechte Krater, aber es muss ja alles husch, husch gehen, da hält man sich nicht mit Vorarbeiten auf. Den Handwerkern ist das ja piepegal.«

Ich suchte die gespachtelten Stellen an der Wand, fand aber nur die eine mit seinem Handabdruck. Vermutlich war das der Krater gewesen.

Außer uns und Onno waren noch zwei andere Handwerker im Raum. Ein junger Mann hatte denselben Firmenaufdruck wie Onno auf seinem Blaumann, ein etwas älterer stand mit Marleen abseits an einem Tisch und blätterte in einem Farbkatalog. Mein Vater wischte seine Hände an der Jeans ab und zog Dorothea und mich mit.

»Mädels, ich stelle euch mal die Mannschaft vor, damit ihr wisst, mit wem wir es hier zu tun haben. Also, Onno kennt ihr nun schon, das ist der Chef von den Elektrikern, die machen hier die Lampen dran und so. Der ist nett, redet nicht besonders viel, aber dafür wird er ja auch nicht bezahlt. Er mag auch gerne Schlager hören. Und er kennt Kalli.«

»Wir spielen zusammen Karten, Kalli und ich.« Onno gab uns die Hand und verbeugte sich leicht. Mein Vater sah ihn stolz an.

»Und das ist Horst, Onnos Geselle.«

»Tach.« Horst gab uns ebenfalls die Hand und machte einen Diener. Mein Vater und Onno guckten zufrieden zu.

»Der da bei Marleen steht, den kennen wir nicht. Der ist vom Festland, sagt Onno, ist wohl der Maler.« Er senkte die Stimme. »Der sieht aus wie ein Hippie. Ich weiß ja nicht …«

Der Hippie war bei näherer Betrachtung Anfang 40, hatte breite Schultern, schmale Hüften und schulterlange blonde Haare, die er mit einem Haarband zusammengebunden hatte. Dorotheas Augen hefteten sich auf seinen Rücken, dann auf seinen Hintern.

»Hm …«

Wir sahen sie alle drei an. Ihr Gesichtsausdruck war eindeutig.

»Dorothea!« Ich versuchte, rügend zu klingen, was mir aber nicht so gelang.

Mein Vater nickte bestätigend. »Siehst du, Dorothea, du guckst auch auf seine Hosentaschen. Ich hoffe, er hat keine Drogen dabei.«

»Der ist jedenfalls nicht von der Insel.«

Onno kratzte sich am Kopf und starrte auf den Rücken, der inzwischen gemerkt hatte, dass er von vier Augenpaaren angestarrt wurde. Er sagte etwas zu Marleen und drehte sich um.

»Da seid ihr ja.« Marleen kam uns entgegen. »Hat alles geklappt?«

Ich lächelte. Dorothea fixierte den inselfremden Hippie, mein Vater und Onno standen dicht hinter uns und wirkten entschlossen.

»Ist irgendetwas passiert?«, fragte Marleen unsicher.

»Noch nicht …«

Ich fand Dorotheas Stimme lasziv. Mein Vater schob sich vor sie.

»Marleen, wir müssen wissen, mit wem wir es zu tun haben.«

»Wie jetzt?« Sie wirkte verwirrt.

Ich stieß Dorothea an, um ihren Blick von der Beute abzulenken.

»Nein, es ist natürlich nichts passiert. Mein Vater und Onno wollten uns nur alle vorstellen, aber sie kennen den Herrn da nicht.«

Mittlerweile war der Mann zu uns getreten. Ich konnte Dorotheas Gedanken ahnen: Von vorne sah er noch besser aus als von hinten. Sie hatte diesen besonderen Ausdruck im Gesicht.

»Ach so.«

Marleen war erleichtert. »Ich dachte, Onno kennt ihn. Also, das ist Nils Jensen, mein Innenarchitekt. Nils, das ist meine Freundin Christine, ihr Vater Heinz, Dorothea, die Bühnenbildnerin, die mit dir arbeiten soll, und Onno Paulsen.«

Nils lächelte umwerfend, gab uns allen die Hand, sah Dorothea sehr lange an und sagte dann zu Onno:

»Wir kennen uns doch auch, ich habe früher in den Ferien immer in deiner Firma gearbeitet. Mein Vater ist Carsten Jensen.«

Onno schüttelte ihm die Hand.

»Du warst kleiner und deine Haare waren kurz. Kann ich ja nicht wissen. Tach.«

Mein Vater war nicht so schnell bereit, seine skeptische Haltung aufzugeben.

»Und Ihr Vater weiß, dass Sie hier sind?«

»Papa.« »Heinz.«

Nils sah zuerst Dorothea und mich an, dann meinen Vater.

»Natürlich. Ich wohne ja bei ihm.«

»Aha. Vielleicht können wir ihn mal kennenlernen.«

Jetzt sah auch Onno seinen neuen Freund verwirrt an. Nils blieb ganz entspannt. »Mein Vater wird bestimmt hier vorbeikommen, er will ja wissen, was ich aus seiner alten Stammkneipe mache.«

»Sie machen ja nicht so viel, Sie zeichnen das ja bloß.«

Marleen schluckte und ich fand, dass das für die erste Vorstellung reichte.

»So, Papa, es ist jetzt gleich 12 Uhr. Musst du hier noch was machen oder wollen wir mal in den Ort gehen, uns umsehen und eine Zeitung kaufen?«

»Da musst du meine Chefin fragen.« Er lächelte Marleen mit seinem spachtelverschmierten Gesicht an. »Wenn sie mir freigibt, kann ich mit dir losziehen.«

Marleen nickte erleichtert. »Geht nur. Onno kennt sich hier aus und Nils kann mit Dorothea alles besprechen. Ihr könnt euch Zeit lassen. Viel Spaß.«

Dorothea riss sich von Nils' Anblick los und musterte Heinz.

»Willst du so los? Du bist doch voller Spachtelmasse?«

Er rieb sich die Hände an seiner Jeans ab. »Soll ich mich umziehen? So doll sieht man das doch gar nicht. Oder? Christine, muss ich?«

Ich schob ihn zum Ausgang. »Wir gehen erst in die Wohnung. Also, bis später.«

Als mein Vater mir die Tür aufhielt, flüsterte er: »Ich hoffe, dieser Nils ist sauber. Der hat Dorothea so komisch angeguckt. Wir müssen da ein Auge drauf haben. Fandest du, dass er große Pupillen hatte? Du musst noch dein Bein waschen, bevor wir gehen. Oder eine lange Hose anziehen.«

Ich dachte darüber nach, Nils zu fragen, ob er vielleicht doch Drogen hatte. Für Notfälle.

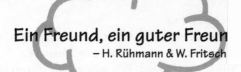

Ein Freund, ein guter Freund
– H. Rühmann & W. Fritsch

Zwei Stunden später saßen wir im Surfcafé, vor uns zwei Eisbecher und das Meer. Ich hatte meinen Vater in einem Höllen-
tempo durch den Ort getrieben. Wir hatten eine Zeitung gekauft, auf dem Weg zum Kiosk hatte er gesehen, dass es sowohl
eine Friedrich- als auch eine Strandstraße gab, genau wie in
Westerland. In der Buchhandlung verwickelte er die Inhaberin
in eine Diskussion, in der er ihr vorwarf, dass die Straßennamen
geklaut seien.

»Das ist ja hier irgendwie Sylt für Arme.«

An dieser Stelle verließ ich demonstrativ den Laden und setzte
mich draußen auf eine Bank, um eine Zigarette zu rauchen. Er
kam erst eine Viertelstunde später heraus, setzte sich neben mich
auf die Bank und erklärte, dass die Inhaberin Helga heiße und
ihm einen Reiseführer von Norderney geschenkt habe. Sie wolle
übrigens Silvester auf Sylt verbringen. Er habe ihr angeboten,
für sie eine Führung zu machen.

»Sehr aparte Frau«, sagte er anerkennend, »sie ist nicht auf
Norderney geboren. Zugereist. Sag mal, hier riecht das irgendwie verkokelt. Wollen wir weiter?«

Aus Angst vor Ladenverboten zog ich das Tempo an. Wir liefen an den zahlreichen Geschäften vorbei, ich zeigte ihm die
Post, die Bank, den Bäcker und ließ ihn nirgends rein. Mein
Vater wurde stiller, dann fing er an zu humpeln und blieb plötzlich stehen.

»Mir tut meine Hüfte weh. Ich soll nicht so schnell laufen.«

…len wir ein Eis essen?« Ich hatte Seitenstechen. Er nahm
…e Schirmmütze ab und wischte sich den Schweiß von der
…tirn.

»O ja. Pistazie. Mit Sahne.«

»Schaffst du es noch, ein Stück am Strand entlangzulaufen?
Dann gehen wir ins Surfcafé und gucken aufs Wasser.«

»Natürlich. Strand geht immer. Wir müssen ja nicht so rennen.«

Wir gingen schweigend am Wasser entlang. Mein Vater hakte
mich unter, sah selig aufs Meer.

»Das mit dem Strand können sie, es sieht aus wie zu Hause.«

Ich war beruhigt. Im Surfcafé bekamen wir einen Tisch in der
Sonne, es gab Pistazieneis mit Sahne, dazu Kaffee, mein Vater
fand die Bedienung freundlich und hatte zufrieden bemerkt,
dass das Eis zwei Euro billiger war als in seinem Lieblingscafé in
Kampen.

»So schlecht ist es hier gar nicht.« Er sah sich zufrieden um.
»Wirklich gar nicht schlecht.« Er löffelte mit Hingabe. »Und gutes Eis haben sie.«

Er faltete seine ›Bild‹-Zeitung auseinander und fing an zu
lesen. Ich sah aufs Meer und überlegte, ob Dorothea was mit dem
hübschen Hippie anfangen würde. Die Anzeichen waren zu erkennen gewesen. Ich nahm mir vor, nicht neidisch zu werden.
Wobei langhaarige Blonde sowieso nicht in mein Beuteschema
passten, wie Dorothea es ausdrücken würde. Auch wenn er
einen hübschen Hintern hatte.

»Sag mal, Kind …«

Ich zuckte zusammen, fühlte mich bei meinen unanständigen
Gedanken ertappt.

»Ja?«

»Das ist doch ganz schön, dass wir zusammen Ferien machen,
oder?«

Ich sah meinen Vater an. Er hatte grünes Eis an der Nase und
etwas Sahne am Kinn. Er legte seinen Kopf schief und lächelte.

»Hattest du eigentlich eine schöne Kindheit?«

»Hast du die Zeitung schon durch?«

74

»Steht nicht viel drin. Und man kann sich doch auch mal unterhalten. Die Leute sprechen viel zu wenig miteinander.«

»Und jetzt willst du mit mir über meine Kindheit sprechen?«

»Ich wollte nur wissen, ob du deine Kindheit schön fandest. Meine war ja nicht schön, so nach dem Krieg, die schlechte Zeit, wir hatten ja nichts. Aber ihr seid doch gut aufgewachsen, wir hatten doch alles, schönes Zuhause, ein Auto, Ferien, jeden Sonntag Kuchen.«

Ich erinnerte mich an meinen jungen Vater, der mir das Schwimmen beibrachte, der mir einen Brief schrieb, als ich gerade lesen konnte, der mein Fahrrad reparierte und den Schiedsrichter anpöbelte, weil der mich wegen groben Fouls in einem Handballturnier vom Platz stellte. Doch, ich hatte wirklich eine schöne Kindheit gehabt. Von Gefühlen übermannt griff ich nach der Hand meines Vaters und drückte sie.

»Ja, Papa, ich hatte eine schöne Kindheit. Dafür sollte ich mich mal bedanken, ich weiß, dass ...«

»Ach was.« Mein Vater verscheuchte eine Wespe von seinem Eis. »Das ist schon in Ordnung. Glaubst du, deine Geschwister hatten auch eine schöne Kindheit?«

»Meine ... ach so, ja klar, wieso?«

Er griff wieder zu seiner Zeitung. »Ich wollte nur fragen. In Bochum hat eine 40-jährige Frau ihre Eltern erstochen und in den Carport einbetoniert. Sie sagte, das wäre die gerechte Strafe für ihre katastrophale Kindheit. Schrecklich. Aber bei euch ist soweit doch alles in Ordnung, oder?«

Ich beschloss, noch einen Moment von hübschen Männerhintern zu träumen.

Ohne weitere Sentimentalitäten tranken wir noch einen Kaffee. Ich las ebenfalls die Geschichte der Bochumer Tochter und dachte gerade, dass ich gar nicht wüsste, wie man einen Vater einbetoniert, als Marleen anrief.

»Christine, wo seid ihr?«

»Wir sitzen im Surfcafé und essen Eis. Sag mal, willst du in der Kneipe eigentlich noch Beton schütten?«

»Bitte? Wie kommst du denn jetzt darauf?«

»War nur ein Scherz.« Er war nicht besonders gut, für das Gesicht meines Vaters hatte er sich aber gelohnt. »Was gibt es denn?«

»Kalli Jürgens hat hier angerufen. Er wollte wissen, ob Heinz schon da ist. Falls ihr Lust habt, könnt ihr bei ihm vorbeigehen, er ist zu Hause.«

»Papa, hast du Kallis Adresse?«

»Nö.«

Ich schluckte eine Antwort runter. Marleen hatte zugehört.

»Er hat sie mir gesagt: Kiefernweg 17.« Sie beschrieb mir den Weg. »Lasst euch Zeit, wir können uns heute Abend zum Essen treffen, ich mache Schollen. Viel Spaß mit den Jungs.« Sie kicherte und legte auf.

Ich sah einen der Jungs an. »Hast du es mitbekommen? Kalli hat angerufen.«

»Ich denke, das war Marleen?« Er sah betont desinteressiert an mir vorbei.

»Papa, Kalli hat bei Marleen angerufen. Und das mit dem Beton war ein Scherz. Entschuldigung.«

»Man macht mit so was keine Scherze.«

»Nein, gut, du hast ja recht. Willst du jetzt zu Kalli gehen?«

»Meinetwegen.«

Ich gab der Bedienung ein Zeichen und zog meine Geldbörse aus der Tasche. Mein Vater bezahlte nie, wenn er beleidigt war.

Mein Vater und Kalli hatten sich in den fünfziger Jahren in Hamburg kennengelernt. Sie waren beide aus fränkischen Provinzen in den Norden aufgebrochen, um dort das große Abenteuer zu erleben. Das mit den Abenteuern klappte nicht so ganz, es sei denn, man wertet einen Job in einer Werft und ein Doppelzimmer im Christlichen Verein junger Männer als solches. Kalli und mein Vater setzten noch einen drauf, sie mieteten sich zusammen eine Wohnung.

»Wir waren sozusagen eine der ersten Kommunen.« Mein Vater sagte diesen Satz stets mit einem verwegenen Gesichtsausdruck und fuhr sich dabei unauffällig durch sein gekämmtes restliches Haar. »Ja, das waren schon wilde Zeiten.«

Ich glaube, es ist der einzige Moment, in dem es ihm leid tut, nicht zu rauchen, eine beiläufig selbstgedrehte Zigarette hätte ihn noch cooler wirken lassen.

Als ich dreizehn war, starb der Mythos, die Tochter eines Alt-hippies zu sein. Hanna, Kallis Frau, erzählte uns damals, dass die Wohnung aus zwei ehemaligen Kinderzimmern in der Wohnung einer Bahnwitwe bestand. Frau Schlüter war nach dem Auszug ihrer Töchter nicht gern allein, sie vermietete an die Herren Kalli und Heinz, kochte, wusch und bügelte für sie. Alkohol und Damenbesuche waren verboten, dafür spielten sie zu dritt jeden Abend Canasta. Mit Schnittchen und Gürkchen.

Ein halbes Jahr später ging mein Vater zur Bundeswehr, Kalli zum Zoll. Ihre Verbindung blieb bestehen, wilde Zeiten schweißen zusammen.

Kalli und Hanna wohnten in einem roten Haus mit großem Grundstück. Mein Vater blieb an der Pforte stehen und betrachtete den Vorgarten.

»Die haben gar keine Hortensien. Und ganz wenige Rosen. Aber überall Sanddorn.«

Ich zeigte mit dem Finger zur Hauswand. »Da sind Rosen. Das ist doch ein schöner Garten.«

»Na, ich weiß nicht. Wir haben jedenfalls mehr Rosen. Aber Kalli hatte noch nie einen grünen Daumen. Schon damals nicht.«

Während ich klingelte, stellte ich mir den jungen Kalli beim Umtopfen von Frau Schlüters Usambaraveilchen vor.

»Darf ich dich daran erinnern, dass Mama euren Garten macht?«

»Sie mäht nie Rasen.«

Kalli öffnete die Haustür.

»Heinz.«

Er streckte ihm die Hand entgegen. Mein Vater ergriff sie.

»Kalli.«

Kalli legte meinem Vater die andere Hand auf die Schulter.

»Mensch, Heinz.«

»Kalli. Wie lange ist das jetzt her?« Unermüdlich schüttelten sie sich die Hände.

»Heinz, du. Nach all den Jahren. Mensch.«

»Ja, Kalli.«

Sie waren echte Männer. Harte Männer. Aber ich war das Kind und wurde von Kalli umarmt.

»Christine, meine Güte, du bist ja richtig erwachsen. Ich weiß noch, wie du mir beim Bäuerchenmachen auf meinen einzigen Anzug gespuckt hast. Eine halbe Stunde vor der Kirche. Das war Volkers Konfirmation, glaube ich. Oder, Heinz? Da hast du mir noch eine Jacke geliehen. Du warst aber auch ein niedliches Kind, Christine.«

»Dein Sohn und ich sind derselbe Jahrgang. Mit vierzehn habe ich kein Bäuerchen mehr gemacht, Kalli.«

»Nicht? Na, dann war es vielleicht die Taufe. Wie die Zeit rennt. Dann kommt mal rein, ich koche uns Kaffee.«

Wir folgten ihm ins Wohnzimmer, Kalli räumte auf dem Sofa einen Stapel Zeitungen, Papiere und Post zusammen und befreite den Sessel von einer Wolldecke, einem Fahrradhelm und Schuhputzzeug.

»Setzt euch. Ich bin gleich wieder da.«

»Man merkt, dass er ohne Hanna aufgeschmissen ist«, flüsterte mein Vater, »ich glaube nicht, dass es hier sonst so unordentlich ist.«

Er griff nach einer Illustrierten und fing an zu blättern. Ich sah mich im Wohnzimmer um. Es hätte auch die Einrichtung meiner Eltern sein können. Rechts die dreiteilige Polstergarnitur, davor der niedrige Couchtisch, links die große Schrankwand mit integriertem Fernsehschrank und Hausbar, dazwischen der Esstisch mit vier Stühlen, daneben das praktische Sideboard. Vermutlich lag in den Schubladen die Tischwäsche und im Schrank standen die Vasen und guten Karaffen, die man nie brauchte. An den Wänden hingen die üblichen Familienbilder. In der Mitte die ganze Familie vor dreißig Jahren, Hanna in der Mitte, Kalli hinter ihr, rechts der pubertierende Volker, links die etwa zehnjährige Katharina. Meine Großeltern hatten zu ihrer goldenen Hochzeit dieselbe Version von uns bekommen. Daneben erkannte ich Katharinas Hochzeitsbild, Volker in Marineuniform und diverse Kinderbilder, wahrscheinlich Katharinas Tochter. Ich überlegte, wann mein Vater und Kalli sich zuletzt gesehen hatten. Mein Vater warf die Zeitschrift mit gerunzelter Stirn zurück auf den Stapel.

»Lauter Kochrezepte. Was der alles liest.«

»Wann habt ihr euch eigentlich das letzte Mal gesehen?«

»Neulich erst. Als Hanna und er in Dänemark waren. Da sind sie mit der Fähre nach Sylt gekommen. Als wir gerade die Auffahrt gepflastert haben.«

»Papa, das ist zehn Jahre her.«

»Tatsächlich? Da kannst du mal sehen. Und an der Auffahrt ist nichts dran, da liegt noch jeder Stein richtig. Das war eine gute Firma.«

Kalli kam mit einem Tablett zurück. Drei Tassen ohne Untertassen, eine angebrochene Tüte Kekse, die Kanne der Kaffeemaschine, deren Inhalt sehr hell aussah. Er stellte die Tassen auf den Couchtisch und goss Kaffee ein. Wir sahen interessiert zu, wie sich das Kaffeepulver am Boden absetzte. Kalli legte den Kopf schief.

»Komisch. Woher kommt das viele Pulver?«

»Man muss eine Filtertüte in diese Maschine tun. Hast du das gemacht?« Mein Vater rührte vorsichtig um.

Kalli beugte sich über die Tasse. »Eigentlich schon.«

»Was heißt *eigentlich*?«

»Ich bin doch nicht blöde. Natürlich habe ich das. Ich koche nicht zum ersten Mal Kaffee. Christine, guck du doch mal.«

»Vielleicht ist die Filtertüte umgeklappt.«

Kalli rührte in der Kaffeekanne und ließ das Kaffeepulver wirbeln.

»Ja, und jetzt?«

Ich betrachtete die gelbbraune Brühe. »Neuen Kaffee kochen?«

Kurz entschlossen kippte mein Vater den Inhalt seiner Tasse in die Kanne zurück.

»Hast du auch Weizenbier?«

»Ja, hab ich. Zu viel Kaffee ist auch gar nicht gut. Ich kriege in letzter Zeit immer so schnell Sodbrennen. Christine, möchtest du vielleicht einen Saft?«

»Saft?« Ich überlegte, ob Kalli Rücksicht auf mein kindliches Alter nahm.

»Du kannst natürlich auch ein Likörchen haben.«

Er meinte nicht mein Alter, Weizenbier war nun mal ein Männergetränk.

»Nein danke, kein Likörchen, Kalli, einfach Wasser.«

»Ich gehe mal in den Keller, einen Moment.«

Mein Vater sah ihm nach und beugte sich zu mir. »Der ist ja völlig überfordert ohne seine Frau. Nicht mal Kaffee kann er kochen, wie versorgt er sich bloß? Ich werde mich ein wenig um ihn kümmern, das kann ich gar nicht mit ansehen. Dafür hat man schließlich Freunde.«

Bevor ich fragen konnte, was er damit meinte, kam Kalli zurück. Er öffnete die Bierflaschen und stellte Gläser dazu.

»Na dann«, er hob sein Glas und nickte uns zu, »herzlich willkommen auf meiner Insel.«

Mein Vater und er tranken. Dann sah Kalli mich fragend an.

»Trinkst du nichts? Ach Gott, du wolltest ja Wasser. Sag mal, Heinz, bist du manchmal auch schon so vergesslich?«

»Nein. Mein Gedächtnis ist hervorragend. Das kommt von den Gästeführungen. Und manchmal mache ich ein paar Sudokus. Weißt du, du musst die Hirnzellen trainieren. Das hilft gegen Verkalkung und so.«

»Also Gästeführungen mache ich hier ja auch. Und …«

»Norderney ist ja viel kleiner als Sylt. Da musst du dir doch gar nicht so viel merken.«

»Heinz, ich bitte dich. Ich führe dich morgen mal um die Insel, da wirst du dich wundern.«

Mein Hals war trocken. Ich räusperte mich, Kalli wandte sich mir zu.

»Ich finde das ja schön, dass du mit deinem Vater Ferien machst. Katharina kommt nie auf so eine Idee. Sie war mit Hanna mal auf so einem Wellness-Wochenende, das war irgendwo im Osten. So mit Sauna und Eincremen und so. Aber ich bin ja nur der Vater, mich hat sie gar nicht gefragt. Ich durfte das nur bezahlen.«

»Warum haben sie denn keine Kur gemacht?«, fragte mein Vater erstaunt.

Ich schluckte und sah sehnsüchtig auf sein Bierglas. Er nahm es in die Hand und sah mich strafend an.

»Was für eine Kur?«

»Das stand da vorhin: Mutter-Kind-Kurheim, das gibt es doch bestimmt auch im Osten.«

Kalli schüttelte den Kopf. »Das ist nur für Mütter mit kleinen Kindern. Katharina ist schon 35.«

»Na und? Ist doch euer Kind. Sag mal, Christine, hast du mal mit Mama so was überlegt? Ihr habt jahrelang Krankenkassenbeiträge bezahlt, da kann man doch mal einen Antrag stellen.«

Ich befeuchtete meine Lippen mit der Zunge. »Kalli, denkst du an mein Wasser?«

Er lächelte mich freundlich an, »Natürlich«, und wandte sich wieder an meinen Vater.

»Du glaubst wirklich, dass man das versuchen sollte? Ich meine, Hanna hat ja wirklich noch nie eine Kur gemacht und Katharina auch nicht. Wozu auch, die hatten ja auch nichts. Katharina war früher vielleicht ein bisschen zu dünn, aber die musst du jetzt mal sehen.«

Eine Stunde und zwei Fotoalben später verabschiedete ich mich. Kalli und mein Vater wollten noch eine kleine Runde mit dem Fahrrad fahren. Kalli wollte ihm etwas von der Insel zeigen und dann unsere Ferienwohnung sehen.

Ein paar Meter weiter stand ein kleiner Kiosk, wo ich mir eine Flasche Wasser kaufte, die ich im Gehen trank. Vielleicht steckte mein Vater seinen alten Freund ja mit seiner Sudoku-Leidenschaft an. Es trainiert das Gedächtnis.

Marleen und Dorothea saßen im Garten und waren über ein paar Zeichnungen gebeugt, die auf dem Tisch ausgebreitet lagen. Dorothea hob den Kopf, als ich vor ihnen stand.

»Hast du ihn abgehängt?«

Ich ließ mich in den Strandkorb fallen.

»Er hat eine neue Aufgabe. Er muss Kalli vor Verwahrlosung und Unterernährung retten. Und? Was gibt es hier Neues? Dorothea?«

»Was meinst du?«, fragte sie unschuldig.

»Komm, ich habe gesehen, wie du ihm auf den Hintern gestarrt hast. Heinz hält ihn übrigens für gefährlich. Er wittert Drogen, Exzesse und kriminelle Energien, also pass bloß auf.«

Marleen runzelte die Stirn. »Redet ihr von Nils? Wieso hast du ihm auf den Hintern gestarrt? Und was hat Nils mit Drogen zu tun?«

Dorothea schob ihre Sonnenbrille auf den Kopf. »Ich finde ihn ganz süß. Sei nicht so entsetzt, Marleen, ich bin Single und es ist Sommer, da kann man doch mal gucken. Aber was soll das mit den Drogen?«

»Mein Vater ist bei langen Haaren immer gleich misstrauisch. Und dann noch zum Zopf gebunden. Als Mann! Ich bitte euch. Diese Leute kennt man doch. Onno war auch sehr skeptisch.«

Dorothea schob ihre Entwürfe zusammen. »Jedenfalls fahre ich morgen mit Nils nach Emden, Farben kaufen. Und ich hoffe, dass Heinz sich daran erinnert, dass ich *nicht* seine Tochter bin. Nicht, dass er mir die Tour vermasselt.«

Ich äußerte mich nicht dazu. Wozu sollte ich sie beunruhigen?

Zwei Stunden später standen wir in der Küche und bereiteten das Abendessen vor. Mir liefen beim Zwiebelschneiden die Tränen. Plötzlich hörten wir einen Höllenlärm. Metall krachte auf Stein, Glas zersplitterte, eine Männerstimme fluchte. Ich zuckte so zusammen, dass ich mit dem Messer abrutschte. Tränenblind, mit dem blutenden Daumen im Mund und gefolgt von Marleen und Dorothea, lief ich auf den Hof.

»Papa! Ist dir was passiert?«

Mein Vater hockte vor einem Fahrrad, das unter einem umgestürzten Müllcontainer lag. Kalli lehnte hinter ihm gerade sein Rad an den Zaun. Er sah uns entschuldigend an.

»Heinz ist in den Container gefahren.«

Mein Vater stand auf und klopfte sich seine Hose ab.

»Wie kann man ein Fahrrad ohne Felgenbremsen fahren? Nur fünf Gänge, keine Gabelfederung, keine Rahmenfederung und dann noch so eine veraltete Bremse. Also, Kalli, mit der Todesmaschine kannst du selber fahren.« Als sein Blick auf mich fiel, stutzte er.

»Wieso heulst du denn? Und seit wann steckst du dir wieder den Daumen in den Mund? Und dann noch eine Kettenschaltung. Sag mal, Marleen, der Müllcontainer steht hier aber auch blöd. Den sieht man wirklich viel zu spät.«

Marleen und Dorothea wuchteten den Container wieder hoch.

»Ich weiß ja nicht, warum ihr mit so einem Affenzahn in den Hof rast. Das Ding steht seit Jahren an dieser Stelle. Du bist der Erste, der es umfährt.«

»Wir haben so einen Hunger. Wie weit seid ihr denn mit dem Essen?«

»Sobald der Müll wieder im Container ist.« Marleen drückte meinem Vater einen Besen in die Hand und ging zurück in die Küche. Mein Vater gab Kalli den Besen und folgte ihr. Ich saugte an meinem Daumen und sah Kalli zu, wie er anfing, den Müll zusammenzufegen, dann ging ich meinem Vater nach.

»Kalli fegt.«

»Das ist ja wohl das Mindeste. Es war schließlich sein Fahrrad. Ich hätte tot sein können.«

»Papa!« »Heinz ...«

»Ist doch wahr. Ich kann ihm aber noch eine Schaufel bringen. Er saut sich ja sonst so ein. Und, Christine, nimm doch mal endlich den Daumen aus dem Mund. Was soll Kalli denn denken?«

Nachdem ich meinen Daumen verpflastert und den Tisch gedeckt hatte, rief ich meinen Vater und seinen Freund zum Essen. Sie gingen zusammen ins Badezimmer, kamen mit sauberen Händen und gekämmt wieder raus und setzten sich mit erwartungsfrohen Gesichtern an den Esstisch.

»Fahrradfahren macht hungrig.«

Mein Vater zog die Schüssel mit Kartoffelsalat zu sich und häufte seinen Teller voll.

»Heinz, auf den Teller soll noch eine Scholle.«

»Ah ja.« Er behielt den Löffel in der Hand, zog Kallis Teller ran und schob die Hälfte seines Salats darauf. »So. Jetzt passt es.«

»Danke schön.« Kalli lächelte und sah Marleen schüchtern an. »Ich bin jetzt einfach so mitgekommen. Heinz hat gesagt, das sei in Ordnung. Ich hoffe, es ist euch recht.«

»Natürlich.« Marleen legte ihm einen Fisch auf den Teller. »Ich koche sowieso immer zu viel. Guten Appetit.«

Mein Vater hielt Marleen seinen Teller hin. »Siehst du, Kalli, sag ich doch. Und jetzt isst du einfach immer hier mit. Es ist ja nur für eine Woche, bis Hanna wiederkommt. Und vielleicht glaube ich dir irgendwann auch, dass Norderney mit Sylt mithalten kann.«

»Wieso nicht?« Dorothea nahm Marleen die Fischplatte ab.

»Ach, Kalli wollte ein bisschen angeben, hat mir stolz erzählt, dass sie hier 320 000 Übernachtungen haben. Wir haben auf Sylt über das Doppelte.«

»Sylt ist doch viel größer.«

»Das hat doch damit nichts zu tun.« Mein Vater kaute mit Hingabe. »Und dann will Kalli mir morgen den Leuchtturm zeigen.«

Kalli sah mich stolz an. »Das höchste Gebäude der Insel. 54,6 Meter. Da hat man einen tollen Blick übers Wasser.«

»Pah!«

Ich hatte es befürchtet.

»Der Leuchtturm in Kampen ist 62 Meter hoch. Das ist ein Leuchtturm. Und ...«

Marleen unterbrach ihn. »Dafür ist unser Leuchtturm der älteste an der Küste. 1874 erbaut.«

Mein Vater lächelte milde. »Ich sag nur Kampen: 1856. Der Punkt geht wieder an mich.«

Ich beobachtete ihn, wie er mit einem zufriedenen Gesicht seine Scholle zerlegte und sich noch einmal Kartoffelsalat nahm. Es schien ihm richtig gut zu gehen. Und ich bekam die Hoffnung auf einen entspannten Urlaub. Manchmal ließ ich mich von Stimmungen einlullen.

Schöner fremder Mann
— Connie Francis —

»Christine! Christiiieeene!«

Ich fiel fast aus dem Bett. Mein Vater stand im Schlafanzug vor mir. Es war 7 Uhr.

»Was ist denn passiert? Willst du, dass ich einen Herzinfarkt kriege?«

»Sie ist weg.«

Ich setzte mich langsam auf und rieb mir die Augen.

»Wer?«

»Na, wer schon? Dorothea. Keine Spur von ihr. Einfach weg.«

Ich legte mich wieder hin und schloss die Augen. »Sie ist nach Emden gefahren, Farben kaufen.«

»Wieso das denn?«

»Weil sie mit irgendwas die Kneipe streichen muss.«

»Kennt sie sich in Emden überhaupt aus?«

»Nils ist ja mit.«

Er schnappte nach Luft. »Ihr lasst sie mit einem langhaarigen Bombenleger in eine fremde Stadt fahren? Habt ihr denn keinen Funken Verstand im Kopf?«

Er ließ sich auf die Bettkante sinken und vergrub theatralisch sein Gesicht in den Händen. Seufzend setzte ich mich wieder auf.

»Papa, jetzt mach hier bitte keinen Aufstand. Nils ist Innenarchitekt und mit Sicherheit kein Bombenleger und Dorothea ist 42 und nicht deine Tochter.«

»Ich weiß, wie alt sie ist, na und? Ich bin 73 und irre mich auch manchmal bei Menschen.«

»Das ist ja mal was ganz Neues, ich denke, du irrst dich nie.«

»Rede nicht in diesem Ton mit mir, ich bin immer noch dein Vater.«

Abrupt erhob er sich und ging hinaus. Ich zählte bis zwölf, dann stand ich auf und folgte ihm. Er saß auf seinem Bett und starrte gegen den Schrank.

»Also, was ist los?«

Er rieb seine nackten Füße gegeneinander und schwieg.

»Papa! Bitte!«

»Deine Mutter liegt im Krankenhaus und ihr setzt euch Gefahren aus, von denen ich wieder nicht weiß.«

Dieser Satz entbehrte zwar jeglicher Logik, machte mir aber sofort ein schlechtes Gewissen. Ich setzte mich neben ihn.

»Ach, Papa. So ein künstliches Kniegelenk ist heute eine Routineoperation. Ich habe gestern Vormittag mit Mama telefoniert, sie war ganz ruhig und unaufgeregt. Und wir rufen sie nachher wieder an. Gut?«

»Deine Mutter ist immer unaufgeregt. Das ist ja das Problem. Wenn ich mir keine Sorgen machen würde, würde niemand den Ernst der Lage begreifen. Aber ich kann nicht für alles die Verantwortung übernehmen. Und wenn Dorotheas Leiche heute Abend aus der Nordsee gefischt wird, sagt nicht, niemand hätte euch gewarnt.«

Ich stand auf. »Papa, jetzt ist es gut. Geh ins Bad, zieh dich an und dann frühstücken wir. Danach hilfst du Onno und triffst anschließend Kalli. Und außerdem scheint die Sonne.«

Er sah mich an. »Dass du immer in diesen alten T-Shirts schlafen musst. Mama hat sich so hübsche Nachthemden gekauft. Hoffentlich kann sie die noch anziehen.«

»Papa!« Ich ging Zähne putzen. Heute war ein Rantanplantag. Ohne Terence-Hill-Augen. Da mussten wir durch.

Nachdem sie uns den Kaffee gebracht hatte, setzte sich Marleen zu uns an den Tisch.

»Na, Heinz? Hast du noch Lust zu helfen?«

»Ich habe in meinem ganzen Leben nie meine Verpflichtungen vernachlässigt.«

»Onno hat gerade angerufen, sein Geselle Horst hat Grippe. Er hat gefragt, ob du ihm ein bisschen zur Hand gehen kannst.«

»Ich muss erst frühstücken.«

Marleen sah mich fragend an. Ich machte ihr ein Zeichen und stand auf, sie folgte mir in die Küche. »Meine Mutter geht heute ins Krankenhaus und wird morgen früh operiert. Er macht sich Sorgen und hat deshalb ziemlich schlechte Laune. Das wird bis morgen Mittag so bleiben, es sei denn, er wird abgelenkt.«

»Du, ich habe genug für ihn zu tun. Onno braucht wirklich Hilfe und dann bekommen wir heute neue Gäste. Eine Familie mit zwei kleinen Kindern und einen allein reisenden Herrn. Heinz könnte die Familie nachher vom Hafen abholen.«

»Sag ihm das. Der Mann braucht Aufgaben.«

Eine Stunde später räumte ich die erste Geschirrspülmaschine aus. Mein Vater war mit leidendem Gesichtsausdruck in die Kneipe getrottet. Er hatte noch nicht einmal ein Ei gegessen. Sein Frühstück hatte aus einem halben Brötchen bestanden und die Tatsache, dass er es mit Nutella bestrichen hatte, machte mir seine verzweifelte Stimmung klar. Ich nahm mir vor, später meine Schwester anzurufen. Ines wollte meine Mutter ins Krankenhaus bringen, ich wusste nur nicht mehr genau, wann sie den Termin hatten.

Im Frühstücksraum saßen noch zwei Paare und natürlich Frau Weidemann-Zapek nebst Freundin Klüppersberg. Als sie mich entdeckten, winkten sie mir aufgeregt zu.

»Guten Morgen, liebe Christine, ob Sie uns bitte noch etwas Tee bringen könnten? Ach, und wo bleibt denn Ihr Herr Vater?«

Ich bemühte mich zu lächeln und hob die Schultern. »Ich weiß gar nicht, wo er im Moment steckt. Er wird schon noch kommen.«

Ich war gespannt, wie viel Geduld sie entwickeln würden. Genug zu essen hatten sie jedenfalls. Und er hatte seine Ruhe.

Als ich mich umdrehte, sah ich Gesa, mit Bettwäsche beladen, an der Tür zum Frühstücksraum stehen.

»Christine, der neue Gast ist schon da. Kannst du mal zur Rezeption kommen? Marleen ist gerade in die Kneipe gegangen.«

»Ich komme sofort.«

Ich nickte Papas Groupies zu und lief nach vorne zum Empfang. Es war noch nicht einmal 9 Uhr, wieso hatte der Gast so eine frühe Fähre genommen? Vielleicht senile Bettflucht, wahrscheinlich noch ein einsamer Mittsiebziger, den konnte man ja gleich dem Trio Onno, Kalli und Papa zuschieben. Oder er war neue Beute für das fidele Frauenduo im Frühstücksraum.

Ich stieß mir die Hüfte an der Tür und fluchte. Dann sah ich den Gast im Profil und verkniff mir den Rest des Fluchs. Ich ärgerte mich über mein rosa-schwarz geringeltes altes T-Shirt und dass ich mich nicht vernünftig geschminkt hatte, hoffte, dass mein Vater jetzt nicht sofort zurückkam, und wurde ein bisschen rot. Alles gleichzeitig. Ein Wahnsinnstyp. Plötzlich kannte ich mein Beuteschema. An dieser Sache mit Liebe auf den ersten Blick war doch was dran. Ich schwitzte. Und ging mit wackeligen Beinen um ihn herum, bis ich hinter der Rezeption stand, von wo aus ich ihn anstarrte. Leider hatte ich keine Stimme mehr. Und kein Gehirn. Ich fühlte mich wie ein Idiot. Er sah mich mit rehbraunen Augen an und sagte mit samtweicher tiefer Stimme:

»Guten Morgen, mein Name ist Johann Thiess, ich hatte ein Zimmer gebucht.«

»Ja. Sehr früh, jetzt.« Ich krächzte und räusperte mich, suchte vergeblich nach den Grundformen des deutschen Satzbaus. »Ähm … hallo … ich meine, herzlich willkommen. Also, der Schlüssel.«

Ich ging hinter dem Tresen in die Hocke und tat so, als würde ich die Schlüssel suchen. Ich biss mich ins Knie, dachte, es würde mir helfen.

Johann Thiess hatte sich vorgebeugt und meine Turnübung interessiert verfolgt. Ich erhob mich langsam und um Würde bemüht und schloss kurz die Augen. Er war toll. Und ich hatte es vergeigt. Wahrscheinlich fragte er sich, warum eine solch nette Pension so durchgeknalltes Personal beschäftigte, das auch noch geringelte T-Shirts mit roten Shorts trug. Mir fiel ein, dass ich immer noch keinen Bimsstein gefunden hatte. Und plötzlich geschah das Wunder: Er reichte mir seine Hand. Bevor ich glückselig meine Hand hineinlegen konnte – ich hörte schon fast das große Streichorchester –, sagte er:

»Kann ich den Schlüssel haben? Ich bin die Nacht durchgefahren und jetzt sehr müde.«

Marleen rettete mich. Plötzlich stand sie neben mir.

»Guten Morgen. Herr Thiess, richtig?« Sie gab ihm die Hand. »Sie haben Zimmer 9, im ersten Stock, mit Blick aufs Meer. Christine, tut mir leid, ich hatte den Plan mitgenommen. So, hier ist Ihr Schlüssel, ich wünsche Ihnen einen schönen Aufenthalt.«

Mit einem Lächeln nahm er seinen Koffer und ging zur Treppe. Marleen stieß mich an.

»Was ist denn mit dir los? Stehst du unter Schock?«

»Marleen, ich habe mich benommen wie eine Geisteskranke.«

»Stimmt. Du siehst auch so aus. Was war denn?«

»Keine Ahnung. Vielleicht Liebe auf den ersten Blick?«

Marleen legte mir die Hand auf die Stirn. »Nimmst du was ein?«

»Ich habe mich ins Knie gebissen, und er hat es gesehen.«

Marleen war jetzt vollends verwirrt. »Hör zu, es ist vielleicht ein bisschen anstrengend, das frühe Aufstehen, Heinz, das Knie deiner Mutter, aber das ist doch kein Grund, plötzlich durchzudrehen. Weißt du was? Du nimmst jetzt mein Fahrrad, fährst zur Weißen Düne und springst einmal ins Wasser. Ich mache hier den Rest. Also bis später.«

Als ich gedankenverloren vor dem Fahrradschuppen stand, kam gerade mein Vater aus der Kneipe. Er entdeckte mich, hob kurz die Hand und schlenderte auf mich zu. Forschend sah er mich an.

»Na?«

»Na?«

»Was machst du hier?«

»Ich wollte mit Marleens Fahrrad zum Strand.«

»Baden?«

»Ja.«

»Kann ich mit?«

»Wer hilft Onno?«

»Kalli.«

»Hast du ein Fahrrad?«

»Kalli hat mir sein neues Rad geliehen. Das gestern war sein altes.«

»Na gut.«

»Dann los.«

Pack die Badehose ein
– Connie Froboess –

Zehn Minuten später radelten wir an den Kurkliniken vorbei in Richtung Ostbadestrand. Wir schwiegen vor uns hin, ich dachte abwechselnd an mein Rezeptionsdebakel und an meine Mutter, mein Vater schwieg ebenfalls.

Nach einer guten halben Stunde hatten wir den Strandaufgang an der Weißen Düne erreicht. Wir stellten Marleens und Kallis Fahrräder nebeneinander ab und schlossen sie zusammen. Als wir von der Düne aus schon den Strand sehen konnten, fiel es uns ein. Mein Vater sah mich an.

»Hast du meine Badehose eingepackt?«

»Nein. Etwa du meinen Badeanzug?«

Er schüttelte den Kopf und seufzte. »Norderney eben. Die sind hier alle angezogen. Gott, wie verklemmt. Und nun?«

Ich ging zu den Fahrrädern zurück. »Entweder fahren wir zwei Kilometer weiter zum FKK-Strand. Oder wir bleiben hier und riskieren eine Anzeige wegen Erregung öffentlichen Ärgernisses.«

»Was heißt hier Ärgernis? Ich bin noch sehr gut in Form. Ich würde sogar sagen, dass sich zwei gewisse Damen aus der Pension durchaus an meinem Anblick freuen würden.« Er kicherte und hielt sich sofort die Hand vor den Mund. »Ich hoffe, das war jetzt nicht sexistisch.«

Pension war das Stichwort, ich hatte wieder die braunen Augen vor mir, mein Herz schlug schneller. Wahrscheinlich war Johann Thiess sowieso verheiratet oder gleich schwul. Solche

Männer laufen nie frei herum. Ich atmete tief ein und aus. Mein Vater sah mich von der Seite an und drückte meinen Arm.

»Ich weiß, du machst dir auch Sorgen um Mama. Das mit den beiden Damen habe ich nur so im Scherz gesagt, so etwas würde ich natürlich nie tun. Ich meine, dass die mich nackig sehen oder so. Wirklich, niemals. Da kannst du ganz beruhigt sein.«

Ich zog es vor, den Irrtum nicht aufzuklären. »Ich weiß, Papa. Und die Operation morgen wird schon gut gehen. Wir rufen Mama nachher noch mal an. So, und jetzt verlassen wir den verklemmten Strand und fahren baden.«

Der FKK-Strand war fast noch schöner und vor allen Dingen weniger besucht als der andere.

Mein Vater brauchte höchstens drei Minuten, um sich seiner Sachen zu entledigen, dann rannte er wie ein kleines Kind dem Wasser entgegen und sprang mit einem Kopfsprung in eine anrollende Welle. Von Hüftschaden keine Spur. Er ließ sich von den Wellen treiben und strahlte mir entgegen.

»Herrlich!« Er musste brüllen, um die Brandung zu übertönen. »Wie zu Hause.«

Er hatte Augen wie Terence Hill.

Wir wickelten uns in unsere Handtücher und liefen gegen die Sonne am Strand entlang. Ab und zu bückte sich mein Vater, um einen Stein oder eine Muschel aufzuheben, die er dann wieder ins Wasser warf. Er blieb stehen und zeigte mir eine rosa Muschel.

»Schau mal, eine ganz intakte Herzmuschel. Das ist übrigens eines meiner Lieblingswörter: Herzmuschel. Das klingt furchtbar nett, oder?« Er spülte sie vorsichtig ab. »Die nehme ich mal mit. Vielleicht für Mama. Drehen wir um?«

Mit der Sonne im Rücken gingen wir zurück zu unseren Sachen. Ich hatte fast jeden Sommer meiner Kindheit an Sylter Stränden verbracht. Das angetrocknete Salz auf meiner Haut, das Geräusch der Brandung, die Füße im Wasser, die Anwesenheit meines Vaters und der Beginn eines Sonnenbrandes gaben mir das Gefühl, ich wäre wieder zehn Jahre alt.

»Sag mal, Christine, sollen wir uns nicht morgen mal so ein Beachball-Spiel besorgen oder einen Fußball? Und dann leihen wir uns eine Kühltasche und einen Windschutz und nehmen was zu Essen und Trinken mit. Und ein paar Zeitungen und Sonnenmilch. Wir könnten den ganzen Tag bleiben. Wie früher. Und wir nehmen Kalli und Dorothea und Gesa mit.«

Anscheinend fühlte er sich gerade wieder wie dreißig. Er dachte sogar daran, die Kinder zu bespielen, und wurde aufgeregt.

»Ja, Fußball ist doch eine gute Idee. Zwei gegen zwei und Gesa ist Schiedsrichter.«

»Und abends kommt keiner mehr die Treppen hoch.«

Er sah mich mitleidig an. »Dorothea und du, ihr macht wohl nicht so viel Sport, was? Aber Kalli und ich brauchen ja nicht in einer Mannschaft spielen. Du und ich gegen Kalli und Dorothea, sonst habt ihr natürlich keine Chance. Das wäre doch mal was. Ich frag Kalli mal, wo es gute Bälle gibt. Aber haben wir da eigentlich Zeit für?«

Wir mussten unsere Sachen einen Moment lang suchen, mein Vater hatte sich die Stelle, an der wir uns ausgezogen hatten, genau gemerkt. Er war sich so sicher, dass ich nicht aufgepasst hatte. An der Stelle, auf die er zusteuerte, lag nichts.

»Ich glaube es nicht! Die haben unsere Sachen geklaut.« Er starrte fassungslos auf den Sand und schüttelte den Kopf. »Das gibt es doch gar nicht. Meine beste kurze Hose. Das würde sich auf Sylt keiner trauen. Was machen wir denn jetzt? Ich kann doch mit dem Handtuch kein Fahrrad fahren. So ganz ohne Hose.«

Ich biss mir auf die Unterlippe, bevor mich die Vorstellung, wie wir beide, nur mit flatternden Handtüchern spärlich bedeckt, fröhlich an den Kurkliniken vorbeiradeln würden, zusammenbrechen ließ.

»Ich glaube nicht, dass die Sachen geklaut sind.«

»Nicht?« Mein Vater sah mich ungeduldig an. »Meinst du etwa, ich habe sie verbuddelt?«

»Nein, Papa.« Ich hielt meine Hand über die Augen und suchte den Strand ab. »Wir sind wahrscheinlich an ihnen vorbeigelaufen.«

»Quatsch! Ich erkenne ja wohl noch meine rote Hose. Das ist meine beste kurze Hose.«

»Das sagtest du schon. Du hattest sie nur nicht an. Du bist in Jeans gekommen.«

Langsam suchend ging ich wieder zurück. Mein Vater folgte mir. »Ich hatte eine kurze Hose an. Es ist doch warm. Glaub mir, wir sind bestohlen worden.«

Ich war mir jetzt sicher, auf der richtigen Spur zu sein. Zweihundert Meter weiter lagen unsere Sachen. Ich reichte meinem Vater seine Jeans, die Hosenbeine waren hochgekrempelt.

»Hier, bitte, deine Jeans.«

»Sie hat aber einen Stich ins rötliche.«

Es war eine ganz normale blaue Jeans. Mein Vater zog verlegen seine Unterwäsche an, dann die Jeans.

»Und sie trägt sich wie eine kurze Hose.«

»Ja, stimmt. Wahrscheinlich hat Mama sie mal mit roten Socken gewaschen. In der Sonne sieht sie ein bisschen rot aus.«

Er nickte zufrieden. »Genau. Aber dass du dir die Stelle, an der wir uns ausgezogen haben nicht gemerkt hast, war ja leichtsinnig. Du musst ein bisschen besser auf deine Sachen achten. Gehen wir da oben noch was trinken?«

»Hast du Geld dabei?«

»Klar. Fünfzig Euro in der Hosentasche.«

»Papa. Und das lässt du hier einfach am Strand liegen?«

»Sicher, hier kommt doch nichts weg. Wer soll hier am Strand Geld klauen? Nun komm, ich habe einen Riesendurst.«

Wir hatten uns zwei Flaschen Wasser gekauft, saßen auf einer Bank und hielten die Gesichter in die Sonne. Meine Gedanken liefen wieder zu Johann Thiess. Das Baden hatte mich tatsächlich beruhigt. Er würde mich sicher nicht für die aufregendste und klügste Frau des Kontinents halten, aber er war ja erst angekommen. Ich durfte jetzt nur keine Fehler mehr machen.

Wenn er mich wenigstens *nett* finden würde, so ein bisschen wie eine Herzmuschel. Ich öffnete die Augen und sprang auf.

»Ich glaube, ich verblöde in der Sonne.«

»Ja.« Mein Vater sah mich an. »Das geht ganz schnell. Du musst eine Mütze aufsetzen.« Er tippte auf seine Schirmmütze. »Dann bleibt das Hirn frisch.« Er schaute wieder aufs Meer. »Jetzt ist Mama wohl schon in der Klinik. Ines wollte sie mittags hinfahren. Hoffentlich hat sie ein schönes Zimmer, nicht dass neben ihr einer liegt, der die ganze Nacht schnarcht.«

»Sie liegt doch nicht mit Männern zusammen.«

»Natürlich nicht. Aber sie schnarcht ja auch.«

»Echt?«

Er nickte. »Ja, das hast du von ihr.«

»Ich schnarche? Woher willst du das denn wissen? Das habe ich noch nie gemacht.«

»Doch. Als ich dich gestern Morgen wecken wollte, da hast du richtig gesägt. Da habe ich noch gedacht, wie gut, dass das kein Fremder hört. Mir macht das nichts, ich bin ja schließlich dein Vater.«

Ich dachte an nette Herzmuscheln und beschloss Johann Thiess rigoros aus meinen Gedanken zu streichen. Es war zu riskant.

Es war schon fast 14 Uhr, als wir langsam auf die Pension zuradelten. Mein Vater hatte noch ein Eis essen, seine Zeitung kaufen und einfach so herumfahren wollen.

»Nur, damit ich mich an Kallis Fahrrad gewöhne.«

»Womit fährt Kalli jetzt eigentlich?«

»Mit Hannas. Aber ich fahre doch nicht mit einem Damenrad, dann denken alle, ich kriege mein Bein nicht mehr über die Stange.«

»Marleen hat den ganzen Schuppen voller Fahrräder.«

»Die habe ich mir angeguckt, die sind nicht so doll. Dieses hier ist wenigstens gepflegt. Und noch ziemlich neu.«

Wir stellten die Fahrräder vor der Hintertür ab und nahmen

die Handtücher von den Gepäckträgern. Mein Vater streckte mir seins entgegen.

»Hier, ich weiß ja nicht, wo das hin soll.«

Ich nahm es ihm ab. »Vielleicht in die Waschmaschine?«

»Du kannst meins ja mitnehmen, wenn du sowieso gehst. Ich muss erst mal in die Kneipe und gucken, was die Jungs machen.«

Er ließ mich stehen und verschwand. Die Beine seiner Jeans waren unterschiedlich hochgekrempelt, sein Hemd hing über der Hose. Nur die Mütze saß richtig. Sein Hirn blieb frisch.

»Hallo, wie war es am Strand?«

Gesa stand plötzlich neben mir, ich hatte sie gar nicht gehört.

»Schön. Wir waren am FKK-Strand.«

»Nudisten-Heinz?« Gesa pfiff anerkennend. »Macht er das aus Überzeugung?«

»Nein, er findet nasse Badehosen ekelig und er hat auch gar nicht daran gedacht, eine einzupacken. Ich übrigens auch nicht. Auf Sylt baden die meisten nackt.«

»Wenn das Frau Weidemann-Zapek und Frau Klüppersberg wüssten. Die haben übrigens bis halb elf auf ihn gewartet. Dann habe ich erklärt, ich müsste jetzt den Frühstücksraum saugen. Sonst würden sie da immer noch sitzen.«

»Die sind ja wirklich zäh. Na ja, er hat selbst Schuld. Ist Dorothea schon wieder da?«

Gesa hob die Schultern. »Keine Ahnung, ich habe sie noch nicht gesehen. Ich habe jetzt jedenfalls Feierabend und fahre auch zum Strand. Eine Geschirrspülmaschine läuft noch, falls du Lust hast, kannst du sie nachher ausräumen, sonst ist alles fertig.«

»Das ist das Beste, was ich je gehört habe. Danke, Gesa.«

Sie lachte, schulterte ihre Tasche und schwang sich auf ihr Mountainbike.

Dann kamst du
— Vicky Leandros —

Im ersten Stock wurde ein Fenster geschlossen. Ich sah hoch und überlegte, ob es Johann Thiess Zimmer gewesen war. Hatte er am Fenster gesessen und auf seine Herzmuschel gewartet? Ich riss mich zusammen und beschloss, erst mal zu duschen und mir dann eine Mütze zu kaufen.

Als ich mich nach dem Duschen eincremte, merkte ich, dass die erste Sonne schon für einen Sonnenbrand gereicht hatte. Und dass die Stelle zwischen den Schulterblättern, an der es am meisten spannte, für mich unerreichbar war. Erleichtert hörte ich den Schlüssel in der Haustür.

»Papa, kommst du mal? Ich habe auf dem Rücken einen Sonnenbrand.«

Dorothea kam ins Badezimmer. »Und du glaubst, Heinz hat da eine Lösung? Eincremen, meine Liebe, in deinem Alter ist jeder Sonnenbrand ruinös.«

Ich hielt ihr die Körperlotion hin. »Du bist nur vier Jahre jünger und hast dafür viel empfindlichere Haut. Gib nicht so an, hier, der ganze Rücken bitte. Und nicht so grob, es brennt wirklich.«

Dorothea cremte großzügig. Ich sah mir das Ergebnis im Spiegel an. Rot und fettig. Ich hatte nur ein einziges Kleid dabei, ein rotes, mit sehr tiefem Rückenausschnitt. Das konnte fürs Erste im Schrank hängen bleiben.

Ich setzte mich neben Dorothea, die mit beseeltem Gesichtsausdruck auf dem Badewannenrand hockte.

»Ach, Christine, das war echt ein toller Tag. Emden ist ganz reizend. Wir waren in der Kunsthalle, am Hafen, haben gegessen und ein bisschen geknutscht.«

»Ich denke, ihr wolltet ... Ihr habt was?«

»Christine, dieser Typ ist phänomenal. Er wohnt übrigens in Oldenburg. Wie lange fährt man von Hamburg nach Oldenburg?«

»Zwei Stunden, glaube ich. Sag mal, ich denke, du wolltest nur einen kleinen Sommerflirt? Na ja, du verlierst wenigstens keine Zeit. Und? Richtig gut?«

Dorothea streckte ihre Beine aus und rutschte fast rückwärts in die Wanne. Ich hielt sie am Arm fest.

»Was heißt gut? Nils ist sensationell! Ich glaube, das wird der beste Sommer meines Lebens.«

Ich stand auf und ging zum Schrank in Dorotheas Schlafzimmer, in den ich meine Sachen gehängt hatte. Dorothea tänzelte hinter mir her und ließ sich aufs Bett fallen. Während sie mir von Nils vorschwärmte, selbstständiger Innenarchitekt, Grübchen, Surfer, seit einem Jahr Single, blaue Augen, liest am liebsten Boyle und Murakami, Sternzeichen Jungfrau, witzig, und, und, und, wühlte ich mit zunehmender Verzweiflung in meinen Klamotten. Ich hatte nur praktische Sachen dabei, Jeans, Pullis, Jeans, T-Shirts, Jeans, Strickjacke. Und das rote Kleid. Als ich gequält stöhnte, unterbrach Dorothea ihre Hymne.

»Was suchst du da eigentlich?«

»Was Schönes zum Anziehen. Ich habe bloß alte Klamotten eingepackt. Weil mein Vater mich so durcheinandergebracht hat.«

Dorothea sah mich mit großen Augen an und wartete auf eine Erklärung.

»Heute Morgen ist ein Gast angekommen. Johann Thiess. Ich war an der Rezeption. Und ich hatte dieses geringelte T-Shirt an. Und die kurze rote Hose.«

Dorothea verstand immer weniger. »Ja, und?«

»Dorothea, Johann Thiess ist der beste Typ, dem ich je begegnet bin.«

»Oh.«

»Es lief aber nicht so richtig gut. Also, ich meine, ich habe mich ziemlich komisch verhalten, glaube ich.«

»Wie komisch?«

»Ach, ist jetzt auch egal. Er hält mich wahrscheinlich für verhaltensauffällig. Ich will da jetzt auch nicht mehr drüber reden. Dorothea, ich habe es vergeigt. Ich habe nicht damit gerechnet, dass hier plötzlich so ein Mann vor mir steht, Gott, ich habe mich benommen wie mit vierzehn.«

Ich ließ mich auf die Bettkante sinken. Dorothea klopfte mir tröstend auf den Rücken. Ich zuckte zusammen, es brannte.

»Das kann ja auch an Heinz liegen, Väter geben einem immer das Gefühl, dass man sehr viel jünger ist.«

»Heinz hat gar nichts davon mitgekriegt.«

»Das ist bestimmt auch besser so.« Dorothea lachte. »Stell dir vor, er hätte eingegriffen. Wie hat dein Vater eigentlich früher reagiert, wenn du jemanden mit nach Hause gebracht hast?«

Ich dachte nach. »Ganz normal. Bei Holger hat er gesagt, dass er was Brutales in den Augen hätte, Jörg war ihm zu weich, Peter zu dumm und als ich Bernd heiraten wollte, hat mein Vater mir zu einem Ehevertrag geraten. Bei der Scheidung hat er triumphiert und mich zum Essen eingeladen. Wie er halt so ist.«

Dorothea stand auf und ging zum Schrank. »Er meint es nur gut. Also, ich habe drei scharfe Kleider mit, die passen dir auch. Wäre doch gelacht, wenn wir nicht beide den besten Sommer unseres Lebens hätten.« Sie zeigte mir ein schwarzes Kleid, ärmellos, vorne ausgeschnitten, hinten genug Stoff. »Das hier. Das ziehst du jetzt an. Heinz sollte deine Eroberungsfeldzüge aber besser nicht mitbekommen. Ich habe da ein komisches Gefühl.«

Wir sahen uns lange an. Ich nickte. Das komische Gefühl hatte ich auch.

Eine Stunde später saß ich im Strandkorb im Garten und las die Tageszeitung. Dorothea wollte noch mal ins Bett, das Aufstehen um 5 Uhr morgens war nichts für sie. Marleen war einkaufen gefahren, Kalli holte die vierköpfige Familie vom Hafen ab und mein Vater duschte. Ich überflog einen Artikel auf der Regionalseite: »Invasion der Tagesgäste oder wo geht es hier bitte zum Strand?« Ich war mir fast sicher, dass es eine Parodie war, so konnte kein erwachsener Mensch schreiben. Ich musste über die Umständlichkeit und das Talent, jeden Witz zur Strecke zu bringen, lachen. Der Artikel war mit dem Kürzel GvM signiert, schräger Mensch, dachte ich, als ich Schritte hinter dem Strandkorb hörte.

»Hallo?«

Die Stimme ließ mich zusammenzucken. Bevor ich antworten konnte, stand Johann Thiess vor mir.

»Entschuldigung, ich wollte Sie nicht erschrecken. Das ist ja nett hier.« Er deutete auf den Stuhl. »Darf ich?«

Er lächelte. Ich schluckte.

»Natürlich … Kaffee?«

»Sehr gerne. Aber nur, wenn es keine Umstände macht.«

Ich sprang auf und rannte fast ins Haus. Keine Umstände. Es rettete mein Leben. Während ich die Kaffeemaschine betätigte, machte ich Atemübungen. Ich betete für die Fähigkeit, ganze Sätze bilden zu können, und dass mein Vater sich alle Zeit der Welt beim Duschen nahm. Etwas ruhiger balancierte ich schließlich zwei Tassen in den Garten. Johann Thiess hatte sich die Zeitung geholt und las den Invasions-Artikel. Er lächelte mir entgegen und faltete die Zeitung wieder zusammen.

»Haben Sie den Artikel über die Tagesgäste gelesen? Der ist ja so schlecht, dass er schon wieder komisch ist.«

Ein Zeichen, dachte ich und verscheuchte sofort den Gedanken. Sei nur charmant und sexy.

Johann Thiess goss Milch in seinen Kaffee und rührte um.

»Leben Sie eigentlich auf der Insel?«

Sein Blick war intensiv, mir wurde warm.

»Nein, ich wohne in Hamburg. Marleens Kneipe wird gerade renoviert und ich helfe hier ein bisschen mit.«

»Und wie lange noch?«

»Wir sind erst zwei Tage hier. Also noch fast zwei Wochen.«

»Schön.« Der Blick traf mich mitten ins Herz. Seine Augen waren wirklich rehbraun.

»Und wo kommen Sie her?«

Er hielt kurz inne. »Ich, ähm … aus Bremen.«

»Aha. Schöne Stadt.« Ich redete schon wieder Unsinn. Er ging zum Glück nicht drauf ein.

»Ich weiß übrigens gar nicht, wie Sie heißen.«

Ich hatte selten so ein schönes Männergesicht gesehen.

»Christine. Christine Schmidt.«

»Christine.« Ich hatte auch selten meinen Namen so schön gehört. Ich bekam Gänsehaut.

»Schöner Name.«

»Mir gefällt Johann auch.«

Wir sahen uns lange schweigend an. Dann redeten wir gleichzeitig.

»Wollen wir …« »Hast du Lust …«

»Du zuerst.«

Ich konnte keinen Mann siezen, der mir ins Herz guckte. Johann lächelte.

»Hast du Lust, heute Abend mit mir essen zu gehen?«

»Christiiieeene!«

Mein Vater hätte mir auch einfach einen Eimer mit kaltem Wasser über den Kopf gießen können. Hektisch sprang ich auf. Ich hielt eine Vorstellung der beiden Herren zu diesem Zeitpunkt für absolut verfrüht.

»Tut mir leid, ich muss kurz nach ihm schauen. Mein Vater. Bleibst du hier?«

Johann sah auf die Uhr. »Ich muss noch was erledigen. Wir sehen uns bestimmt später. Danke für den Kaffee.«

»Christiiieeene!«

»Ja doch!!«

Johann zuckte zusammen, ich hatte ohne Übergang zurückgebrüllt. Er stand auf, hob die Hand, ließ sie wieder sinken.

»Du musst da wohl hin. Also dann, bis später.«

Er ging langsam aufs Haus zu. Ich zwang mich, nicht hinter

ihm her zu rennen. Dann holte ich tief Luft und ging in die Richtung, aus der mein Vater mir gerade den bestimmt wunderbarsten Abend meines Lebens versaut hatte.

Er lehnte, mit einem Bademantel bekleidet, aus dem Küchenfenster unserer Ferienwohnung und sah mir freundlich entgegen. Ich war stinksauer.

»Warum schreist du wie ein Irrer hier durch die Gegend? Was ist denn los?«

»Deine Schwester ist am Telefon. Mama geht es gut. Willst du mit Ines sprechen?«

Ich strengte mich an, aus meinen Augen keine Giftpfeile auf ihn abzufeuern. Mein Vater reichte mir das Telefon herunter.

»Hier bitte, sprich mit deiner Schwester, ich bin sowieso noch nicht fertig.« Er schloss das Fenster.

Ich atmete tief durch, dann nahm ich das Telefon ans Ohr.

»Hallo, Ines.«

»Na, du hörst dich aber richtig genervt an. Macht Papa dich fertig?«

Ich dachte an sein strahlendes Gesicht mittags in den Wellen und wurde ruhiger.

»Es ist etwas anstrengend. Ihm fehlt in manchen Situationen das Gespür.« Rehbraune Augen. »Aber es geht schon. Was ist mit Mama?«

»Also, die Klinik gefällt ihr, sie hat ein Einzelzimmer und wird morgen früh um 8 Uhr operiert. Ihre Werte sind alle gut, sie ist ganz entspannt, ich mittlerweile auch, du kannst Papa beruhigen. Ich rufe dich morgen an, wenn alles überstanden ist. Ihr braucht euch keine Sorgen zu machen.«

»Du kennst doch Papa. Er hatte heute Morgen schon schlechte Laune. Wir werden ihn ablenken müssen. Also dann, bis morgen. Und grüß Mama.«

Ich legte das Telefon auf die Fensterbank und ging zurück in den Garten. Ich setzte mich in den Strandkorb, in dem kurz vorher das Leben noch ganz rosa war, und starrte auf den leeren Stuhl. Hätte mein Vater nicht zehn Minuten später brüllen können? Dann wäre ich jetzt verabredet. So war ich es nicht. Tolles Timing. Nach einer Weile hob ich den Kopf, sah kurz um die Ecke und zündete mir eine Zigarette an.

Komm nur, Papa, dachte ich, und wage es nicht, mir das zu verbieten!

Ich blieb noch eine halbe Stunde im Strandkorb sitzen, wartete mit klopfendem Herzen auf eine zweite Chance. Nichts passierte. Anscheinend hatte die Brüllattacke meines Vaters mir diese Gelegenheit tatsächlich versaut. Als ich mich frustriert erhob, fuhr Kalli vor. Ich ging ihm entgegen. Wenn mein Leben schon so lieblos war, konnte ich wenigstens hier und da arbeiten.

Keine ruhige Minute
– Reinhard Mey –

Kalli ließ die vierköpfige Familie aussteigen und öffnete den Kofferraum.

»Hallo, Christine«, er reichte mir zwei Reisetaschen, »hier kommen Marleens neue Gäste, schau mal, das sind doch tatsächlich Zwillinge, lustig nicht?«

Ich betrachtete die beiden rothaarigen Mädchen, deren sommersprossige Gesichter mich ernst anblickten. Sie sahen sich sehr ähnlich.

»Wir sind nicht lustig.«

Ihre Mutter schob beide zur Seite. »Natürlich nicht. Herr Jürgens findet es nur lustig, dass ihr Zwillinge seid.«

»Wieso?«

Die beiden starrten Kalli an. Der kratzte sich am Kopf.

»Wiesoho?«

Sie gaben nicht nach. Kalli wurde von Marleen erlöst.

»Hallo, herzlich willkommen.« Sie lehnte ihr mit Einkaufstüten beladenes Fahrrad vorsichtig an die Hauswand und kam auf uns zu. »Ich bin Marleen de Vries. Hatten Sie eine gute Fahrt?«

»Danke, ja.« Die Mutter der Zwillinge gab Marleen die Hand. »Ich bin Anna Berg, das ist mein Mann Dirk und das sind Emily und Lena. Vielen Dank fürs Abholen, wenn der Urlaub so wird wie die Fahrt, können wir uns nicht beschweren.«

Marleen ging in die Hocke und fragte die Mädchen: »Und wer ist jetzt wer?«

»Ich bin Emily.« Die Linke antwortete sofort. »Und das ist Lena. Wir haben in der Schule immer unterschiedliche Sachen an. Ich habe immer etwas Blaues. Und wir sind nicht lustig.« Sie sah Kalli lange an. Dann wieder Marleen.

»Oh.« Marleen stand wieder auf. »Wie alt seid ihr denn?«

Die Antwort kam im Chor. »Sieben.«

»Sieben.« Kalli wiederholte die Zahl. »Stimmt, da seid ihr nicht mehr lustig. Da seid ihr ja schon groß.«

Emily überlegte kurz, dann stieß sie ihre Schwester an. Beide nickten Kalli ernst zu. Anscheinend hatte er Boden gutgemacht.

Während Marleen mich vorstellte, lud Kalli das restliche Gepäck aus dem Wagen. Marleen nahm mir die beiden Reisetaschen ab.

»So, ich zeige Ihnen Ihre Zimmer, Kalli, hilfst du mir mit dem Gepäck? Und, Christine, kannst du meine Einkäufe in die Küche bringen? Mir schmilzt sonst die Butter weg.«

Dirk Berg griff nach dem größten Koffer. »Den Koffer trage ich selbst, vielen Dank, Herr Jürgens, Sie haben uns ja abgeholt, das war genug Hilfe. So, Mädels, nehmt eure Rucksäcke und die Jacken, ihr habt es gehört, ihr seid ja schon groß.«

Kalli sah der Familie nach, während ich die Tüten vom Fahrrad zog. Ich nahm zwei in jede Hand und ging ins Haus. Kalli folgte mir.

»Ich könnte dir auch was abnehmen, aber ich habe den Eindruck, du hast die Gewichte ganz gut verteilt.«

»Danke, Kalli, das ist nicht nötig.«

In der Küche wuchtete ich die Einkäufe auf die Arbeitsplatte und rieb mir die strangulierten Handflächen.

»Und? Sind das nette Leute?«

Er nickte. »Sehr nett. Sie kommen aus Dortmund. Weißt du, Borussia Dortmund.« Er lächelte. »Das ist mein Lieblingsverein. Da ärgert sich Heinz immer, der ist ja für den HSV. Aber Dortmund ist besser. Sagt Onno auch, obwohl der Werder-Bremen-Fan ist. Der HSV ist ja so schlecht im Moment. Ich bin gespannt, was das gibt. Aber jetzt ist ja Bundesligapause, da kann nicht so viel passieren. Wo ist Heinz überhaupt?«

Ich legte einen Teil der Einkäufe in den Kühlschrank.

»Drüben. Du kannst ihn eigentlich abholen. Er hat bestimmt Hunger.«

»Das ist sehr schön, wie du dich um ihn sorgst, Christine. Ich wünschte, meine Kinder wären auch mal so mit mir in die Ferien gefahren.«

Er ging zur Küche hinaus, während ich mich heldenhaft fühlte.

»Na?« Marleen ließ sich auf einen Küchenstuhl fallen und streckte ihre Beine aus. »Irgendwie war das ein hektischer Tag. Danke fürs Auspacken. Kriegst du alles unter?«

Ich schob zwei Milchtüten hochkant nach hinten und antwortete in den Kühlschrank.

»Natürlich kriege ich alles unter.«

»Was?«

Ich drehte mich zu ihr um. »Ja, sicher. Du kannst mich ja fragen, wenn du irgendwas nicht findest.«

»Schieb die Milch nicht so weit nach hinten, ich will gleich Milchreis kochen. Zum Nachtisch.«

»Danach muss mein Vater spucken.« Ich räumte alles, was ich vor die Milch geschoben hatte, wieder aus und fing neu an. »Ihm wird nach Milch- und Mehlspeisen schlecht.«

»Dann soll er eben mehr Brathering essen. Das ist übrigens ein tolles Kleid. Viel zu schade für meine Küche.«

»Das hat mir Dorothea geliehen. Ich habe überhaupt nichts Schönes eingepackt, ich glaube, ich gehe morgen mal einkaufen.«

»Wieso? Was hast du denn vor?«

»Nichts, aber ich kann ja nicht nur in kurzen Hosen rumlaufen. Vielleicht ergibt sich mal irgendwas Aufregendes.«

Ich merkte, dass ich rot wurde. Marleen merkte es auch. Sie stand auf und stellte sich vor mich.

»Sag mal, meintest du das heute Morgen etwa ernst?«

Ich versuchte, harmlos zu klingen. »Was denn?«

»Das mit Herrn Thiess? Das glaube ich ja wohl nicht.«

Ich faltete die Plastiktüten umständlich zusammen. »Er hätte mich vorhin fast zum Essen eingeladen. Wir haben im Garten einen Kaffee getrunken. Ich finde den wirklich ziemlich spannend.«

»Und was heißt ›fast zum Essen eingeladen‹?«

Ich schob die Tüten in die Besteckschublade. »Mein Vater funkte dazwischen. Wieso guckst du eigentlich so komisch?«

Marleen sah mich nachdenklich an. »Die Tüten kommen in den Schrank da drüben. Hat dieser Thiess irgendetwas erzählt?«

»Er heißt Johann und kommt aus Bremen. Er hat so schöne Augen ...« Ich lehnte mich an den Kühlschrank und dachte an diesen Blick, der bis ins Herz ging.

Marleens Blick war ganz anders. »Aus Bremen?«

Ihr Tonfall holte mich aus meiner Verzückung.

»Ja, aus Bremen. Was ist denn? Ist was mit ihm?«

»Ich will dir ja nicht die Stimmung verderben«, antwortete sie vorsichtig, »aber ich finde ihn ein bisschen seltsam. Er hat sich bei seinem Namen zweimal verschrieben und seine Adresse ist völlig unleserlich.«

Ich dachte kurz an unsere erste Begegnung. »Meine Güte Marleen, ich habe ihn auch ziemlich blöd empfangen.«

»Trotzdem, ich weiß nicht. Findest du es nicht komisch, dass er die Nacht durchgefahren ist? Von Bremen aus braucht man doch höchstens zwei Stunden.«

»Vielleicht kam er von woanders. Du guckst zu viele schlechte Filme. Was glaubst du, was er ist? Ein entsprungener Irrer?«

»Sei doch nicht gleich so aggressiv. Ich habe nur kurz überlegt, ob er von der Konkurrenz ist. Es gibt doch diesen Hotelier aus Aurich, der am Strand eine neue Bar aufmachen will. Vielleicht will er spionieren.«

»Dann frag ihn, Marleen, frag ihn einfach. Du bist schon wie mein Vater. Da kommt er übrigens, sei so gut und sage nichts. Ich habe keine Lust, das Thema Thiess mit Heinz zu vertiefen.«

Ich fand das Leben ungerecht. Erst hatte ich mich blamiert, dann die zweite Chance bekommen, die mein Vater grandios vereitelt hatte, und jetzt war meine Freundin auch noch gegen mich. Ich griff beleidigt nach dem Topf, der auf dem Herd stand, und fing an, Kartoffeln zu pellen. Marleen beobachtete mich schweigend. Als mein Vater mit Kalli in die Küche polterte, atmete sie tief durch.

»Hallo, habt ihr schon Hunger?«

Mein Vater war abrupt stehen geblieben. »Herrscht hier dicke Luft?«

Ich schüttelte den Kopf, ausgerechnet jetzt bekam mein Vater ein Gespür für Schwingungen. Das war ja was ganz Neues.

»Nein, Papa, alles ist gut. Wir können in einer halben Stunde essen. Marleen kocht noch Milchreis.«

»Igitt. Aber ich sehe, dass du Kartoffeln pellst. Dann esse ich eben Bratkartoffeln. Bis gleich. Komm, Kalli, wir trinken schon mal ein Bier im Strandkorb.«

»Blöde Retourkutsche mit dem Milchreis.« Marleen nahm ein zweites Messer. »Du willst mich bei den Jungs unbeliebt machen. Das war nicht so gemeint mit Herrn Thiess. Vielleicht täusche ich mich auch und er ist wirklich ein Prinz.«

»Du täuschst dich, darauf kannst du Gift nehmen.«

Marleens skeptischer Blick passte nicht zu ihrem Versöhnungsangebot. Es war mir egal.

Mein Vater musterte mich neugierig, als wir uns zum Essen setzten.

»Und, Christine, wie war dein Tag?«

»Papa! Du warst doch fast immer dabei.«

»Quatsch.« Er häufte sich Brathering auf die Gabel und beugte sich zu Marleen. »Wir waren kurz zusammen am Strand und danach war Christine verschollen. Ich bin gleich in die Kneipe gegangen, um zu helfen, aber meine Tochter war weg. Einfach weg.«

»Du bist eine alte Petze, Heinz.« Dorothea zog die Schüssel mit den Bratkartoffeln näher.

»Ich mache mir nur Sorgen. Ich bin schließlich ihr Vater.« Er sah mich forschend an. »Und als Vater bekommt man Angst, wenn das Kind einfach verschwindet.«

Ich guckte harmlos zurück und schwieg. Wenn er glaubte,

dass ich ihn ernst nahm, hatte er sich geschnitten. Kalli nahm ihn ernst.

»Aber Heinz, sie ist erwachsen. Und sie hat doch auch ein Handy, nicht wahr, Christine? Du kennst dich hier ja auch aus. Was soll denn da passieren?«

Mein Vater gab nicht auf.

»Ich habe Stimmen aus dem Garten gehört. Eine Männerstimme und deine Stimme. Mit wem hast du denn gesprochen?«

»Heinz!« Dorothea stieß ihn an. »Jetzt ist es gut. Sag mal, was ganz anderes: Nils wollte zwei junge Männer vorbeischicken, die mir beim Streichen helfen. Waren die vorhin da?«

Mein Vater konzentrierte sich auf eine winzige Gräte. Kalli verschluckte sich und bekam einen Hustenanfall. Ich klopfte Kalli auf den Rücken.

»Brille aufsetzen beim Fischessen, Kalli. Das hilft.«

»Danke, ich brauche keine Brille. Ich esse keinen Brathering.«

»Wieso verschluckst du dich dann so?«

Kalli warf meinem Vater einen Hilfe suchenden Blick zu, Heinz konzentrierte sich weiterhin auf seine Gräten. Marleen, Dorothea und ich sahen uns an. Dorothea sprach etwas lauter.

»Heinz? Ob die beiden Maler da waren, wollte ich wissen.«

»Also, die taugen nichts. Kann ich noch Brathering haben? Kalli isst seinen ja nicht.« Er hielt Marleen seinen Teller hin.

Mir schwante etwas. »Was heißt, die taugen nichts?«

Mein Vater trank langsam sein Glas aus. Dann häufte er sich Kartoffeln auf den Teller. Er ließ sich viel Zeit damit. Marleen wurde ungeduldig.

»Könnt ihr das bitte mal erklären? Waren sie jetzt da oder nicht?«

Mein Vater deutete auf seinen vollen Mund und kaute demonstrativ.

»Kalli?«

»Ja, die waren da. Die machten aber keinen guten Eindruck.« Kalli sah meinen Vater von der Seite an, der unermüdlich weiterkaute.

»Ich hatte auch ein komisches Gefühl. Onno auch, glaube ich.

Und Heinz kennt sich mit Menschen aus. Die waren noch sehr jung und hatten sich nicht richtig gewaschen. Die rochen.«

Wir starrten von Heinz zu Kalli und wieder zurück. Mein Vater kannte sich mit Menschen aus. Das war ja lachhaft.

»Papa! Was hast du mit ihnen gemacht?«

Er schluckte entrüstet. »Ich habe gar nichts mit ihnen gemacht. Was denkst du denn? Ich habe sie eingehend befragt und sie mir gut angesehen. Wir haben beschlossen, dass sie nicht zu uns passen.«

»Wie, passen?« Dorothea war irritiert. »Und wer ist wir?«

»Kalli und ich«, erklärte er väterlich. »Onno hat übrigens auch komisch geguckt, er spricht ja nicht so viel, aber ich weiß, was er denkt. Die zwei waren viel zu jung, nicht sehr sauber, und ich glaube, da war auch noch Alkohol im Spiel. Jedenfalls habe ich ihnen gesagt, wir würden auf ihre Dienste verzichten, sie sollten sich einen anderen Ferienjob suchen. Mit denen hätten wir nur Ärger gehabt, das sag ich euch.«

Er schob sich eine Ladung Brathering in den Mund.

»Sag mal, Heinz, was denkst du dir eigentlich? Nils hat mir die Jungs extra geschickt, damit sie mir beim Streichen helfen. Ich kann doch nicht alles alleine machen. Wir müssen morgen anfangen, sonst sind wir nächste Woche nicht fertig, du kennst doch den Plan. Wo soll ich denn jetzt zwei neue Leute herkriegen?«

Dorothea hatte sich in Rage geredet. Kalli war zusammengezuckt, saß mit gesenktem Kopf neben meinem Vater, der ungerührt weiteraß.

»Du musst nicht sauer sein, Dorothea, ganz im Gegenteil. Ich habe dich vor viel Ärger bewahrt. Außerdem kann mein Freund Kalli auch streichen, stimmt es nicht?«

Kalli nickte schüchtern. »Also, ich helfe dir gerne. Du musst mir nur sagen, wie du es haben willst.«

»Danke, Kalli, aber streichst du für zwei?«

»Heinz kann doch …«

Mein Vater schüttelte lächelnd den Kopf. »Nein, Kalli, ich habe doch diese Farbschwäche und dann kann ich mit meiner

Hüfte ja auch gar nicht lange auf der Leiter stehen. Das sind für mich ganz schädliche Bewegungen. Und einer muss ja auch den Überblick behalten.«

Marleen und Dorothea sahen ihn sprachlos an. Er hielt ihrem Blick stand.

»Und außerdem kann Christine auch gut malen. Sie hat letztes Jahr bei Ines renoviert, hat sie ganz prima gemacht. Sie kann ja nach dem Frühstücksdienst anfangen. Macht euch mal keinen Kopf, das kriegen wir alles hin.«

Ich stand auf und ging zur Tür. Marleen wandte ihren fassungslosen Blick von meinem zufriedenen Vater ab.

»Christine! Wo willst du hin?«

»Ich hole den Milchreis. Für Heinz.«

Rette mich

– Nena –

»Du hast keine Vergiftung.«

Dorotheas Stimme weckte mich am nächsten Morgen. Ich ließ meine Augen geschlossen und versuchte, die Warnsignale zu ignorieren. Sie meinte nicht mich, zum einen klang ihre Stimme durch die geschlossene Tür zu gedämpft, zum anderen gab es keinen Grund, mich vergiftet zu fühlen. Ich erkannte die Stimme meines Vaters, der etwas antwortete, was ich nicht verstand.

»Heinz, mach mich bitte nicht wahnsinnig. Wir fangen in einer halben Stunde an, die Kneipe zu streichen ... Was? ... Nein, das ist mir egal. Sieh zu, dass du in die Gänge kommst.«

Eine Tür knallte. Ich zog mir die Bettdecke über den Kopf. Dorothea und ich waren schon so lange miteinander befreundet, wir teilten so viel, warum dann nicht auch mal meinen Vater? Ich fand, sie war jetzt dran. Meine Tür wurde aufgerissen.

»Bist du wach? Heinz spielt totes Pferd. Er faselt etwas von Vergiftung und beginnt gerade zu sterben. Willst du ihn noch einmal sehen?«

Dorothea ließ sich auf meine Bettkante fallen.

»Nö, ich will ihn so in Erinnerung behalten, wie er war. Wer hat ihn denn vergiftet?«

»Im Zweifelsfall du.« Dorothea seufzte. »Mit dem Milchreis. Er hat nur keinen Bock, beim Streichen zu helfen, das ist mir aber egal. Die Fenster und Böden müssen auch noch abgeklebt werden. Weißt du, erst feuert er die Leute und dann bleibt er im Bett liegen. Das ist doch nicht wahr.« Sie sprang auf und riss die Tür auf. »Heinz! In zehn Minuten gehen wir los. Von mir aus ungewaschen und unrasiert. Mach hin!« Sie setzte sich wieder. »Dass du so ruhig liegen bleiben kannst. Heute regt er mich wirklich auf.«

Ich lächelte sie verständnisvoll an. »Schätzchen, er regt mich seit Samstag auf. Wenn ich richtig nachdenke, regt er mich eigentlich schon seit 40 Jahren auf. Aber man lernt, damit zu leben.«

Mein Vater schlurfte in seinem Schlafanzug über den Flur. Er hustete künstlich und kam ins Zimmer, beide Hände auf den Magen gepresst, mit leidendem Gesichtsausdruck.

»Hallo.« Sein Flüstern war kaum zu verstehen. »Darf ich mich noch mal übergeben? Vielleicht wird es danach ein bisschen besser.«

»Klar.« Dorothea sah ihn durchdringend an. »So oft du willst, aber beeile dich.«

Er stöhnte und schlurfte ins Bad. Ich setzte mich auf und rieb mir die Augen.

»Hoffentlich ist er nicht ernsthaft krank.«

»Quatsch.« Dorothea stand wieder auf und ging zur Terrassentür. »Jetzt gehe bloß nicht hinterher und halte ihm die Stirn. Was macht er denn da?«

»Wie? Muss er …?« Ich sprang aus dem Bett.

»Nein, nicht Heinz. Dieser Gast von Marleen. Er fotografiert die Pension. Da gibt es auf der Insel doch wirklich spannendere Motive. Na ja. Wann gehst du rüber?«

Ich hatte mich neben sie gestellt und sah Johann Thiess gerade noch in Richtung Strandpromenade schlendern. Er verstaute seinen Fotoapparat in der Jackentasche. Dorothea beobachtete mich.

»Irgendwie ein guter Typ.«

»Marleen findet ihn komisch. Er hätte sich auf dem Meldezettel zwei Mal verschrieben.«

»Ach, Marleen … Sie arbeitet zu viel und vergnügt sich zu wenig. Nein, der ist schon gut, lass dich nicht beirren. Es gibt perversere Hobbys als Pensionen zu fotografieren. Warum auch immer er das tut. Frag ihn, wenn du mit ihm essen gehst.«

»Das wäre fast passiert.« Ich gab ihr eine Zusammenfassung des gestrigen Kaffeetrinkens im Strandkorb. Dorothea war begeistert. »Siehst du, mein schwarzes Kleid. Wirkt immer. Also, Christine, dann streng dich an. Ich halte dir Heinz und Marleen vom Hals und du gibst Gas. Komm, wir wollen beide einen tollen Sommer.«

»Es ist bedeckt.« Mein Vater sprach immer noch leise, hatte sich aber angezogen. »Und mir ist immer noch schlecht, falls das irgendjemanden überhaupt interessiert.«

»Guten Morgen, Papa.«

»Du bist noch nicht gewaschen. Ich denke, du willst malen?«

Meine Stimme war zuckersüß. »Papa, ich will nicht malen, ich *muss* malen. Das ist ein Unterschied. Weil du die beiden Jungs ...«

»Herrgott, dass ihr immer auf denselben Themen herumreiten müsst. Dorothea, was ist? Wollen wir los? Ich bin fertig.«

Anscheinend hatte er richtig schlechte Laune. Zusätzlich zur Vergiftung.

Als ich eine halbe Stunde später in die Pension kam, waren Heinz und Dorothea bereits in der Kneipe. Marleen stand in der Küche und reichte mir einen Becher Kaffee.

»Guten Morgen. Habt ihr drüben Krach gehabt?«

»Nein.« Ich rührte den Kaffee um. »Dorothea war nur sauer, wegen der beiden Jungs, die Heinz gefeuert hat. Und Heinz ist davon überzeugt, man hätte ihn vergiftet. Er dachte wohl, Kranke und Kinder werden geschont. Hat aber nicht richtig geklappt. Und ich bin sowieso an allem schuld. Außerdem wird meine Mutter heute operiert, da macht er sich Sorgen.«

»Das kann er doch sagen.«

»Marleen, mein Vater ist ein Kerl. Der lässt sich eher vergiften, als dass er seine Gefühle zeigt.« Ich trank den Kaffee aus und stellte die Tasse in die Spüle. »Brauchst du mich hier noch oder soll ich gleich streichen gehen?«

»Ich habe vier Abreisen, mach du mal den Frühstücksdienst. Drüben kleben sie doch erst noch ab, das ist sowieso eine blöde Arbeit.«

»Gut.« Ich dachte an die braunen Augen und fühlte meinen Herzschlag. Hoffentlich konnte er morgens schon essen. »Dann schau ich mal, was zu tun ist.«

»Juhu!« Frau Weidemann-Zapek trug eine Daunenweste, in der sie wie ein Michelinmännchen aussah. »Da ist ja die Tochter.«

Sie strahlte mich an, während sie ihren Teller zum Tisch balancierte. Frau Klüppersberg, diesmal blau gestreift, nickte, kaute und schluckte.

»He, wie man hier so sagt, wie geht es?«

»Danke, gut.« Ich lächelte gut erzogen und nahm erleichtert eine halb leere Käseplatte vom Büfett. »Ich muss schnell nachfüllen.«

Die nächste Dreiviertelstunde kochte ich Kaffee, Tee und Kakao, bei jedem Gang in den Frühstücksraum fixierte ich den Einzeltisch am Fenster. Keine Spur von Johann Thiess. Und ich sollte gleich stundenlang Wände grundieren. Als ich Frau Klüppersberg die dritte Kanne Tee brachte, hielt ihre Freundin mich am Arm fest.

»Wir machen uns Sorgen um Ihren Vater. Wir sehen ihn ja gar nicht mehr. Es ist doch alles in Ordnung?«

»Natürlich. Ich habe ihn einbetoniert, so doll war meine Kindheit nämlich nicht.«

An der Reaktion merkte ich, dass ich nicht gedacht, sondern laut gesprochen hatte. Beide Damen starrten mich entsetzt an. Fieberhaft suchte ich eine Überleitung. Kallis Fahrradklingel erlöste mich.

»Ah, da kommt Kalli, das ist der Freund meines Vaters, den können Sie fragen.«

Immer noch verwirrt schob Frau Klüppersberg die Gardine zur Seite und nahm Kalli, der umständlich vom Fahrrad stieg und es abschloss, in Augenschein.

»Oh.« Sie spitzte die Lippen und hatte ihre Fassung wieder.

»Sieh mal, Mechthild, das ist doch der Herr, der uns gestern Abend entgegenkam. Und so freundlich grüßte.«

Mechthild Weidemann-Zapek beugte sich über den Tisch, ihr Busen lag kurz auf dem gefüllten Teller.

»Stimmt, das ist er. Sehr sympathisch.« Sie richtete sich wieder auf und sah mich rügend an. »Wir werden uns selbst vorstellen. Danke, wir brauchen nichts mehr.«

Ein kleines Stückchen Teewurst fiel von ihrer Weste.

Bis Gesa in die Küche kam, um mir zu sagen, dass sie jetzt den Frühstücksraum übernehmen könne und ich freie Fahrt zu den Farbeimern hätte, war Johann Thiess noch nicht aufgetaucht. Dabei hatte ich so darauf gehofft.

»Geh ruhig rüber.« Gesa nahm sich einen Kaffee und lehnte sich an den Kühlschrank. »Es sind fast alle Gäste durch, den Rest erledige ich.«

Der Rest verursacht mir aber Herzklopfen, dachte ich und warf frustriert den Lappen in die Spüle. Gesa verstand es falsch.

»Ich hätte auch keine Lust zu streichen. Du hast deinen Vater einfach nicht im Griff.« Sie lachte. »Marleen hat mir alles erzählt. Also schräg ist Heinz schon.«

»Sehr lustig, Gesa, ich hoffe, dein Vater erwischt dich demnächst mal beim Rauchen. Ich gehe, die beiden Grazien haben übrigens ihren Tisch wieder völlig verwüstet. Viel Spaß. Und grins mich nicht so blöd an, kümmere dich um dein eigenes Elternhaus.«

Mit geradem Rücken und innerlich fluchend verließ ich die Küche und sah auf dem Hof Kalli in Gefahr. Er stand mit verzweifelter Miene zwischen Frau Weidemann-Zapek und Frau Klüppersberg, die beide lautstark auf ihn einredeten. Ich verlangsamte noch nicht einmal das Tempo, er war schließlich ein erwachsener Mann. Sein Ruf klang kläglich.

»Christine, hallo. Warte. Bitte! Ich komme mit.«

Kalli ließ die beiden stehen und lief hinter mir her.

»Hilfe. Was war das denn?«, flüsterte er und hakte sich Schutz suchend bei mir unter.

Wir gingen langsam nebeneinander her, ich spürte Blicke, die sich zwischen meine Schulterblätter bohrten.

»Das, Kalli, waren die größten Fans meines Vaters. Das Michelinmännchen heißt Mechthild Weidemann-Zapek und der Traum in Blau Frau Klüppersberg, den Vornamen weiß ich leider nicht.«

»Hannelore. Sie heißt Hannelore Klüppersberg, aber ich soll sie Hanne nennen. Seit wann kennt Heinz sie denn? Weiß deine Mutter davon? Und was hast du mit Beton zu tun?«

»Sie haben Heinz auf der Fähre kennengelernt, das ist alles noch ganz frisch. Da müssen wir meine Mutter noch nicht beunruhigen. Das mit dem Beton erzähle ich dir mal in Ruhe, vielleicht brauche ich dazu auch deine Hilfe.«

Kalli schüttelte sorgenvoll den Kopf. »Sicher helfe ich dir. Der Heinz hat aber auch immer einen Schlag bei Frauen. Das war früher schon so. Wenn es gefährlich wurde, hat er sich aber immer verkrümelt. Und ich musste die Damen dann nach Hause bringen, das war nicht schön. Und da habe ich auch keine Lust mehr zu, dafür bin ich jetzt wirklich zu alt.«

»Dann sag ihm das.« Ich drückte die Tür zur Kneipe auf und sah meinen Vater mit unglücklichem Gesicht auf einer umgedrehten Kiste sitzen. »Da ist der Draufgänger. Mach ihm das gleich klar.«

Vor der Kiste schauten wir auf ihn runter. Heinz guckte hoch. Kalli ging in die Knie.

»Na?«

»Na?« Heinz schüttelte seine Hand, an der noch Reste vom Klebeband hingen. »Ich hasse diesen Kleber an den Fingern.« Er schüttelte stärker. »Das ist ekelhaft.«

»Heinz, ich habe gerade auf dem Hof zwei Damen kennengelernt. Sie …«

»Kalli, also wirklich. Du bist 74 und außerdem verheiratet. Und überhaupt, ich habe jetzt für die Erörterung deines Liebeslebens gar keine Zeit. Und solche Gespräche will ich vor den Mädchen auch nicht führen.«

Kalli wurde rot. »Aber Heinz …«

Mein Vater sah ihn vorwurfsvoll an. »Kalli, nicht jetzt. Wir reden später.«

Dorothea war neugierig zu uns gekommen. »Was ist mit Kallis Liebesleben?«

»Siehst du!« Die Empörung meines Vaters war so groß, dass er aufsprang. »Man kann doch ein bisschen diskret sein. Nichts, Dorothea, Kalli hat kein Liebesleben, er ist 74. So, machen wir weiter?«

Dorothea musterte den Raum. »Das hoffe ich. Du bist noch gar nicht fertig mit dem Abkleben. Die ganze Ecke hier vorne muss noch gemacht werden. Kalli und Christine, ihr könnt mit dem hinteren Teil anfangen, die Farbeimer stehen schon da.«

Mein Vater setzte sich wieder und pulte weiter das Klebeband von seinen Fingern ab. »Es klebt so widerlich. Ich habe keine Lust mehr. Ihr könnt euch doch Mühe geben. Wenn ihr ordentlich malt, braucht man nicht alles abkleben.«

»Heinz! Du hast die beiden Jungs gefeuert, du klebst jetzt ab. Ich diskutiere nicht mehr, außerdem fahre ich jetzt zur Fähre und hole Nils ab. Viel Spaß.«

Heinz wartete, bis sie die Kneipe verlassen hatte. »Christine, der Ton deiner Freundin Dorothea gefällt mir nicht. Sie redet mit mir, als wäre ich ihr Lakai.«

»Papa, das hättest du dir früher ...«

»Wisst ihr was?« Er holte aus und warf die Klebebandrolle quer durch den Raum. »Ihr könnt mich alle mal. Ich gehe jetzt eine Zeitung kaufen. So. Wagt es nicht, mich aufzuhalten.«

Er ging und knallte die Tür hinter sich zu. Onno stand etwas wackelig auf der Leiter und rieb sich seinen Arm an der Stelle, wo ihn die Rolle getroffen hatte.

»Mensch, was hat er denn?«

»Keine Ahnung.« Kalli wirkte verzweifelt. »Ich habe doch gar nichts gesagt. Ich wusste ja nicht, dass er so schlechte Laune hat. Was soll ich denn jetzt tun?«

»Streichen, Kalli, Papa beruhigt sich schon wieder. Meine Mutter wird heute am Knie operiert, wahrscheinlich hat er deshalb so eine Stimmung.«

Onno kletterte von der Leiter. »Daran stirbt man doch nicht. Und außerdem zahlt das doch alles die Kasse, oder? Na, ich mach mal ein bisschen Musik.«

Er schaltete ein Kofferradio ein und suchte einen Sender. Sobald Karel Gott ›Babutschka‹ sang, kletterte Onno wieder pfeifend zu seinem Deckenlicht. Kalli bückte sich und hob die Kleberolle auf.

»Weißt du, ich glaube, ich klebe erst mal zu Ende. Das ist auch gemein, wenn man allergisch gegen dieses Zeug an den Händen ist.«

»Papa ist nicht allergisch, er hat nur keinen Bock.«

»Ist doch egal. Ich mach das jetzt schnell. Er kann nachher ja was anderes machen, es gibt hier genug zu tun.«

Mein Vater kam sogar mit seiner Stinklaune durch, ich konnte es nicht fassen. Ich stellte mich vor die Wand und hatte das Bedürfnis, dagegenzutreten. Es würde nichts ändern, also nahm ich den Deckel vom Farbeimer ab und versenkte entschlossen die Malerrolle in dem dunkelroten Brei.

Ich hatte schon fast die Hälfte der Wand geschafft, Kalli hatte alles abgeklebt und strich die Kanten, als die Tür auflog und mein Vater mit Grabesstimme verkündete:

»Jetzt hat auch noch der HSV verloren, 1:3, vier gelbe Karten, eine rote und Mehdi hat einen Muskelfaserriss. Das sind vielleicht blöde Ferien.«

Kalli sah ihn voller Mitgefühl an. »Das tut mir leid. Aber es kommen auch bessere Zeiten. Wie hat denn Dortmund gespielt? Und Werder?«

»Keine Ahnung.« Mein Vater setzte sich wieder auf seine umgedrehte Kiste. »Um eure Vereine müsst ihr euch schon selbst kümmern.«

Ich strich konzentriert weiter, er hatte garantiert die Ergebnisse im Kopf. Die frische Luft hatte nichts genützt.

»Christine, hat jemand angerufen?«

»Nein.«

»Aber es ist gleich Mittag.«

»Ja, ich weiß. Es hat trotzdem keiner angerufen.«

Ich warf einen Blick zum Fenster und sah Dorotheas Auto auf den Parkplatz fahren.

»Unsere Chefin kommt, mit dem Innenarchitekten, also steh lieber auf. Sonst denkt sie, du sitzt seit heute Morgen auf der Kiste.«

»So ein Quatsch. Und dieser Hippie hat mir sowieso nichts zu sagen.« Mein Vater erhob sich trotzdem schnell und spähte genau in dem Moment aus dem Fenster, als Nils Dorothea küsste. Heinz hielt die Luft an.

»Was ist das denn? Hast du das gesehen? Kalli, Onno, dieser Nils knutscht mit Dorothea. Eine Unverfrorenheit, ich glaube es ja wohl nicht. Christine, tu doch was!«

»Papa, bitte, werde nicht peinlich.«

»Heinz, das sind doch junge Leute.« Onno stieg zwei Sprossen von seiner Leiter herunter, um nach draußen zu sehen. Kalli stellte sich auf die Zehenspitzen.

»Die zwei passen doch ganz gut zusammen, er so blond und sie so dunkel.«

Mein Vater trat einen Schritt zurück und herrschte beide an. »Jetzt starrt da doch nicht so hin. Ihr seid richtig neugierige Waschweiber, furchtbar. Und hier ist noch jede Menge Arbeit.« Er griff sich Onnos Akkuschrauber und ließ ihn kurz aufheulen. »Also, wo sollen denn noch irgendwelche Leisten dran?«

Dorothea hielt Nils die Tür auf, der mit Kartons und Tüten im Arm keine Hand mehr frei hatte.

»Mahlzeit. Oh, hier wird ja schon richtig gearbeitet.« Er stellte die Kartons vorsichtig ab und sah sich um. »Wo sind denn Jan und Lars?«

»Das, mein Lieber, erkläre ich dir später.« Dorothea schob sich an Nils vorbei. »Ihr habt ja richtig was geschafft. Und es ist alles abgeklebt. Siehst du, Heinz, es geht doch.«

Kalli konzentrierte sich auf seine Schuhspitzen, mein Vater erwiderte Dorotheas Blick.

»Du erzählst mir bitte nicht, was geht. Oder was sich gehört. Ich mach das hier schon, *mein* Ruf wird nicht ruiniert.«

»Papa, bitte!«

Dorotheas verwirrter Blick ging von mir zu meinem Vater.

»Habe ich was verpasst?«

Mein Vater hielt Onnos Akkuschrauber wie einen Revolver, schaltete ihn an und ließ ihn in die Luft lärmen.

»Wo sollen denn jetzt die Leisten, die da liegen, hin?«

»Papa, mach doch mal das Ding aus.«

Ich beobachtete skeptisch, wie mein Vater schlecht gelaunt mit Onnos Werkzeug rumfuchtelte.

»Lass mich«, entgegnete er sauer.

Dann trat er einen Schritt zurück und stieß dabei gegen die Leiter. Onno verlor das Gleichgewicht, stützte sich im letzten Moment auf die Schulter meines Vaters, die Leiter hielt, der Schrauber fiel und war augenblicklich stumm. Und dreiteilig.

Nach einem Moment der Stille sagte Kalli leise: »Der ist wohl hin.«

Onno stieg langsam runter und ging vor den Teilen in die Hocke.

»Nicht mal ein halbes Jahr alt.«

Wir sahen meinen Vater an. Er schob vorsichtig mit dem Fuß die Teile zusammen.

»Das kommt davon, wenn man sich mit der Leiter immer in den Weg stellt, Onno. Aber gut, dass ich meinen Akkuschrauber mitgenommen habe. Er liegt aufgeladen und intakt in der Pension. Christine, hol ihn doch mal.«

Ich machte den Mund auf, er fügte »Bitte« an.

»Und frag gleich, ob jemand angerufen hat.«

Dorothea sammelte die Werkzeugteile auf. »Wer soll denn anrufen?«

»Ines. Wegen meiner Mutter.«

»Ach so, heute wird sie ja operiert. Sie ruft dich oder deinen Vater doch auf dem Handy an.«

»Sicher.«

»Das ist aus.« Mein Vater winkte ungeduldig ab. »Ich habe die Handys ausgemacht, ich will nicht verstrahlt werden.«

Ich war perplex. »Du hast mein Handy ausgeschaltet? Und wartest auf Anrufe? Sag mal …«

»Man kriegt Blumenkohlohren, habe ich in der Zeitung gelesen. Ich riskiere das nicht. Ich setze mich nicht mit eingeschalteten Handys in einen Raum, ich bin doch nicht verrückt.«

Ich suchte wütend nach einer Antwort, als die Tür wieder aufgestoßen wurde. Es passierte das, was gerade noch gefehlt hatte.

»Hallöchen, wir wollten mal gucken, was die fleißigen Handwerker machen.«

Frau Weidemann-Zapek und Frau Klüppersberg hatten sich wenigstens keine Blaumänner angezogen. Kalli guckte entsetzt, mein Vater sah ihn sofort strafend an. Onno reagierte zuerst.

»Tach. Wir haben geschlossen. Es wird noch renoviert.«

Die Damen kicherten und stupsten sich gegenseitig an.

»Süß. Wir dachten, vielleicht können wir einen der Herren für eine kleine Pause entführen.«

Dorotheas drohender Blick traf meinen Vater. Er schüttelte missbilligend den Kopf.

»Jetzt langt es. Hier ist doch kein Kontakthof. Kalli, wir arbeiten weiter, es gibt keine Pause, Job ist Job, das gilt für alle. Meine Damen, wir sehen uns bestimmt, die Insel ist ja nicht so groß. Christine, meinen Akkuschrauber, bitte.«

Den beleidigten Abgang der Damen und einen Lachkrampf ersparte ich mir, ich schnappte mein Handy von der Fensterbank und war vor ihnen draußen.

Ich schaltete mein Handy an und tippte die Pin ein, während ich langsam zur Ferienwohnung ging. Sekunden später klingelte es bereits, ich nahm das Gespräch an und lief fast mit Johann Thiess zusammen.

»Hallo, hier ist Ihre Mobilbox von T-Mobile. Sie haben fünf neue Nachrichten, zur Abfrage drücken Sie bitte die 1.«

Wir standen uns gegenüber, jeder mit einem Handy am Ohr, beide erschrocken. Ich hörte ihn leise sagen:

»Du, ich muss Schluss machen, ich melde mich später noch mal, ja?«

Seine Stimme klang weich, warm und zärtlich. Vermutlich hatte er nicht mit seiner Autowerkstatt telefoniert.

Ich drückte die 1. »Heute, 10.30. Ein Anruf von 0171..., es wurde keine Nachricht hinterlassen. Wollen Sie jetzt mit dem Anrufer verbunden werden, drücken Sie die 7.«

Ich wollte nicht. Johann blieb stehen und sah mich nachdenklich an.

»Heute, 10.45. Ein Anruf von 0171... es wurde keine Nachricht hinterlassen. Wollen Sie jetzt mit dem Anrufer verbunden werden, drücken Sie die 7.«

Nein. Die nächste Nachricht. Das Handy meines Gegenübers klingelte.

»Ja? ... Hallo, Mausi.«

Er hatte so sanfte Augen. Mausi ...?

»Nein, im Moment ist es gerade ungünstig ... Nein, noch nichts Genaues ... Hör zu, ich ruf dich später an. Tschüss, tschüss.«

Er hatte anscheinend von Natur aus diese sexy Telefonstimme. Ich guckte unbeteiligt.

»Heute, 11.10. Piep: ›Da läuft immer die blöde Mobilbox. Verstehe ich nicht.‹ Piep. Wollen Sie jetzt mit dem Anrufer verbunden werden, drücken Sie die 7.«

Ich drückte, wartete auf die Stimme meiner Schwester, stattdessen kam wieder die Computerstimme: »Der Anschluss ist besetzt.« Ich drückte die rote Taste.

»Diese Mobilbox ist doch die Pest.«

Johann Thiess lächelte mich an und nickte. »Ich habe meine ausgestellt, entweder bin ich zu erreichen, oder sie sollen später noch mal anrufen.«

Die Mausis dieser Welt, ich empfand einen bösen Stich.

Meine Mobilbox rief mich wieder an. »Heute, 11.30. Piep: ›Hallo, hier ist Ines, wieso habt ihr denn eure Handys ausgestellt? Ich telefoniere mir hier einen Wolf. Na ja, egal, also, Mama hat alles gut überstanden, sie ist schon wieder auf ihrem Zimmer. Ich habe mit dem Arzt gesprochen, der war zufrieden mit allem. Und es wäre sehr hilfreich, wenn ihr mal ein

Telefon angestellt lasst, ich habe keinen Bock, es dauernd zu versuchen. Bis dann.‹ Piep. Wollen Sie jetzt ...« Ich legte auf.

»Und?« Johanns braune Augen guckten mir wieder bis ins Herz. »Ärger?«

»Meine Mausi, äh, Mutter ist heute ...«

Wieder mein Telefon, wieder Frau Mailbox: »Heute, 11.40. Piep: ›Ich bin es noch mal. Du brauchst die nächste Stunde nicht zurückzurufen, ich mache das Handy jetzt auch aus, weil ich zu Mama aufs Zimmer gehe. Sie ist ja noch ziemlich müde, wir melden uns heute Nachmittag, dann kann Papa auch mit ihr reden. Also, bis später.‹ Sie haben keine weiteren Nachrichten. Zum Hauptmenü ...«

Ich steckte das Handy in die Hosentasche. Johann sah mich immer noch abwartend an.

»Nein, kein Ärger, alles ist im Lack. Was hast du jetzt vor?«

Er hob die Schultern. »Ich wollte mir ein Fahrrad leihen und zum Strand fahren. Hättest du vielleicht Lust, mitzukommen?«

Zwei kaum bekleidete Menschen, warmer Sand, weiche Haut, salziges Meer, ein paar Möwen, seine braunen Augen, ich verscheuchte die Bilder aus meinem Kopf und suchte nach einer Antwort, die trotz Mausi verbindlich, aber dennoch distanziert klang. Mein Vater fand sie:

»Christiieene!« Er streckte seinen Kopf zum Kneipenfenster heraus. »Wo bleibst du denn so lange? Wir kommen nicht weiter.«

»Ich komme ja schon.« Ich lächelte Johann an. »Tja, tut mir leid, du siehst, ich muss was tun. Vielleicht ein anderes Mal.«

Er verdrehte die Augen, lächelte aber dabei.

»Das ist wohl eine größere Aktion, sich mit dir zu verabreden, oder? Pass auf, wir machen das spontan. Du gibst mir deine Handynummer, und ich rufe dich immer wieder an. Bis wir es hinkriegen. Was hältst du davon?«

Mein Herz klopfte.

»Christiieene!«

»Ja, Papa, Moment!« Ich atmete tief durch, dann gab ich

Johann meine Nummer und war bereit, Mausi zu ignorieren, wenn wir wenigstens irgendwann ein Bier trinken würden.

Als ich mit dem Akkuschrauber aus dem Haus trat, sah ich ihn nur noch von hinten. Er radelte in Richtung Strand. Und er telefonierte.

Meine Laune wurde nicht besser, als mein Vater mir den Schrauber mit den Worten »Wen hast du denn da schon wieder angequatscht?« entriss.

»Ich habe niemanden angequatscht«, erwiderte ich beleidigt.

»Hast du wohl, ich habe es doch gesehen. Das ist doch der komische Gast, der gestern angekommen ist.«

Kalli nickte mir beruhigend zu. »Wieso ist der komisch?«

»Ich bitte dich!« Mein Vater schnaubte. »Allein reisende Männer, das kennt man doch. Der will hier bestimmt eine Frau aufreißen. Und zu Hause sitzen vier Kinder und heulen.«

Dorothea hatte mitgehört. »Und woher weißt du, dass er vier Kinder hat?«

»Vielleicht hat er auch nur drei oder zwei oder eins oder gar keins, das ist doch egal. Marleen ist auch nicht von ihm begeistert, das habe ich gehört, als sie mit Gesa geredet hat. Und er hat tückische Augen.«

Jetzt reichte es mir. »Du erzählst manchmal richtigen Schwachsinn. Tückische Augen, was soll das denn wieder sein?«

»Blaue Augen scheu, aber immer treu, braune Augen fein, aber stets gemein. Ganz alte Redensart, da ist was dran. Und übrigens, Fräulein, achte auf deinen Ton.«

Dorothea lachte leise, Nils grinste, Kalli guckte auf seine Schuhe, Onno sang ›Rote Rosen, rote Lippen, roter Wein‹ und niemand half mir. Ich war stinksauer und traute mich trotzdem nicht, den Vatermord vor Zeugen zu begehen. Stattdessen fixierte ich ihn nur lange und sehr giftig und ging zurück zu meiner Wand.

»Und glaub bloß nicht, dass mir dein Augenverdrehen entgangen ist, Christine Schmidt. Darüber sprechen wir noch. Jetzt gehe ich mir etwas Leichteres anziehen. Mir ist warm.«

Die Tür knallte hinter ihm ins Schloss.

Ich schmiss die Malerrolle in den Farbeimer und drehte mich zu der feigen Truppe um.

»Danke schön. Ich hoffe, ihr haltet euch genauso zurück, wenn ich ihn gleich mit dem Klebeband ersticke.«

Nils sah zuerst in den Farbeimer und lächelte mich dann an. »Ich hol dir mal eine neue Rolle, die andere ist ja total abgesoffen. Ich habe noch eine im Auto.«

Dorothea mischte sich Farbe an. »Ich kann doch nichts zu Vater-Tochter-Beziehungen sagen. Das ist eine hochkomplexe Angelegenheit, da brauchen Therapeuten Jahre für, Fräulein.« Sie lachte albern über ihren eigenen Witz.

Nur Kalli hatte Mitgefühl. »Guck mal, ich glaube, Väter sind manchmal komisch. Ich bin ja auch Vater. Je älter du wirst, umso besser wirst du ihn verstehen.«

»Na, vielen Dank, Kalli. Ich gehe jetzt eine rauchen. Und es ist mir egal, ob du petzt.«

Sicherheitshalber setzte ich mich hinter das Haus, ich musste ja nicht in der Schusslinie bleiben. Die Sonne schien mir ins Gesicht, ich stellte mir Johann Thiess am Strand vor und überlegte, wie ich mich mit ihm treffen könnte. Ich verstand überhaupt nicht, was Marleen hatte, bei meinem Vater waren es ohnehin nur Vorurteile. Bei meinem Exmann, den er später eigentlich mochte, waren ihm die Hände aufgefallen: »Riesenpranken. Du musst mal drauf achten. Mit solchen Händen bringt man Leute um. Da reicht eine Hand pro Hals.«

Meine Mutter nahm seine Geschichten selten ernst. Sie hatte ihrem Schwiegersohn zum letzten gemeinsamen Weihnachtsfest Handschuhe geschenkt, er hatte dieselbe Größe wie mein Vater.

Meine Mutter! Ich hatte meinem Vater noch gar nichts gesagt. Er machte sich immer noch Sorgen. Er hätte mich ja auch freundlich fragen können, mit wem ich telefoniert hatte, statt an mir rumzumäkeln. Selbst schuld.

Als ich in die Kneipe kam, saß mein Vater schon wieder auf dieser umgedrehten Kiste, sein Gesicht in den Händen vergraben. Onno, Kalli, Nils und Dorothea standen mit ernsten Mienen um ihn herum. Mein Vater hob den Kopf. Er war leichenblass und sah mich verzweifelt an.

»Ach, Christine. Wir müssen sofort fahren.«

»Was ist denn los?«

»Ich fahre euch.« Dorothea beugte sich zu ihm und drückte sanft seinen Arm. Sie drehte sich zu mir. »Vielleicht hört sich alles schlimmer an, als es ist.«

Ich verstand nur Bahnhof. »Kannst du mir bitte erklären, um was es hier geht?«

Kalli und Onno legten gleichzeitig die Zeigefinger auf ihre Lippen.

»Seine Frau«, flüsterte Onno.

»Was? Geht das auch in ganzen Sätzen? Seine Frau ist übrigens auch meine Mutter.«

Mein Vater schüttelte langsam den gesenkten Kopf.

Ich wurde laut. »Dorothea! Sag sofort, was passiert ist.«

»Heinz hat eben mit dem Krankenhaus telefoniert.«

Er sah wieder hoch. »Es muss was Schlimmes passiert sein. So schlimm, dass sie es uns nicht sagen können.«

Ich wurde panisch. »Wieso? Hast du mit Ines gesprochen?«

»Mit Ines? Nein, wieso? Mit dem Krankenhaus.«

»Ja und?«

Er rieb sich die Augen. »Sie haben gesagt, dass sie mir am Telefon keine Auskunft geben dürfen.«

Langsam begriff ich und hockte mich vor ihn.

»Du hast die Zentralnummer vom Krankenhaus gewählt und gefragt, wie es Mama geht? Und die haben dir nichts gesagt?«

»Genau.«

»Und hast du dich mit der Station verbinden lassen?«

»Ich weiß doch nicht, mit welcher Station.«

»Und Ines hast du nicht angerufen?«

»Ich weiß ihre Nummer nicht auswendig. Aber die aus dem Krankenhaus haben das so komisch gesagt, dass sie nichts sagen dürfen. Ganz komisch.«

Ich erhob mich wieder und atmete erleichtert aus.

»Papa, du brauchst dir keine Sorgen zu machen, es ist alles gut. Ines hat angerufen, die OP ist gut verlaufen, Mama war um 11 Uhr zwar noch müde, aber schon wieder auf ihrem Zimmer und so gegen 15 Uhr kannst du sie selbst anrufen.«

Mein Vater sah mich skeptisch an. »Du willst mich schonen. Wieso weiß Ines das besser als die Leute aus dem Krankenhaus?«

»Weil Ines mit dem Arzt gesprochen und Mama gesehen hat. Du hattest da irgendeinen Pförtner am Telefon.«

»Nein, es war eine Frau, bestimmt eine Ärztin oder so. Wieso hat Ines denn nicht angerufen, wenn alles gut ist?«

»Hat sie doch, das habe ich dir gerade gesagt. Sie hat auf meine Mailbox gesprochen, weil du ja alle Handys ausgeschaltet hast.«

Kalli räusperte sich. »Na, das klingt ja gut.«

»Ja«, Onno hatte sogar die Musik ausgestellt, »da ist sie wohl von der Schippe gesprungen, wie man so schön sagt.«

Ich zog mein Telefon aus der Tasche und tippte die Nummer meiner Schwester ein. Seit ihrem Anruf waren über zwei Stunden vergangen, vielleicht war sie inzwischen wieder erreichbar. Ich hatte Glück, nach zwei Freizeichen meldete sie sich.

»Das wird auch mal Zeit, dass ihr anruft. Habt ihr vergessen, dass Mama heute operiert wird? Ich ruf extra früh an, damit sich keiner länger als nötig Sorgen macht, und ihr habt eure Telefone aus.«

»Papa hat Angst vor Strahlen und Blumenkohlohren. Er hat alle Handys abgestellt, ich habe das nicht gemerkt. Also, ist sie schon wach?«

Ines gab mir die Durchwahl des Zimmers und meinte: »Lasst sie noch ein bisschen schlafen, der Arzt hat gesagt, so gegen drei Uhr ist sie wieder einigermaßen fit, das ist in einer Stunde. Dann fahre ich auch hin.«

»Willst du Papa noch sprechen?«

»Wenn er will.«

Ich hielt meinem Vater das Handy hin. »Möchtest du mit Ines reden?«

»Nö.« Er winkte ab.

»Ines, er will nicht.«

»Auch gut. Ich muss los, wir hören uns, bis bald.«

Mein Vater sah mich aufgeregt an. »Ja und? Was sagt sie?«

»Papa, das hättest du sie auch selbst fragen können. So gegen drei kannst du Mama anrufen, im Moment schläft sie. Hier ist die Durchwahl von ihrem Zimmer.«

Er griff nach dem Zettel und steckte ihn zufrieden ein.

»Ich gehe mal in die Pension und frage Marleen, ob sie uns was zu Essen macht. Bis gleich.«

»Papa, noch nicht anrufen, hörst du?«

»Nein, nein.«

Er ging mit schnellen, federnden Schritten über den Hof.

Ich brech die Herzen
der stolzesten Fraun
– H. Rühmann & P. Kuhn –

Nach einer halben Stunde kam er wieder, gefolgt von Marleen, die ein Tablett mit belegten Brötchen trug. Er hielt ihr sogar die Tür auf, strahlte uns alle an und rief:

»Schöne Grüße von meiner Frau. Los, Kalli, schieb mal ein paar Tische zusammen, wir essen jetzt etwas. Gesa kommt auch, sie bringt Kaffee mit. Christine, Onno, Dorothea, Pause! Ach, Nils, du natürlich auch. Nicht nur malochen, wir wollen doch auch ein bisschen Spaß haben.« Er klatschte in die Hände. »Onno, hör mal, das ist Marianne Rosenberg, mach mal lauter.«

Ich schob Stühle an die improvisierte Tafel, mein Vater setzte sich neben mich und streichelte mein Knie. »Eine Tasse Kaffee jetzt ist schön, oder?«

»Du hast sie doch sofort angerufen.«

»Natürlich.« Er griff nach einem Brötchen und legte es Nils auf den Teller. »Hier, Jung, iss …«

»Sie war doch bestimmt noch total verschlafen.«

»Ich kenne deine Mutter seit 48 Jahren. Sie ist jeden Morgen total verschlafen. Das macht mir nichts aus.« Er hielt seine Kaffeetasse hoch und sah in die Runde. »Prost, ihr Lieben, auf meine Frau, ihren Arzt, das neue Knie und dass wir weiterhin so gut zusammenarbeiten.« Er lächelte zufrieden. »Und heute Abend gebe ich ein Bier aus. Ihr seid alle eingeladen.«

Dorothea zwinkerte mir zu, ich zwinkerte zurück. Die Ferien waren erst mal gerettet.

Mein Vater schilderte in bunten Bildern den Operationsverlauf und fügte gleich noch andere Familienkrankheitsgeschichten hinterher. Ich gab mir Mühe, ihn weder zu unterbrechen noch zu korrigieren, war zu erleichtert, mit Terence-Hill-Augen statt mit Rantanplan-Laune am Tisch zu sitzen. Als er aber begann, meinen Bänderriss aus der Sporthalle auf den Nürburgring zu verlagern, beschloss ich, einzugreifen. Der Auftritt eines kleinen, rothaarigen Mannes ließ mich innehalten. Er trug karierte Bermudas, ein gelbes Polohemd und einen passenden Pullover um die Schultern.

»Man hat mein Klopfen nicht gehört.« Er hatte eine Fistelstimme.

Dorothea hustete, Marleen und mein Vater standen auf. Onno schluckte den letzten Bissen runter und sagte:

»Tach, wir haben geschlossen. Es wird noch renoviert.«

Der Bermudasträger ignorierte ihn. »Mein Name ist Gisbert von Meyer, ich komme vom ›Norderneyer Inselkurier‹. Einen schönen guten Tag.«

Die Fistelstimme wurde noch höher, wenn er lauter sprach.

Dorothea verschluckte sich regelrecht, Kalli schlug ihr auf den Rücken, ohne den Mann aus den Augen zu lassen. Mir taten solche Typen immer leid. Er war zu klein, zu dünn, zu blass, zu rothaarig. Wahrscheinlich wohnte er noch bei Mutti, obwohl er schon Mitte Vierzig war. Aber das war ich auch und ich verbrachte meine Ferien mit Papa. Wer im Glashaus sitzt, dachte ich, und dann fiel mir ein, was mir an dem Namen bekannt vorkam. Ich sagte es auch gleich, lauter, als ich eigentlich vorhatte:

»Gisbert von Meyer? Sind Sie derjenige, der diesen Artikel geschrieben hat, ›Invasion der Tagesgäste‹? Er war mit GvM unterschrieben.«

Er strahlte mich an, dass man die kleinen Mäusezähnchen sah.

»Derselbe bin ich. Ja, ich gehöre zur schreibenden Zunft, das ist meine Leidenschaft. Und deshalb bin ich heute hier. Sind Sie Marleen de Vries?«

Ich schüttelte den Kopf und deutete auf Marleen, die schon vor ihm stand und ihre Hand ausstreckte.

»Ich bin Marleen de Vries. Was kann ich für Sie tun?«

GvM ergriff ihre Hand und schüttelte sie sekundenlang, ohne den Blick von mir zu wenden.

»Was Sie für mich tun können? Falsche Frage, ich tue was für Sie.« Jetzt endlich sah er Marleen an. »Ich bin Journalist und arbeite für ein paar Monate bei der Norderneyer Inselzeitung. Ich suche Themen, die mich leidenschaftlich und neugierig machen«, Dorothea machte gurgelnde Geräusche, ich vermied es, sie anzusehen, »und jetzt habe ich gehört, dass hier auf unserer wunderbaren Insel aus einer alten Kneipe eine wunderbare Bar oder Lounge entsteht. Darüber möchte ich schreiben.«

Mein Vater stellte sich neben Marleen. »Haben Sie einen Presseausweis?«

GvM guckte verwirrt. »Wie bitte?«

»Aus-weis. Ich möchte Ihren Pres-se-aus-weis sehen. Sie können ja auch ein Spion der Konkurrenz sein. Aber da haben Sie uns unterschätzt, wir sind auf der Hut.«

»Aber die Dame dort hat doch schon etwas von mir gelesen.« Seine Fistelstimme wurde bei Aufregung brüchig. Mein Vater sah in meine Richtung und winkte ungeduldig ab.

»Ach, das ist nur meine Tochter. Sie liest einfach zu viel. Schon als Kind. Und dann erzählt sie wilde Geschichten. Nein, nein, den Ausweis bitte.«

Nils mischte sich ein. »Heinz, entschuldige, ich kenne Herrn von Meyer. Er wohnt drei Häuser neben uns, er ist wirklich bei der Zeitung.«

Mein Vater sah erst skeptisch Nils, dann GvM interessiert an. »Bekommen Sie eigentlich irgendwelche Vergünstigungen? Mein Sohn war auch mal Journalist, der kriegte bei VW und Toyota Rabatt. Im Kino auch.«

Der kleine Inseljournalist sah verlegen aus. »Ich kümmere mich da nie so drum, ich brauche ja gar kein Auto und ins Kino gehe ich nicht so gern. Aber ich fahre manchmal nach Hamburg.«

Onno beugte sich vor. »Auf die Reeperbahn? Kriegt ihr da alles billiger?«

Man sah die Sommersprossen auch, wenn Gisbert von Meyer errötete. Er wehrte heftig ab. »Um Himmels willen, nein, ich gehe manchmal zum HSV. Die Karten bekomme ich etwas preiswerter.« Er war verlegen, mein Vater sprachlos. Doch er hatte sich gleich wieder gefasst.

»Sie gehen zum HSV? Ins Stadion? Zum Fußball? Und kriegen da Karten? Egal für welches Spiel?«

Sein Gesicht war jetzt auch hochrot. GvM entschuldigte sich.

»Ich weiß, Fußball ist nicht jedermanns Sache, aber ich mag diesen Sport sehr. Es ist mein einziges Laster, aber der Mensch kann ja nicht nur arbeiten.«

Mein Vater zog ihn mit an den Tisch. »Das sag ich auch immer. Also, ich heiße Heinz, Gisbert war dein Name, oder? Du hast übrigens eine sehr schicke Hose an. Also, dann setz dich mal mit dazu, du trinkst bestimmt einen Kaffee mit uns, kleines Brötchen dazu? Marleen, holst du uns noch eine Tasse?«

Marleen stand immer noch an der Tür und verfolgte das Geschehen.

»Ja, ich hole gleich eine. Herr Meyer ...«

Mein Vater unterbrach sie: »Von Meyer, Marleen.«

»Gut. Also, Herr von Meyer, was wollten Sie eigentlich von mir?«

»Ich ...«

Wieder unterbrach Heinz. »Er schreibt eine schöne Geschichte über uns, nicht wahr, Gisbert? Das ist Werbung für dich, Marleen. So, und jetzt sag mal, für welche Spiele hast du denn Karten?«

Dorothea und ich halfen Marleen, eine Tasse zu holen.

Anscheinend gefiel es Gisbert von Meyer ausgesprochen gut in unserer Runde, zumindest unternahm er keinerlei Anstalten, zurück in seine Redaktion oder nach Hause zu gehen. Selbst als Onno demonstrativ auf seine Taschenuhr sah und sagte: »Wenn wir nicht langsam in die Puschen kommen, ist gleich Feierabend«, nickte er ihm zwar zustimmend zu, behielt aber Platz. Marleen stapelte das Geschirr auf ein Tablett und sah Heinz fragend an. Er reichte ihr die leere Platte.

»Du kannst ruhig abräumen, wir möchten keinen Kaffee mehr, oder Gisbert? Kalte Getränke haben wir ja noch hier. Sag mal, erinnerst du dich noch an dieses sensationelle 5:1 gegen Real Madrid? Die Hamburger lagen 0:1 zurück, wie hieß der Torschütze noch? Cunnilan oder Cummiman?«

»Cunningham.« Herr von Meyer strahlte. »Genau. Der HSV hatte das Hinspiel verloren, 0:2, sie mussten 4:1 gewinnen, da hat doch keiner dran geglaubt.«

Mein Vater schlug auf die gelbe Polohemdschulter. »Und dann schießt Cunningham die Spanier sofort in Führung. Ich dachte, mich trifft der Schlag. Aber mein HSV. Was ein Sturmlauf. Und die Jungs hauen den Realos noch fünf Tore rein. Und Sieg und aus. Herrlich!«

Ich streckte mich. »Ich mach mich jetzt wieder an die Arbeit. Wer kommt mit?«

Dorothea und Nils standen schon, Kalli und Onno erhoben sich langsam. Heinz sah zu ihnen hoch und dann wieder GvM an. »Und dann das 1:0 von Magath gegen Turin. Den habe ich gerne gemocht, bis er zu den blöden Bayern ging. Manche Leute machen doch alles fürs Geld. Ekelhaft.«

»Ach ja, Ernst Happel. Das war die Zeit von Ernst Happel.« Gisbert sah mich mit verträumten Augen an, ich fragte mich, ob er an mich oder den österreichischen Extrainer dachte. Es war mir egal, ich ging zu meiner Farbe. Auf dem Weg dorthin stellte ich das Radio wieder lauter. Katja Ebstein, ›Wunder gibt es immer wieder‹. Mein Vater stieg sofort ein. »Heute oder morgen können sie gescheeehhhn.« Gisbert lächelte ihn an und setzte sich bequemer hin.

Selbstverständlich blieb mein Vater neben Gisbert sitzen. Während Kalli und ich strichen, Dorothea und Nils Farben mischten und Onno mit Heinz' Akkuschrauber Leisten befestigte, schwelgten ein kleiner Journalist und ein großer Wichtigtuer in alten Hamburger Fußballerinnerungen. Wir waren gezwungen, zuzuhören. Mein Vater schwärmte von Rudi Gutendorf und Horst Hrubesch, Gisbert von Meyer von Kerlen wie Dietmar Jakobs und natürlich Uwe Seeler.

Onno tippte mir auf die Schulter und flüsterte: »Die Fistel-stimme von der Journaille geht mir auf den Geist. Der macht mich ganz aggressiv. Darf ich das Radio lauter machen?«

Ich nickte und strich weiter. Einen Tod muss man sterben.

Während Howard Carpendale ›Deine Spuren im Sand‹ brüll-te, erhob unser Gisbert sein Stimmchen zu ungeahnten Höhen und rief voller Bewunderung: »Und nicht zu vergessen Dr. Peter Krohn. Was für ein Mann, was für ein Manager!«

»Ha!«

Kalli drehte das Radio leise. Wir zuckten zusammen und drehten uns verblüfft zu Kalli um, so laut hatte er noch nie ge-sprochen. Er sah missbilligend zum Tisch. »Dass ich nicht lache. Krohn! Ha!«

GvM schüttelte ungläubig den Kopf. »Was meinen Sie bitte?«

»Wegen dem musste der HSV eine Saison lang in rosa Trikots spielen. Peinlich war das. Ich bin aus Protest Werder-Bremen-Fan geworden. Ist mir damals schwergefallen.«

»Quatsch! Rosa Trikots gibt's doch gar nicht. Woher hast du denn den Blödsinn?«

Mein Vater machte eine abfällige Handbewegung, von der Kalli sich diesmal nicht beeindrucken ließ.

»Ist kein Blödsinn.«

Nils kam ihm zu Hilfe. »Doch, das stimmt, ich erinnere mich. Das war ein Werbevertrag mit Campari, die Trikots waren wirk-lich rosa.«

Kalli triumphierte. »Bitte! Sag ich doch. Heinz, du hast eine Farbschwäche, vergiss das nicht. Sie waren rosa, die Trikots, knallrosa.« Er lächelte und tunkte den Pinsel in die Farbe.

Heinz stand auf, ging zum Radio und machte die Musik wie-der laut.

»Gisbert, möchtest du ein Bierchen?«

Herr von Meyer winkte ab. »Nein, nein, vielleicht eine Apfelsaftschorle.« Er bemerkte Dorotheas Blick und sah auf die Uhr. »Oder kann ich dich vielleicht zu einem Getränk auf der Promenade einladen? Hier ist es ja doch sehr laut, wenn man sich unterhalten will.«

»Da hast du recht.« Heinz guckte in die Runde und verkündete: »Ich gehe dann mal mit Herrn von Meyer etwas trinken. Hier weiß ja jeder, was er zu tun hat, da wird es wohl mal eine Zeit lang ohne mich gehen. Wir treffen uns um 19 Uhr in der ›Milchbar‹, seid pünktlich. Frohes Schaffen.«

»Heinz?« »Papa?«

»Och, Kinder, einer muss sich doch um die Presse- und Werbestrategien kümmern, ich würde auch lieber Ferien machen, das könnt ihr mir glauben. Also, jammert nicht rum, bis später.«

Mein Vater tippte kurz und forsch mit dem Zeigefinger an seine Mütze, Gisbert von Meyer drehte sich in der Tür noch einmal um und zwinkerte mir zu. Die Tür fiel hinter ihnen zu, wir sahen ihnen stumm hinterher.

»Tja.« Onno kratzte sich am Kopf. »Ich würde mal sagen, da hat Christine eine Eroberung gemacht.«

»Was?« Ich empfand blankes Entsetzen. »Wie kommst du denn da drauf?«

»Der macht sich an deinen Vater ran. Und wie der dich immer angeguckt hat.«

»Das ist mir auch aufgefallen.« Kalli nickte eifrig. »Soll ich mal Erkundigungen einziehen?«

»Untersteh dich.« Ich kam immer mehr zu der Überzeugung, dass mir der Umgang mit zu vielen über 70-Jährigen nicht gut tat. »Dorothea, sag du mal was.«

»Na ja, er ist zwar zu klein, zu dünn, zu rothaarig und trägt fürchterliche Klamotten, aber er hat bestimmt einen guten Kern. Und wenn er sich schon so gut mit Heinz versteht, kann das doch der Anfang einer wunderbaren Geschichte sein.« Sie machte dabei ein so unschuldiges Gesicht, dass Kalli darauf reinfiel.

»Aber er ist nicht richtig gut erzogen. Setzt sich einfach dazu und gibt nicht einmal die Hand. Das gehört sich nicht. Und ein bisschen wichtigtuerisch fand ich ihn auch.«

Dorothea lachte. »Keine Angst, Kalli, GvM ist nicht Christines Beuteschema. Das wird er schon noch merken, sei unbesorgt.«

Kalli zuckte zusammen. »Beuteschema? Also wie ihr manchmal redet. Egal, Christine, wenn der dir nachstellt oder sonst Schwierigkeiten macht, sagst du mir Bescheid. Heinz ist ja so unkritisch, wenn es um den HSV geht. Und jetzt male ich noch den Rest dieser Wand, dann ist auch gleich Feierabend.«

Jürgen Markus sang ›Eine neue Liebe ist wie ein neues Leben‹, Kalli und Onno warfen mir einen vorsichtigen Blick zu, trauten sich aber nicht. Also stimmten nur Nils und ich mit ein, wir kannten den gesamten Text. Dorothea war beeindruckt von unserem herzergreifenden Duett und sah Nils mit verliebten Augen an. Ich sang für Johann Thiess.

Später, nach dem Duschen, saß ich auf dem Badewannenrand und reinigte meine Farbfinger mit Terpentin, während Dorothea sich schminkte. Sie hustete und ließ die Wimperntusche sinken.

»Meine Güte, was stinkt das. Wieso hast du überhaupt überall Farbe?«

Ich rubbelte mit dem Lappen über meinen Unterarm. »Keine Ahnung. Ich sehe nach dem Streichen immer aus wie ein Schwein. Deshalb hasse ich es ja auch.«

»Bedank dich bei deinem Vater. Stell dir vor, du triffst heute Abend die Liebe deines Lebens und riechst nach Terpentin. Dann war's das.«

»Danke, du baust mich immer so auf. So, fertig, das ist doch so gut wie sauber.« Ich musterte meine Hände und Arme und schraubte die Flasche zu.

»Da sind doch noch überall Flecken.«

»Die gehen nicht ab. Dafür ist meine Wade jetzt kugelschreiberfrei. Man kann nicht alles haben.«

Vom Flur her kam ein Geräusch, ich erkannte mein Handy, das dreimal lang piepte und vor sich hin vibrierte. SMS. Ich sprang auf, Dorothea lächelte.

»Und du riechst doch nach Terpentin.«

»Vielleicht ist es ja nur Ines.«

Sie war es nicht. »Bin ab 21.00 Uhr im ›Surfcafé‹ am Nordstrand. Würde gern mit dir Rotwein trinken und aufs Meer sehen. Hoffentlich bis später. Gruß, Johann.«

»So dümmlich, wie du grinst, war die nicht von Ines.«

Dorothea ging an mir vorbei in ihr Zimmer.

»Nein, Johann Thiess will sich um neun mit mir treffen. Im ›Surfcafé‹. Wie kriege ich das denn mit Heinz auf die Reihe?«

Dorotheas Stimme klang hohl, sie sprach in den Kleiderschrank.

»Ich könnte ihn betrunken machen. Oder, noch besser, ich gebe Frau Weidemann-Zapek und Frau Klüppersberg einen heißen Tipp. Dass er heute Abend willig und gefügig ist.«

Ich war skeptisch. Dann fiel mir noch etwas ein. »Was soll ich denn anziehen?«

Dorothea reichte mir einen kurzen geblümten Rock.

»Den hier. Und dazu ein weißes T-Shirt.«

Ich zog beides an, Dorothea nickte beifällig, ich schminkte mich sorgfältig und nahm doppelt so viel Parfüm als sonst.

Dorothea spuckte mir dreimal über die Schulter.

»Toi, toi, toi.«

Ich fand es etwas übertrieben, schließlich war ich lediglich mit einem von Marleens Pensionsgästen zum Rotwein verabredet. Es fühlte sich trotzdem gut an.

Ich hatte eine SMS zurückgeschickt: »Versuche zu kommen, Grüße C.« Die Antwort kam in dem Moment, als Dorothea und ich an den Tisch in der »Milchbar« traten, an dem Kalli, Onno, mein Vater und leider schon wieder Gisbert von Meyer saßen. Letzterer war gerade aufgesprungen.

»Heinz, da ist deine Tochter. Christine, ich habe dir den Platz neben mir frei gehalten.«

Ich fragte mich, ob mein Vater mich bereits an ihn verschachert hatte, dass ihm das fröhliche Du so flott über die Lippen kam. Aber ich bin gut erzogen.

»Ich danke Ihnen, ich sitze aber lieber mit dem Rücken zum Meer.«

Was für ein Schwachsinn, dachte ich, als mein Handy vibrierte und dreimal piepste. Mein Vater drehte sich zu mir um.

»Kind, sei nicht immer so verklemmt. Und irgendetwas brummt bei dir.«

»Danke.« Ich zog das Handy aus der Tasche und drückte auf das Briefsymbol: »Noch zwei Stunden. Ich freue mich, J.«

»Gute Nachrichten?« GvM beugte sich vor, um freie Sicht auf mein Display zu bekommen. Ich steckte das Handy weg. Wenn er so neugierig guckte, hatte er Ähnlichkeit mit einem Frettchen.

»Schöne Grüße von Luise.«

Ich setzte mich neben Kalli. Gisbert ließ sich enttäuscht auf seinen Stuhl sinken.

»Kenne ich nicht.«

Dorothea lächelte ihn an. »Ich aber. Ist Nils noch nicht da?«

»Doch.« Mein Vater deutete auf den Innenraum. »Ich hatte ganz vergessen, dass hier Selbstbedienung ist. Nils holt die Getränke. Wenn ihr was trinken wollt, müsst ihr selbst gehen. Warte.« Er zog seine Geldbörse aus der Hosentasche und reichte sie mir unter dem Tisch durch. »Hier, Christine, das geht ja heute auf mich. Sucht euch was Schönes aus.«

Gisbert von Meyer sprang auf. »Warte, ich helfe dir tragen.«

»Danke.« Dorothea und ich standen gleichzeitig auf. »Wir sind schon zu zweit.«

Am Selbstbedienungstresen trafen wir Nils, der ein Tablett mit vier Gläsern Bier und einer Apfelsaftschorle balancierte. Er küsste Dorothea und grinste mich an.

»Dein Vater traut mir tatsächlich zu, Getränke für alle zu besorgen. Ich glaube, ich mache Punkte.«

»Lass dir das Geld wiedergeben, er wollte einen ausgeben.«

Nils sah mich erschrocken an. »Um Gottes willen. Jetzt, wo ich gerade mal gute Karten habe. Ich bin doch nicht wahnsinnig.«

Dorothea nickte ernst. »Christine, er gibt das Geld sonst sowieso wieder für Drogen aus.«

Nils war verwirrt. »Wie? Was für Drogen?«

Ich klopfte ihm beruhigend auf die Schulter. »Erklären wir dir später. Apropos Drogen, hast du nicht irgendeine K.-o.-Pille dabei, die wir in die Apfelschorle werfen könnten?«

Nils verstand nichts, ging aber trotzdem mit seinem Tablett zum Tisch.

Als wir zurückkamen, hatte sich zwischen Kalli, Onno, meinem Vater und dessen neuem kleinen Kumpel eine Diskussion darüber entzündet, ob der HSV eine Talentschmiede war.

»Wo hat denn Franz Beckenbauer gespielt?« Mein Vater hatte etwas Heiliges in seiner Stimme. »Na? Kalli? Genau, beim HSV.«

»Das war doch schon gegen Ende seiner Karriere.«

»Und Günther Netzer?«

»Heinz, der war nie Spieler in Hamburg.«

GvM fuchtelte mit dem Zeigefinger vor Kallis Gesicht. »Aber er war Manager.«

Kalli lehnte sich zurück. »Was hat denn das mit Talentschmiede zu tun? Das war ein Auffanglager für abgehalfterte Profis.«

Mein Vater lächelte milde. »Du hast keine Ahnung, Kalli. Die haben in Hamburg den letzten Schliff bekommen und dann die WM nach Deutschland geholt.«

Nils sah erst meinen Vater, dann mich an und fing an zu lachen. »Das ist jetzt aber eine ganz wilde Argumentation.«

Mein Vater warf ihm einen vernichtenden Blick zu und wandte sich wieder an Gisbert. »Man kann keine ernsthaften Diskussionen über Fußball führen, wenn hier lauter Leute mit so einem Halbwissen dabeisitzen, die immer meinen, sie müssten etwas zum Gespräch beitragen, auch wenn sie keine Ahnung haben. Meine Tochter Christine ist übrigens eine ausgewiesene Fußballkennerin, sie ist seit drei Jahren geschieden und lebt allein in Hamburg.«

Gisbert guckte mich interessiert an. Ich wich seinem Blick

aus und bekam Schweißausbrüche. Mein Vater zückte wieder sein Geld.

»Könnt ihr beide nicht noch mal eine Runde Getränke holen?«

Gisbert sprang schon wieder auf. Kalli spürte mein Entsetzen. »Bleib sitzen, Christine, die nächste Runde geht auf mich. Komm, Onno, du kannst tragen helfen.«

Ich war erleichtert, Gisbert von Meyer enttäuscht.

Kurz danach trafen Marleen und Gesa ein. Mein Vater bestand darauf, die beiden zum Tresen zu begleiten, schließlich wollte er bezahlen. Als sie zurückkamen, sah ich unauffällig auf die Uhr, es war halb 9, fieberhaft überlegte ich, wie ich aus dieser Runde rauskommen sollte. Ich hatte daran gedacht, mich wegen Kopfschmerzen zu entschuldigen, allerdings war die Situation dank meines Vaters mittlerweile so, dass GvM mich selbstverständlich nach Hause begleiten würde. Heimlich zu verschwinden, konnte ich ganz vergessen, das Frettchen in seinen karierten Bermudas ließ mich nicht aus den Augen.

Dorothea hatte mich beobachtet und flüsterte Nils etwas zu. Er nickte und beugte sich vor.

»Sagen Sie mal, Herr von Meyer, wo haben Sie eigentlich so gut schreiben gelernt? Wir haben uns bei Ihrer Kolumne über die Tagesgäste wirklich köstlich amüsiert.«

Mein Vater und GvM sahen den langhaarigen Hippie erstaunt an. Nils lächelte aufmunternd.

»Mein Vater liest immer Ihre Artikel, jeden Tag.«

Gisbert lehnte sich geschmeichelt zurück.

»Ja, wie ich immer sage, Kunst ist auch Handwerk. Also, ich bin 1968 in Emden eingeschult worden, danach …«

Dorothea zog mich am Ärmel und sagte leise: »Komm doch mal mit.«

Ich warf einen Blick auf meinen Vater, der interessiert dem detaillierten Lebenslauf des Norderneyer Starkolumnisten folgte, während Onno und Kalli sich übers Dorschangeln unterhielten. Ich folgte Dorothea nach draußen.

»Pass auf. Du gehst jetzt aufs Klo und zählst bis 50. Wenn

du rauskommst, sei bitte blass und leidend, den Rest mache ich.«

Sie ließ mich stehen. Mir blieb nichts anderes übrig, als ihr zu vertrauen, es war kurz vor neun.

Als ich mit elendem Gesichtsausdruck von der Toilette kam, stand mein Vater vor der Tür. Er legte mit besorgter Miene seinen Arm um meine Schulter.

»Geht es dir so schlecht? Kann ich irgendetwas für dich tun? Ach, ich weiß, das ist eine blöde Frage. Als ob ich, als Vater und Mann, Ahnung von euren Frauenleiden hätte. Soll Dorothea dich vielleicht nach Hause bringen? Oder Gesa? Die wissen doch wenigstens, was zu tun ist. Haben wir überhaupt eine Wärmflasche in der Pension? Deine Mutter hat früher immer Wärmflaschen genommen. Das hilft, hat sie gesagt. Also, ich ...«

»Heinz.«

Dorothea war zu uns getreten und unterbrach ihn. Ich hatte versucht, herauszufinden, an was ich überhaupt litt. Seine Besorgnis klang mindestens nach Fehlgeburt.

»Heinz, Nils und ich bringen sie. Gehe ruhig wieder zu den anderen.«

»Musst du Nils da mit reinziehen? Ihr könnt ja sagen, sie hätte Kopfschmerzen. Also, Kind, dann leg dich hin. Ich kann dir sowieso nicht helfen, wenn was ist, rufst du an, ja?«

Er küsste mich mit großer Geste auf die Stirn. »Mach's gut, Kind.«

Dorothea schob mich zum Ausgang. Sie sah mich triumphierend an. »Wenn das mal nicht gut geplant war.«

»Was habe ich eigentlich?«

»Ganz schwere Menstruationsbeschwerden. Und das ist dir peinlich, weil du GvM doch erst kennengelernt hast, du möchtest über so etwas noch nicht mit ihm sprechen. Das hat Heinz gut verstanden. Da kommt Nils.«

»Na, Christine, kannst du überhaupt noch stehen?« Er guckte mich mitleidig an. »Unser Schreiberling ist mittlerweile bei seiner Abiturprüfung, er hat gar nicht mitbekommen, dass ich aufgestanden bin. Hauen wir ab?«

Es war neun Uhr. Ich musterte meine Komplizen.

»Ihr kommt doch wohl nicht mit?«

»Natürlich nicht.« Dorothea schlang ihren Arm um Nils Hüfte. »Wir gehen ganz romantisch an den Strand. Vielleicht treffen wir uns später ja noch.« Sie sagte es mit einem lasziven Lächeln. »So, und jetzt lauf los, du kommst sowieso schon zu spät.«

Ich holte tief Luft und machte mich auf den Weg.

Eine neue Liebe ist wie ein neues Leben

– Jürgen Marcus –

Ich hatte Seitenstiche, als ich vor dem »Surfcafé« eintraf. Ich blieb kurz stehen, um Luft zu holen und an meinem Unterarm zu schnüffeln. Leichter Terpentinduft, dafür war meine Atmung wieder flacher, meinen Herzschlag bekam ich nicht so schnell unter Kontrolle. Ich ließ meine Blicke über die Terrasse des Lokals wandern. Plötzlich entdeckte ich ihn. Normalerweise hasste ich die Farbe Rosa. Johann Thiess trug Jeans und ein rosa Hemd, er saß am dritten Tisch von links und sah einfach göttlich aus.

Meine Kniescheiben hatten sich aufgelöst, ich ging wackelig auf seinen Tisch zu.

»Hallo, tut mir leid, ich habe es nicht früher geschafft.«

Stimmbänder hatte ich auch nicht mehr. Johann stand langsam auf, griff nach meinem Ellenbogen, beugte sich vor und küsste mich auf die Wange.

»Schön, dass du jetzt da bist.«

Ich ließ mich auf den gegenüberliegenden Stuhl fallen und konnte kaum fassen, dass es tatsächlich geklappt hatte. Christine Schmidt saß auf Norderney am Strand, eine halbe Stunde vor Sonnenuntergang, mit dem besten Mann, den sie in den letzten zwanzig Jahren gesehen hatte, sah man einmal von Kino und Fernsehen ab. Und dieser Mann sah sie mit rehbraunen Augen an und sagte mit einer Stimme, die vor Erotik nur so vibrierte:

»Rotwein?«

Ich nickte, reden konnte ich nicht, vielleicht sollte ich mich mal wieder ins Knie beißen. Ich riss mich zusammen.

»Und? Was hast du heute so gemacht?«

»Ich bin mit dem Fahrrad durch die Gegend gefahren, habe mir die Insel ein bisschen angeguckt. Und auf dem Rückweg war ich baden. Am FKK-Strand. Ich habe noch nie so einen breiten Strand gesehen, war toll.«

»Hm. Ja, der ist ziemlich breit.«

Herr, gib mir Hirn!

Johann gab der Bedienung ein Zeichen, als sie kam, bestellte er zwei Gläser Rotwein. Er sah ihr nach.

»Sie hat einen tollen Platz zum Arbeiten. Jeden Abend Sonnenuntergänge und nur gut gelaunte Urlauber. Nicht schlecht.«

In diesem Augenblick begann sich das Paar am Nebentisch zu streiten, weil Hans-Günther bereits das vierte Bier bestellte. Margot war dagegen.

»Nur gut gelaunte Urlauber? Na ja. Bist du das erste Mal auf Norderney?«

Johann nickte und wartete, bis die zurückgekehrte Bedienung uns die Gläser hingestellt hatte. »Ja. Es gefällt mir gut hier, es ist eine schöne Insel.«

»Und wie bist du auf Norderney gekommen?«

Er hob die Schultern und sah an mir vorbei.

»Ich weiß gar nicht so genau, ich glaube, ein Arbeitskollege hat mir den Tipp gegeben. Bist du schon oft hier gewesen?«

»In den letzten Jahren öfter, sonst bin ich mehr auf Sylt. Meine Eltern leben dort. Du sagtest Arbeitskollege, was machst du denn?«

»Das ist ganz langweilig, ich bin Banker. Und du?«

»Ich arbeite in einem Verlag.«

Johann zog eine Schachtel Zigaretten aus der Hemdtasche. Es war meine Marke.

»Das klingt spannender als eine Bank. Rauchst du?«

»Nur, wenn mein Vater nicht dabei ist. Danke.« Ich nahm eine. Er gab mir Feuer und lachte.

»Ach ja, dein Vater ist auch hier. Ich finde ihn ganz sympathisch, vorhin hat er diese beiden etwas anstrengenden Damen sehr charmant abblitzen lassen, das hat mich beeindruckt.«

»Wo hat er die denn getroffen?«

»Er kam vom Telefonieren und sie passten ihn ab. Er schob sie mit Grandezza zur Seite und rief: ›Meine Damen, wichtige Dinge warten auf ihre Erledigung, ich werde Sie beide aber nicht vergessen.‹ Sie gaben ihm den Weg frei und lächelten.«

Ich war beeindruckt. Sie hatten ihm noch nicht einmal den Kontakthof übel genommen.

Johann stand auf und setzte sich auf den Stuhl neben mich.

»Von hier aus sieht man den Sonnenuntergang besser.« Sein Bein berührte meins. »Schön, oder?«

Ich nickte, vor lauter Gefühl schnürte sich mir fast der Hals zu.

»Wie kommt eine Sylterin, die in Hamburg lebt, denn nach Norderney?« Er hielt inne und schnupperte. »Sag mal, ich habe so einen Terpentingeruch in der Nase, kommt das vom Meer?«

Sein Knie verstärkte den Druck, ich hielt dagegen. »Vermutlich. Wie ich nach Norderney komme? Durch Marleen. Wir kennen uns schon lange, wenn sie Hilfe braucht, und ich Zeit habe, komme ich her.«

Johann legte den Arm auf meine Stuhllehne, seine Hand berührte meine Schulter, ich war nicht sicher, ob es ein Versehen war. Ich hoffte nicht.

»Ich bin froh, dass ich dich getroffen habe. Der Tipp mit Norderney hat sich schon gelohnt. Meinst du, wir könnten uns öfter sehen?« Jetzt strich er mit dem Daumen über meine Schulter. Ich bekam Gänsehaut.

»Ich würde dich gern öfter sehen, wir haben aber noch ziemlich viel zu tun. Die Eröffnung der Kneipe ist schon am Wochenende. Kneipe ist gut, das wird eine richtige Bar, mit Lounge und allem Schickimicki. Und mein Vater hat zwei Helfer gefeuert, deshalb müssen wir jetzt alle ran, und ich, na ja, mein Vater vergisst manchmal, wie alt ich bin, und will noch erzieherisch auf mich einwirken, also keine Zigaretten, kein Alkohol, keine Jungs ...«

Wenn ich mich verliebe, neige ich zum Blödsinnreden. Johann unterbrach mich, bevor mein Redeschwall ausuferte.

»Christine, kann ich dich was fragen?«

Alles, dachte ich, und die Antwort ist immer ja.

»Ist Marleen de Vries eigentlich in der Pension angestellt?«

Auf die Frage war ich jetzt nicht gefasst.

»Wieso?«

»Ich wollte nur wissen, was sie da macht. Wer ist denn ihre Chefin?«

Ich starrte ihn an und überlegte, ob mir etwas entgangen war. Was wollte er plötzlich von Marleen? Meine Antwort kam zögernd.

»Sie ist die Chefin. Es ist ihre Pension.«

Er wirkte für einen Moment erschrocken. Dann lächelte er mich an. »Ach so. Und wie alt ist sie?«

Der Sonnenuntergang fing ohne mich an. »Sie ist 51. Sonst noch Fragen?«

Jetzt guckte er wirklich erschrocken. »Versteh mich nicht falsch.« Er griff nach meiner Hand. »Weißt du, ob sie liiert ist?«

Ich zog meine Hand weg. »Frag sie das am besten selbst. Wenn du sie nett bittest, erzählt sie dir bestimmt alles im Detail.«

Johann holte sich meine Hand zurück. »Du irrst dich, Christine, ich interessiere mich nicht für Marleen de Vries. Ein Freund von mir wollte das wissen. Er hat hier mal übernachtet und sich wohl ein bisschen in sie verguckt. Das hat nichts mit mir zu tun. Sonst würde ich jetzt nicht mit dir hier sitzen und aufgeregt sein.«

Er lächelte, ich schmolz dahin und guckte, wie weit die Sonne schon war. Und Johann drückte seinen Oberschenkel gegen meinen und strich mit einem Finger über meinen Nacken. Minutenlang konzentrierte ich mich auf seine Berührungen und verliebte mich dabei hemmungslos. Er rückte näher an mich ran und fragte:

»Lebst du eigentlich allein?«

Ich nickte, das wurde jetzt doch ernsthafter.

»Ja, seit drei Jahren. Und du?«

»Ich auch. Das heißt, ich suche eigentlich gerade eine Wohnung in Bremen. Im Moment wohne ich noch ...«

Sein Handy verhinderte die ganze Offenbarung. Ich zuckte zusammen, Johann zuckte zusammen, ging aber dran. »Ja, hallo?«

Ich hasse Leute, die sich nicht mit Namen meldeten. Sein Gesicht wirkte angestrengt. Während er zuhörte, setzte er sich gerade hin und nahm den Arm von meiner Stuhllehne.

»Du, ich habe dir doch gesagt, ich ruf dich an, wenn ich mehr weiß. Ich kann noch nichts sagen, lass mir doch ein bisschen Zeit. Ich mache so was ja nicht jeden Tag.«

Es war eine weibliche Stimme, die am anderen Ende sprach, und zwar so laut, dass ich Satzfetzen hören konnte: »... auf dich verlassen« und »... du hast schließlich Familie.«

Johann merkte anscheinend, dass ich mithörte und stand auf.

»Jedenfalls passt es im Moment nicht. Ich melde mich morgen ... jetzt sei nicht gleich wieder beleidigt. Also, bis bald.«

Er setzte sich wieder, während ich der Bedienung zuwinkte.

»Ich möchte zahlen.«

»Christine, bleib doch noch. Ich befürchte, das war missverständlich. Jedes Mal wenn wir uns treffen, ruft meine Tante an.«

Klar, Tante Mausi, dachte ich und zwang meine irritierten Gefühlswellen zum Stillstand.

»Sicher, Johann. Ich verstehe schon, außerdem kannst du ja auch telefonieren, mit wem du willst. Ich muss aber los, morgen geht die Arbeit weiter und du weißt ja, mein Vater.«

Die Bedienung stand vor uns. »Zusammen?«

»Ja.« Johann zog seine Brieftasche aus der Jeans und hielt ihr einen Schein hin. Ich ließ ihn zahlen, mich hatte diese Verabredung genug Anstrengung gekostet.

Wir hatten denselben Weg, es wäre albern gewesen, hintereinanderherzugehen. Wir liefen schweigend, ich spürte seine Blicke, hatte aber keine Lust, Fragen zu stellen, deren Antworten ich vermutlich gar nicht hören wollte. Kurz vor der Pension blieb er abrupt stehen und hielt mich am Arm fest.

»Warte.«

»Ja?«

»Wir müssen ja nicht deinem Vater über den Weg laufen, oder?«

»Schiss?«

Er sah mich verdutzt an. »Vor deinem Vater? Nein. Ich dachte, du hättest mit ihm sonst Diskussionen, von wegen keine Zigaretten und – keine Jungs.« Er lachte.

Ich nicht. Ich war traurig. Er merkte es mir an und legte mir den Arm um die Schulter.

»Pass mal auf. Ich muss erst mal ein paar Dinge regeln, über die ich im Moment nicht reden möchte. Unabhängig von dem Ganzen habe ich mich ein bisschen in dich verliebt und möchte dich gerne näher kennenlernen. Das eine hat mit dem anderen nichts zu tun. Kannst du das verstehen?«

Ich verstand es natürlich nicht, aber er hatte diese rehbraunen Augen, diese erotische Stimme, diesen schönen Mund und er roch so gut. Also lehnte ich mich an ihn.

»Schon in Ordnung. Vielleicht können wir morgen Abend mal zusammen zum Baden fahren.«

Er küsste mich erst sanft, dann länger auf den Mund. Wenn man dicht genug dran war, erkannte man in diesen braunen Augen goldene Pünktchen.

Auf dem Weg zur Ferienwohnung beruhigte ich mich mit dem Gedanken, dass der nette Nils vielleicht auch ein dunkles Geheimnis hatte. Na und? Wir hatten schließlich Sommer.

Erleichtert stellte ich fest, dass ich als Erste in der Ferienwohnung war. Das Treffen mit Johann hatte nicht besonders lange gedauert, es war noch vor elf. Beim Zähneputzen versuchte ich, die bösen Gedanken zu vertreiben und mich auf die goldenen Pünktchen und den Kuss zu konzentrieren. Ich war müde genug, es zu schaffen und ins Bett zu gehen.

Ich lief Hand in Hand mit Johann am Strand entlang. Das Wasser glitzerte von der untergehenden Sonne, die Wellen rauschten leise, wir redeten darüber, ob wir auf Norderney, auf Sylt, in Hamburg oder auf den Malediven leben wollten. Johann kniete sich nieder, um eine besonders schöne Herzmuschel aufzuheben, ich ging langsam weiter. Plötzlich hörte ich eine Fahrradklingel. Als ich mich umdrehte, sah ich erschrocken, wie Gisbert von Meyer meinen Liebsten über den Haufen fuhr, ihm die Herzmuschel aus der Hand riss, sie mir entgegenstreckte und mit seiner Fistelstimme rief: »Du hättest fast einen großen Fehler begangen. Aber ich bin gekommen, dich zu retten.«

Schweißgebadet wachte ich auf, in dem Moment, als mein Vater pfeifend die Wohnung betrat. Ich erkannte sogar die Textzeile von Marianne Rosenberg: »Marleen, eine von uns beiden muss jetzt gehen ...«

Als ich am nächsten Morgen um sieben vorsichtig die Schlafzimmertür meines Vaters öffnete, lag er auf dem Rücken, das Kissen auf seinem Gesicht, und schnarchte leise. Er war in der Nacht noch ins Wohnzimmer gekommen. Ich hatte mich schlafend gestellt und mit schlechtem Gewissen sein Streicheln über meine Wange gefühlt. Ich hatte ihn belogen. Deshalb ließ ich ihn jetzt schlafen, er musste nicht jeden Tag um acht Uhr in der Kneipe auftauchen. Er konnte schließlich auch mal Ferien haben.

Dorotheas Bett war unberührt, entweder hatte sie die Nacht mit Nils am Strand oder in dessen altem Kinderzimmer verbracht, wie auch immer, ihre Nacht war vermutlich aufregender gewesen als meine und bestimmt ohne GvM-Alpträume.

In der Pension stand Marleen in der Küche und füllte Brötchen in die kleinen Körbe. Sie drehte sich zu mir um.

»Guten Morgen. Du warst ja gestern Abend so schnell weg. Geht es dir besser? Heinz hat so geheimnisvolle Andeutungen gemacht.«

Ich schenkte mir einen Kaffee ein und setzte mich auf einen Hocker. »Dorothea hat ihm erzählt, ich hätte schwere Frauenleiden. Das war erfunden, ich hatte noch eine kleine Verabredung und wollte nicht, dass er das mitkriegt.«

»Mit wem?« Marleen ließ die Brötchentüte sinken und sah mich neugierig an. »Erzähl.«

»Mit deinem Gast. Johann Thiess.«

»Oh … Und?«

Ich streckte meine Beine aus und lehnte mich an die Wand.

»Marleen, ich finde ihn Weltklasse! Wir haben uns im ›Surf-café‹ getroffen, es war sehr schön. Und ich glaube, das geht auch irgendwie weiter.«

Ihr skeptischer Blick erinnerte mich an seine Fragen nach Marleen, an den ominösen Anruf von Mausi-oder-wem-auch-immer, an seine geheimnisvollen Andeutungen zum Schluss. Ich versuchte, Marleen und mich selbst zu beruhigen.

»Er hat hier was Berufliches zu regeln, er ist übrigens Banker. Vielleicht ist er einer Korruption auf der Spur, er darf nicht darüber reden, hat er mir erzählt. Und er hat gesagt, dass er ein bisschen in mich verliebt ist. Und gut küssen kann er auch. Jedenfalls war es toll …«

Ich trank meinen Kaffee aus, stellte die Tasse in die Spüle und griff nach einer Platte mit Aufschnitt. »Ich fang mal an, irgendetwas Besonderes?«

Marleen schüttelte den Kopf, ich war erleichtert, dass sie nichts zu meinem Rendezvous sagte. Ich wollte nichts Kritisches hören.

Die Bergs waren die ersten Gäste, die zum Frühstücken kamen. Die Zwillinge setzten sich nebeneinander, Emily zog einen Flunsch, Lena nickte mir fröhlich zu.

»Hallo, Christine, machst du uns wieder einen Kakao?«

»Natürlich. Emily, willst du auch einen?«

»Nein, ich esse und trinke heute nichts.« Ihr Kindergesicht sah unglaublich schlecht gelaunt aus. Lena klärte mich auf:

»Emily hat Streit mit Papa gehabt. Jetzt spricht sie nicht mehr mit ihm.« Sie warf einen Blick auf ihre Eltern, die am Frühstücksbüfett standen. »Papa hat gesagt, Emily ist ein stures Huhn.«

Emily guckte mich anklagend an. »Hühner sind nicht stur. Und Papa hat angefangen.«

Ich konnte sie gut verstehen. »Das kenne ich. Mein Papa fängt auch immer an. Aber weißt du was? Der Klügere gibt nach. Das sagt meine Mutter immer. Ich tue jetzt immer so, als hätte ich keinen Streit mit meinem Vater, ich bin ganz nett zu ihm und dann vergisst er alles. Probier das mal aus.«

Emily überlegte. »Dein Papa hat aber immer lustige Mützen auf. Der ist bestimmt netter als meiner.«

»Das glaube ich nicht, deiner ist doch auch nett.«

Anna und Dirk Berg setzen sich und lächelten mich an. Emily warf mir einen kurzen Blick zu, dann nahm sie ein Brötchen aus dem Korb, legte es auf ihren Teller und sah ihren Vater an.

»Guten Morgen, Papa, hast du gut geschlafen?«

Dirk Berg starrte seine Tochter verblüfft an. Ich ging zurück in die Küche und gratulierte mir zu meinen fabelhaften pädagogischen Fähigkeiten.

Marleen kochte dort gerade Tee und drehte sich zu mir um.

»Warst du eigentlich vor deinem Vater zu Hause?«

»Schon längst, ihr habt ja ziemlich lange gesessen. War es nett?«

Marleen lachte. »Nett? Herr von Meyer kam noch richtig in Fahrt. Heinz und er teilen nicht nur ihre Leidenschaft für den HSV, sondern auch für den deutschen Schlager. Ich dachte, der Junge explodiert irgendwann, er saß da mit hochrotem Kopf und sang sein Lieblingslied von Andrea Berg.«

»Er müsste eigentlich auch eine ähnliche Stimmlage haben.«

»Wie Heinz?«

»Nein, wie Andrea Berg.«

»Ich habe keinen Schimmer, wer das ist.«

»Sie singt so, wie Gisbert von Meyer spricht. Hat Gesa sehr gelitten?«

»Es ging. Sie war zu sehr damit beschäftigt, ernst zu bleiben. Wir waren auch nicht so viel länger da, wir sind eine Stunde nach dir gegangen.«

»Guten Morgen.« Onno stand plötzlich in der Küchentür und sah uns verlegen an. »Die Kneipe ist noch abgeschlossen, bin ich zu früh dran?«

»Das habe ich ganz vergessen. Mein Vater schläft noch. Hat er den Schlüssel?«

Onno war sofort besorgt. »Wie? Er schläft noch? Ist er krank?«

»Das glaube ich nicht, er sah nur noch so müde aus, ich habe ihn gar nicht geweckt.«

Marleen nahm ihren Schlüsselbund vom Haken und zog einen der Schlüssel ab. »Hier, Onno, Wiedersehen macht Freude, den anderen hat Heinz. Irgendwann wird er ja auftauchen. Du kannst mir meinen Schlüssel nachher wiedergeben.«

Onno nickte. »Heinz kann ruhig später kommen, ich fang schon mal allein an. Da kommt Kalli auch schon. Na denn, bis später.«

Durchs Küchenfenster sahen wir Kalli, der umständlich sein Fahrrad abschloss, während Onno auf ihn wartete. Wir konnten ihn nicht mehr warnen, es hätte auch nichts genützt: Als er sich wieder aufrichtete, fand er sich einer flauschig gelb-schwarz geringelten Hannelore Klüppersberg gegenüber. Wir konnten nicht verstehen, was sie zu ihm sagte, Kalli wurde aber rot und Onno trat vorsichtshalber einen Schritt zurück. Das wiederum nützte ihm gar nichts, denn Freundin Mechthild kam von hinten.

»Guten Morgen. Da stehen sie am Fenster, die alten Tratsch-weiber, und glotzen.«

Dorothea betrat die Küche und stellte sich hinter uns. »Guck mal, Biene Maja. Und Frau Weidemann-Zapek trägt Frottee, wie süß. Wo kaufen die bloß ihre Klamotten?«

»Dorothea, geh mal auf den Hof und erzähl uns, über was sie reden. Wir kriegen gar nichts mit.«

Fasziniert beobachtete Marleen, wie die Damen mit großen Gesten auf die beiden verängstigten Männer einredeten. Mit einem Ruck öffnete Dorothea das Fenster, alle vier wandten sich in unsere Richtung. Ertappt sprangen Marleen und ich einen Schritt zurück. Dorothea winkte ihnen fröhlich zu und drehte sich zu uns um.

»Sie haben euch trotzdem gesehen. Und im Frühstücksraum

sind übrigens Gäste ohne Getränke. Christine, dein Lieblingsgast ist auch dabei. Wie war es denn überhaupt?«

»Schön.« Ich griff nach den beiden Kannen, die Marleen mir hinschob. »Nur nicht so lange, wie bei dir.«

»Ich kriege überhaupt nichts mehr mit.« Marleen reichte Dorothea einen Kaffee und sah sie neugierig an. »Klärt mich mal jemand auf?«

Während Dorothea mit beseeltem Lächeln begann, ihre nächtlichen Abenteuer zu schildern, ging ich mit meinen Kannen zu meinem Lieblingsgast, mit dem ich so gerne ähnliche Abenteuer erleben würde.

Johann Thiess saß wieder an dem kleinen Tisch am Fenster. Mit verdoppeltem Pulsschlag blieb ich vor ihm stehen.

»Guten Morgen, Christine, ich würde gern mit dir frühstücken. Wie geht es dir?«

»Gut.« Ich hatte einen Frosch im Hals, vermutlich trug der auch noch eine Krone. »Trinkst du Kaffee oder Tee?«

»Kaffee, bitte. Ist alles in Ordnung?«

Ich brauchte mich nicht umzudrehen, Biene Maja und der Frotteelappen betraten lautstark den Raum. Ich sah Johann an.

»Du siehst ja, ich muss was tun. Hier hast du Kaffee, bis später.«

Er legte seine Hand kurz auf meine.

»Hoffentlich.«

Frau Weidemann-Zapek und Frau Klüppersberg waren erstaunt, als ich ihnen mit strahlendem Lächeln ihren Tee versprach.

Es liegt was in der Luft

– M. Baptiste & B. Buhlan –

Die Damen waren bereits bei der Fabrikation ihres Tagesproviants, als mein Vater auftauchte. Sofort sprang Frau Klüppersberg auf und stieß dabei ihr Saftglas um. Während Freundin Mechthild noch tupfte, hatte Hannelore Klüppersberg meinen Vater bereits mit eisernem Griff am Oberarm gepackt.

»Mein lieber Heinz!« Es hörte sich fast wie Triumphgeheul an. »Wir haben bei uns noch ein Plätzchen frei, jetzt leisten Sie uns endlich mal Gesellschaft. Wir wollen ein paar hübsche Inselgeschichten hören.«

An den übrigen Tischen verstummten die Gespräche. Die anderen Gäste beobachteten meinen verdutzten Vater, der im Klammergriff einer überdimensionalen Strickbiene feststeckte.

»Ja, ähm, ich wollte nur …«

Emilys Kinderstimme unterbrach die Ruhe.

»Das ist Christines Papa, der fängt auch immer an. Aber er hat lustige Mützen.«

»Womit fange ich an?« Mein Vater hatte sich aus dem Griff lösen können. Ich beeilte mich, das Unheil abzuwenden.

»Ich habe den Zwillingen gesagt, dass du immer anfängst, schöne Geschichten zu erzählen, wenn mir langweilig ist.«

»Ach ja?« Mein Vater sah erst mich, dann die Kinder, dann die immer noch vor ihm stehende Frau Klüppersberg an. »Wieso wollen denn alle auf einmal schöne Geschichten von mir hören?«

Emily guckte ihn ernst an. »Nein, ich meine doch …«

»Emily, trink doch deinen Kakao. Frau Berg, haben Sie noch alles? Papa, setz dich doch, ich bringe dir gleich einen Kaffee.«

Ich musste hier Ordnung reinbringen, so viel Durcheinander vertrug mein Vater morgens nicht. Auf dem Weg zur Tür musste ich an Johann vorbei, der am Büfett stand. Er ließ mich durch, dabei spürte ich seine Hand auf meinem Rücken. Frau Weidemann-Zapek, die anscheinend einen Teller für meinen Vater zurechtmachte, beobachtete erst die Hand, dann mich und hob die Augenbrauen. Ich verharrte kurz und suchte meine zuckrige Stimme.

»Entschuldigung, Frau Weidemann-Zapek, mein Vater hasst Heringssalat.«

Dann ging ich in die Küche.

Nach und nach wurden die Gäste im Frühstücksraum weniger, die ersten hatten schon mit ihren Badetaschen die Pension verlassen, es war wieder ein Traumtag. Erstaunlicherweise hielt mein Vater es immer noch mit dem Damenduo aus. Von dem Tisch abgesehen, saß nur noch Johann da, trank den vierten Kaffee und las die ›Süddeutsche Zeitung‹.

Ich fing langsam an, das Büfett abzuräumen und versuchte unauffällig, dem Gespräch meines Vaters zu lauschen und, noch unauffälliger, Johann Thiess zu beobachten. Das Erste klappte nicht, weil die drei immer leiser wurden, je näher ich kam, das Zweite klappte nicht, weil ich mich von den Damen beobachtet fühlte. Schließlich faltete Johann seine Zeitung zusammen und stand auf. Er ging an mir vorbei und legte kurz die Hand auf meine Schulter.

»Bis bald.«

An der Tür drehte er sich noch einmal um, wandte sich an den letzten besetzten Tisch und sagte: »Einen schönen Tag wünsche ich Ihnen.«

Das »Danke, junger Mann« kam von den Damen im Chor, mein Vater hatte es anscheinend nicht gehört, er gab keine Antwort.

Als ich in den Flur treten wollte, um einen letzten Blick auf

Johann zu werfen, wurde ich fast von Kalli überrannt. Mit hochrotem Kopf und einem Affenzahn kam er um die Ecke, riss mich an sich und walzte mit mir in den Frühstücksraum. Seine Stimme überschlug sich.

»Wo ist dein Vater? Ach, da bist du ja. Heinz. Christine, es ist geschafft, jawohl, sie hat es grandios gemacht, es ist doch wunderbar, ich habe es doch gewusst, nein, nicht gewusst, aber mir fast gedacht. Es sieht bestimmt toll aus.«

Er drehte mich noch einmal und blieb dann atemlos stehen. Mein Vater sah mich an.

»Ich glaube nicht, dass er sich über Dorotheas Farbmischungen so freut. Oder?«

»Ich bin Opa.«

Kalli verschluckte sich und hustete. Ich klopfte ihm auf den Rücken, bis er sich beruhigte und wieder krächzen konnte.

»Ein Mädchen, Katharina hat ein Mädchen bekommen! Ich habe eine Enkelin! Gerade haben sie angerufen. Hanna lässt alle grüßen, ich soll eine Runde ausgeben. In der ›Haifischbar‹. Heute Abend. Ist das nicht herrlich?«

Frau Weidemann-Zapek klatschte entzückt in die Hände.

»Ja, herzlichen Glückwunsch. Und danke für die Einladung, wir nehmen gerne an, nicht wahr, Hannelore? So ein junger Opa, erstaunlich, das denkt man gar nicht.«

Sie lächelte strahlend in die Runde. Mein Vater stand auf und klopfte Kalli anerkennend auf den Rücken.

»Gut gemacht, alter Junge.«

Kalli guckte stolz. Ich drückte ihn ebenfalls. Frau Klüppersberg blieb zwar neben ihrer Freundin sitzen, rief aber fröhlich:

»Natürlich sind wir dabei. Da machen wir uns aber mal einen lustigen Abend.«

Kalli nickte ihnen zu, langsam dämmerte ihm etwas.

»Ich meinte diese Frauen gar nicht mit der Einladung und Hanna bestimmt auch nicht. Kommen die jetzt etwa mit?«, fragte er mich leise.

Ich sah ihn mitfühlend an. »Da kommst du jetzt nicht mehr raus. Tu es für deine Enkelin. Die alten Naturvölker haben immer Opfer für neugeborene Kinder gebracht. Dann lassen wir eben das Kalb weg.«

Mein Vater klopfte ihm wieder auf den Rücken. »Tja, Kalli, ich sage immer, mitgefangen ist mitgehangen. Da sind wir doch schon mit ganz anderen Kalibern fertig geworden.« Er drehte sich zu den Damen um. »Dann sehen wir uns also heute Abend in der ›Haifischbar‹. Gestiefelt und gespornt. Bis dahin einen hübschen Tag. Wiedersehen.«

Sie winkten ihm neckisch hinterher, als mein Vater mich mit in den Flur zog. Draußen stellte er sich vor mich und sagte mit seinem Vatergesicht:

»Sag mal, dieser junge Mann gerade eben, kennst du den schon näher?«

Kalli war uns gefolgt. »Das ist doch ein Gast. Den haben wir schon gesehen. Du mochtest seine Augen nicht.«

Mein Vater machte eine ungeduldige Handbewegung.

»Danke, Kalli, das weiß ich selbst, das war erst gestern. Frau Klüppersberg hat da so eine Vertraulichkeit bemerkt. Christine, was meint sie damit?«

»Das kannst du die Hannelore ja heute Abend beim Tangotanzen fragen. Das wird sie dir bestimmt gerne und ausführlich erklären.«

Kalli kratzte sich am Kopf. »Also, ich glaube, die spielen keinen Tango in der ›Haifischbar‹.«

»Kalli, ich unterhalte mich mit meiner Tochter. Also, ich glaube, der ist nicht ganz koscher, dieser Gast. Irgendwie hat er komische Augen.«

Ich hielt dem Blick meines Vaters stand. »Tückisch. Gestern hast du gesagt, er hätte tückische Augen.«

»Eben. Also sieh dich vor. Ich will deine Leiche nicht aus der Nordsee fischen.«

Das kam mir bekannt vor. Ich blieb freundlich.

»Danke, Papa. Ich weiß deine Besorgnis zu schätzen. Ich darf dich trotzdem daran erinnern, dass ich 45 bin.«

»Das weiß ich. Herr von Meyer ist übrigens 47, er sieht nur jünger aus. Das würde vom Alter her auch gut passen.«

Ich blieb immer noch freundlich. »Ehrlich gesagt finde ich, dass Herr von Meyer etwas ganz Eigenartiges an sich hat. So etwas Nervöses, Unberechenbares. Vielleicht wirft er ja meine Leiche in die Nordsee.«

Heinz lächelte gütig. »Das ist Unsinn, Gisbert ist ein ganz reizender junger Mann. Du musst ihn erst näher kennenlernen. Ich werde ihn anrufen, damit er heute Abend mitkommt, er tanzt auch gern. Er hat mir gestern ganz viel von sich erzählt, du wirst ihn mögen. Warte mal ab. So, und jetzt gehen wir arbeiten, komm, Opa, das gilt für alle.«

Ich sah ihnen sogar noch freundlich hinterher.

Frau Weidemann-Zapek und Frau Klüppersberg schoben sich an mir vorbei, um auf ihre Zimmer zu gehen. Sie nickten mir zu.

»Bis heute Abend.«

Ich nickte zurück, dann fiel mir noch etwas ein.

»Entschuldigung, bevor ich es vergesse …« Sie blieben an der Treppe stehen. »Mein Vater tanzt so wahnsinnig gerne, traut sich aber nie, jemanden aufzufordern. Machen Sie ruhig Damenwahl und wenn er sich ziert, einfach darauf beharren, er ist manchmal ein bisschen schüchtern. Lassen Sie sich auf keinen Fall abhängen. Also, bis heute Abend.«

»Das ist gut, dass Sie das sagen. Wir mögen auch keine Draufgänger, nicht wahr, Mechthild. Und Ihr Herr Vater ist ja so charmant und so zuvorkommend. Also, bis dann. Tschüssi. Wir freuen uns.«

Beim Abräumen ihres Tisches lächelte ich.

Nach dem Mittagessen, das aus Würstchen und Brötchen bestand, die uns Gesa in die Kneipe brachte – »Kalli hat sich Würstchen gewünscht, für jeden zwei« – bekam ich eine SMS: »Habe ein Problem, kannst du gleich ins Rathaus-Café, Friedrichstraße kommen? Johann.«

Dorothea stand neben mir und sah mein Gesicht. Auf ihren

fragenden Blick hin gab ich ihr das Handy. Sie las den Text und krauste die Stirn.

»Ich habe zu wenig grüne Farbe. Christine, fährst du eben los und holst zwei Flaschen?«

»Mach ich. Sonst noch was?«

»Ja.« Mein Vater ließ sein Schleifpapier sinken. »Bring eine Inselzeitung mit.«

Auf dem Weg zum Fahrradschuppen schrieb ich die Antwort: »Bin unterwegs.«

Ich hoffte, es gab keinen Mausi-Stress, dazu hatte ich überhaupt keine Lust.

Ich entdeckte Johann sofort, als ich in das Café kam. Er beendete gerade ein Telefongespräch und deutete mir an, Platz zu nehmen.

»Gut, dass du da bist, ich hatte vielleicht einen Scheißvormittag.«

Er steckte das Handy in seine Jackentasche, beugte sich über den Tisch und küsste mich auf den Mund. Wie selbstverständlich. Ich lächelte selig. Er guckte ernst.

»Ich wollte vorhin eine Flasche Wein kaufen, in der Hoffnung, dass wir uns heute Abend noch am Strand treffen. An der Kasse habe ich gemerkt, dass ich meine Brieftasche nicht dabeihatte. Also habe ich den Wein wieder ins Regal gestellt, bin in die Pension zurück, um mein Geld zu holen. Ich habe das ganze Zimmer auf den Kopf gestellt, nichts. Das letzte Mal habe ich die Brieftasche gestern Abend im ›Surfcafé‹ gehabt, beim Zahlen. Und jetzt ist sie weg.«

»Die wird sich schon wieder finden. Hast du im ›Surfcafé‹ angerufen?«

Der Kuss hatte mir mein Gehirn vernebelt. Johann sah das anscheinend ähnlich. »Christine. Natürlich war ich schon da. Und anschließend bin ich die ganzen Wege abgelaufen. Hin und zurück. Und im Fundbüro war ich auch. Da hat keiner was abgegeben. Die Brieftasche ist weg.«

»Und jetzt?«

Johann zündete sich mit zittrigen Fingern eine Zigarette an. »Jetzt habe ich erst mal meine Kredit- und EC-Karten sperren lassen. Ich habe noch zehn Euro in der Tasche, aber das war es dann.«

»Du bist doch Banker. Dann kannst du hier auch ohne Karte Geld abheben.«

»Sicher«, er sah mich an, als wäre ich nicht ganz dicht, »das geht aber nur mit Personalausweis und der war auch in der Brieftasche.«

»Soll ich dir was leihen?«

»Könntest du das machen? Dann kann ich morgen gleich nach Hause fahren, da kennen die mich wenigstens in der Bank. Und meinen Reisepass brauche ich vielleicht auch. Du bekommst dein Geld auch sofort wieder. Das wäre klasse. Danke.« Jetzt lächelte er doch.

»Das ist kein Problem.« Ich angelte meine Börse aus der Handtasche und öffnete sie. »Wie viel brauchst du denn?«

»500 oder 800?«

»So viel?«

»Na ja, mir war so schlecht auf dem Schiff, da habe ich mir vorgenommen, zurückzufliegen. Ich hoffe nur, dass ich noch für heute einen Flug bekomme. Und dann muss ich für die beiden Nächte die Pension bezahlen, sonst denkt Frau de Vries, ich wäre ein Betrüger. Ich muss die Garage in Norddeich bezahlen und noch tanken, das läppert sich. Ich werde nervös, wenn ich so wenig Geld und keine Karten dabei habe.«

Das ging mir genauso. Er sah sehr unglücklich aus, ich wollte ihn retten.

»Dann gehe ich mal eben zum Geldautomaten, so viel habe ich nicht dabei. Bin gleich wieder da.«

Ich hatte 300 Euro dabei und hob 500 ab. Er würde sie mir ja wiedergeben, sobald er zurück war. Außerdem fühlte ich mich ein bisschen schuldig, schließlich hatte er für mich bezahlt, bevor er die Brieftasche verloren hatte. Es gab mir ein gutes Gefühl, diesem Mann helfen zu können.

Wir tranken noch einen Kaffee zusammen, Johann bestand

darauf, mich einzuladen, er bezahlte mit den zehn Euro, die er noch in seiner Hosentasche gefunden hatte. Ich radelte mit einem zärtlichen Gefühl zurück und hoffte, dass Johann seine Geldgeschäfte schnell erledigte. Und dass Mausi keine Bankangestellte war.

Erst auf dem Hof der Pension fiel mir ein, dass ich vergessen hatte, die Inselzeitung zu kaufen. Ich verstand sowieso nicht, warum mein Vater sie lesen wollte, nur weil man einen dieser Schreiberlinge kennengelernt hatte, musste man doch seine Gewohnheiten nicht ändern. Wie auch immer, ich wollte gerade wieder losfahren, als Marleen mit undurchdringlicher, aber keinesfalls heiterer Miene, mit genau dem Blatt in der Hand, auf die Kneipe zustürmte.

»Halt, Marleen! Warte mal.«

Sie blieb stehen, ich schob das Fahrrad zu ihr.

»Sag mal, kann ich die Zeitung haben? Dann muss ich nicht …« Ich stand jetzt vor ihr und bemerkte, dass sie stinksauer war. »Was ist denn mit dir los?«

Marleen wedelte mit der Zeitung durch die Luft. »Was mit mir los ist? Komm mit in die Kneipe. Entweder bringe ich den großen Inselkenner oder dieses rothaarige Frettchen um, je nachdem, wen ich zuerst erwische.«

Ich stellte das Fahrrad ab und beeilte mich, hinterherzukommen. Ich wollte auf keinen Fall den Anfang verpassen.

Mit Schwung stieß sie die Kneipentür auf und stürmte in den Raum, wo sie die Zeitung auseinanderfaltete und auf einem Tisch glatt strich. Dann sah sie sich um.

»Leute, ich möchte euch etwas vorlesen. Hört ihr mal einen Moment zu?«

Onno, Kalli, Dorothea und Nils stellten sich zu uns, ich beobachtete meinen Vater, der sich mit erwartungsfrohem Lächeln bequem auf einen Stuhl setzte. Marleen warf ihm einen schwer zu deutenden Blick zu, dann las sie vor:

PROMINENTER SYLTER GÄSTEFÜHRER
HILFT NORDERNEY AUF DIE SPRÜNGE

Norderney. Einheimische und Urlauber haben sich in den letzten Tagen sicherlich schon gefragt, was die unermüdlichen Arbeiter und Hilfskräfte im ehemaligen Lokal »Meerblick« eigentlich so treiben. Unsere Redaktion ist jetzt dem gut gehüteten Geheimnis auf die Spur gekommen. Unser Mitarbeiter GvM hatte gestern die große Freude, die Bekanntschaft von Heinz Schmidt zu machen, seines Zeichens einer der bekanntesten, wenn nicht sogar der bekannteste Syltkenner. »Natürlich kenne ich Sylt wie meine Westentasche«, erklärt uns der verschmitzt lächelnde Heinz, »und wer eine Insel kennt, versteht alle. So ist mir gleich klar geworden, was Norderney alles fehlt.« Der braun gebrannte und sehr jung wirkende Mittsiebziger zeigte unserem Redakteur GvM die Pläne. »Ich leite hier die Umbauarbeiten, die aus einer abgetakelten Kneipe eine Bar werden lassen, die selbst Sylter Ansprüchen genügen würde.«

Die Pläne zeigen elegante Sitzgruppen, die den schmierigen Tresen ersetzen sollen, da, wo abgeschrammte Esstische standen, werden die Gäste an Chrom und Glas sitzen, statt Blümchentapete entstehen Meergemälde, Wellen und Dünen in leidenschaftlichen Regenbogenfarben. »Ja«, sagt der Sylter, dessen stahlblaue Augen blitzen, »für die Wandmalerei haben wir die berühmte Hamburger Künstlerin Dorothea B. gewonnen, mit tuschenden Hausfrauen kann so was nicht funktionieren.«

Statt über billigsten Linoleum schreitet der Gast bald über satt glänzendes Schiffsparkett, statt Plastikblumen auf den Tischen wird es üppige Blumenbuketts geben. Auf die Frage nach den Kosten gibt sich der sympathische Mann bescheiden. »Über Geld spricht man nicht, auch nicht auf Sylt.« Er lächelt gewinnend und lädt die Redaktion zur Einweihung am kommenden Wochenende ein.

Bleibt die Frage nach dem Namen. Heinz Schmidt überlegt nicht lange: »Nein, ›Meerblick‹ geht natürlich nicht. Ich tendiere zu dem schönen Namen ›Herzmuschel‹, darüber werden wir aber noch im engen Kreis diskutieren.« Sprach's und zwinkerte seiner schönen Tochter Christine zu, die ihren charmanten Vater nach Leibeskräften unterstützt. Die Redaktion wünscht gutes Gelingen und freut sich auf ein neues Highlight unserer schönen Insel. GvM

Marleen knallte die Zeitung auf den Tisch und schlug mit der flachen Hand drauf, genau auf die Stelle, wo das Konterfei meines Vaters dem Leser fröhlich entgegenlächelte. Marleen fixierte den prominenten Inselkenner, der zufrieden auf seinem Stuhl saß.

»Schmieriger Tresen? Blümchentapeten? Abgeschrammte Esstische? Wer leitet hier den Umbau? Und zu allem Überfluss Herzmuschel? Sag mal, warst du gestern total betrunken?«

Mein Vater lächelte sie an. »Wie soll das denn hier heißen?«

Marleen schnappte nach Luft und brüllte fast. »Wie das heißen soll? ›De Vries‹ natürlich. Weil es nämlich mein Lokal ist, das hast du leider vergessen, zu erwähnen.«

Mein Vater überlegte. »Ja, ›de Vries‹ klingt elegant. Das ist gut. Wieso schreist du eigentlich so? Das Radio ist doch aus.«

Kalli las den Artikel noch einmal. »Das ist ein schönes Foto von dir, Heinz. Hat der das gestern mit der kleinen Kamera gemacht? Kannst du mal sehen.«

Onno wirkte beleidigt. »Wen meint der denn mit Hilfsarbeitern?«

Ich starrte immer noch fassungslos auf den Artikel, besonders auf die Stelle, wo der jugendliche Mittsiebziger seiner schönen Tochter zuzwinkert.

»Sag mal, was hast du diesem Meyer gezahlt, damit der so einen Schwachsinn schreibt?«

Jetzt war er entrüstet. »Was heißt hier Schwachsinn? Das ist eine großartige Werbung und zudem umsonst. Ich gebe die halbe Nacht Interviews, um Marleen umsonst in die Zeitung zu bringen, und ihr mäkelt nur rum. Macht es doch beim nächsten Mal selber.«

»Heinz!« Marleen war nicht zu beruhigen, sie hatte schon rote Flecken am Hals. »Das ist doch keine Werbung für mich, da steht doch nur Blödsinn drin. Das ›Meerblick‹ war überhaupt nicht abgetakelt, der Name der Bar stimmt nicht, meiner taucht gar nicht auf und … wieso eigentlich nicht?«

Heinz sah sie treuherzig an. »Wir waren uns nicht sicher, wie du dich schreibst. Und ein falsch geschriebener Name ist ja peinlich. Wir dachten, es geht auch so. Und jetzt ist es sowieso zu spät. Aber wir können ja Leserbriefe schreiben. Die sind nämlich auch umsonst.«

Marleen war am Ende. Sie ließ sich auf den Stuhl sinken, den Onno ihr hinschob und kippte den Schnaps, den Kalli ihr einschenkte. Dann sah sie meinen Vater lange und konzentriert an.

»Sei froh, dass ich mit deiner Tochter befreundet bin. Aber ich warne dich. Beim nächsten Mal bist du tot. Kalli, ich brauch noch einen. Prost.«

Mein Vater zog es vor, die nächsten zwei Stunden schweigend zu schleifen. Von schlechtem Gewissen war keine Rede, er wirkte zufrieden und pfiff ›Ein Freund, ein guter Freund‹ vor sich hin. Ab und zu schlenderte er an dem Tisch vorbei, auf dem immer noch die Zeitung lag und betrachtete sein Foto. Ich trat einen Schritt zurück, musterte meine grundierte Wand und beschloss, dass das so gut war.

»Dorothea, ich bin fertig.«

Die berühmte Hamburger Künstlerin hob den Kopf.

»Sehr schön. Mit der anderen Seite kannst du dann morgen anfangen. Es ist ja schon halb fünf.«

Ich streckte mich zufrieden. »Dann mache ich Feierabend und gehe duschen.«

Mein Vater ließ das Schleifpapier fallen. »Wir können doch auch noch mal schnell zum Strand fahren. Was meinst du? Einmal kurz in die Fluten springen?«

Eigentlich hoffte ich, dass ich Johann noch kurz sehen könnte, er hatte sich noch nicht abgemeldet. Bevor mir eine Antwort für meinen Vater einfiel, kam Marleen in die Kneipe. Sie zog einen großen Karton hinter sich her, den sie Heinz vor die Füße schob.

»Das sind zwölf kleine Lampen für die Fenster, die müssen noch zusammengebaut werden.«

Mein Vater sah kurz hinein, dann sagte er bedauernd: »Du, das muss ich morgen machen, wir fahren jetzt baden.«

»Nein, mein Lieber, du fährst nicht baden, du schraubst jetzt diese Lampen zusammen.« Marleens Augen funkelten gefährlich. »Darüber diskutiere ich auch nicht.«

Mein Vater lächelte sie gewinnend an. »Komm doch mit zum Strand. Du siehst so erschöpft aus, vielleicht tut dir etwas Abkühlung ganz gut.«

Marleen öffnete den Mund, um etwas zu entgegnen, dann schloss sie ihn wieder.

»Na? Kommst du mit?«

Marleens Stimme war sehr ruhig. »Ach, Heinz, bau einfach diese Lampen zusammen. Und halte dich mal einen Moment zurück, ja? Nur einen kleinen Moment, dann schaffe ich es vielleicht, heute Abend mit dir und diesem Schreiberling in einem Raum zu sitzen und nicht Amok zu laufen. Könnten wir das versuchen?«

Mein Vater klopfte ihr beschwichtigend auf den Rücken. »Natürlich, Marleen, wenn dir so viel an den Lampen liegt, gehe ich da sofort dran. Und mach dir mal keine Sorgen, nachher gehen wir schön aus, dann kommst du auch mal auf andere Gedanken. Kopf hoch.«

Marleen stöhnte leise, drehte sich um und verließ langsam die Baustelle. Mein Vater sah ihr nachdenklich hinterher und drehte sich zu mir um.

»Das ist schon ganz schön anstrengend für eine Frau. Die Pension, die Gäste, der Umbau und dann diese Hitze. Gut, dass wir ihr helfen. Was, Kalli?«

Kalli nickte. »Du hast wohl recht. So, dann lass uns mal gucken, was sie da für komische Lampen gekauft hat. Zum Zusammenbauen.«

Die beiden steckten ihre Köpfe über dem Karton zusammen, während ich Dorothea und Nils beobachtete, die sich schwer zusammenreißen mussten.

»Also, ich gehe jetzt. Viel Erfolg noch.«

Ich bekam keine Antwort.

Auf dem Weg in die Ferienwohnung beschloss ich, Johann anzurufen. Bevor ich die Nummer eingeben konnte, klingelte es.

Im Display erschien eine Hamburger Nummer. Meine Mutter hatte eine bedrückte Stimme.

»Na, Christine. Ich habe schon gehört, ihr habt so viel Arbeit?«

»Hallo, Mama.« Ich setzte mich auf die Bank neben der Hintertür und zündete mir eine Zigarette an. »Wie geht es dir?«

»Rauchst du gerade? Lass Papa das bloß nicht sehen, du weißt doch, er macht sich immer Sorgen um deine Gesundheit. Ich habe heute schon zweimal mit ihm telefoniert, er klingt ja sonst ganz fröhlich.«

»Ja, fröhlich ist er allemal. Wie geht es dir denn jetzt?«

»Och, nicht so gut. Mir tut das Bein weh, sie geben mir Schmerzmittel, damit ich trotzdem mein neues Knie trainieren kann. Ich habe mir das nicht so schlimm vorgestellt. Aber erzähl das Papa nicht. Sonst ruft er noch öfter an.«

»Ich sag schon nichts. Er hat mir gar nicht erzählt, dass er dich so oft anruft. Er hätte wenigstens was sagen können, ich habe es heute Vormittag zweimal versucht, da warst du nie auf deinem Zimmer.«

»Du kennst doch deinen Vater, er redet doch nie viel. Unterhält er sich wenigstens mal mit den anderen Handwerkern?«

Mein Vater redet nicht viel? Das fand ich erstaunlich. Ich hörte seine Kommandos durch das offene Kneipenfenster bis zu meiner Bank.

»Er unterhält sich schon mit den anderen. Das bleibt ja nicht aus, wenn man so viel zusammenarbeitet.«

Meine Mutter war beruhigt. »Das ist gut. Aber hör mal, ihr dürft ihn nicht überfordern, er ist 73. Er kann nicht mehr schwer arbeiten, er überschätzt sich da oft.«

»Das stimmt.«

»Wieso sagst du das so komisch? Hat er sich schon übernommen?«

»Nein, Mama. Er hebt nicht, er streicht nicht, er macht nichts mit Strom, er delegiert ganz gut.«

»Und wie klappt das mit dem Essen?«

»Er isst.«

»Wieso bist du so kurz angebunden? Du würdest mir doch sagen, wenn es ihm nicht gut geht, oder? Er ist manchmal einfach zu schüchtern, er will immer alles richtig machen, hat gute Ideen und traut sich dann nicht, sie umzusetzen.«

»Och, das geht.«

Meine Mutter klang skeptisch. »Du sagst das irgendwie eigenartig. Wie auch immer, er hat mir erzählt, dass Kalli heute Abend ein Bier ausgibt, auf das Baby. Wo gehen die beiden denn hin? Gibt es ein nettes Lokal in der Nähe? Heinz mag ja keine laute Musik.«

Ich schloss die Augen und sah eine Polonaise: Papa, Mechthild Weidemann-Zapek, Kalli, Hannelore Klüppersberg, Onno, Gisbert von Meyer, Dorothea, Nils, Gesa und zum Schluss ich. Was die Damen wohl nachher trugen? In der ›Haifischbar‹?

»Ich komme auch mit. Kalli kennt ein kleines, ruhiges Lokal. Keine Ahnung, wie es heißt.«

»Dann wünsche ich euch viel Spaß. Und sieh doch mal zu, dass dein Vater sich ein bisschen amüsiert. Er muss ja nicht traurig in der Ecke hocken, nur weil ich ein künstliches Knie bekommen habe. Muntere ihn auf, er klang vorhin ein bisschen bedrückt.«

Bedrückt? Schlechtes Gewissen? Unser sehr jung wirkender Mittsiebziger mit dem verschmitzten Lächeln? Der charmante Herr mit der schönen Tochter? Ich verkniff mir ein Kichern und räusperte mich.

»Du musst dir um ihn wirklich keine Sorgen machen, Mama. Er hat genug Ablenkung und so richtig bedrückt kommt er mir auch nicht vor. Kümmere du dich um dein Knie und trainiere ordentlich, ich melde mich morgen wieder.«

»Ja, mach das. Und schöne Grüße an alle. Bis morgen.«

Sie legte auf. Ich fragte mich, was sie im Alltagsleben meines Vaters alles erfolgreich verhinderte und warum ich immer zu spät kam.

Als ich gerade die Tür zur Ferienwohnung aufschloss, hörte ich einen Pfiff. Ich drehte mich um und entdeckte Johann, der zwei Reisetaschen abstellte.

»Schön, dann kann ich mich ja doch noch von dir verabschieden.«

Ich ging ein paar Schritte auf ihn zu und blieb dann stehen.

»Dann hast du also einen Flug bekommen?«

»Ja.« Er lächelte. »Ich warte auf das Taxi, ich fliege in einer Dreiviertelstunde. Noch mal danke, ich hoffe, ich bin morgen Abend wieder hier, dann möchte ich dich zum Essen einladen. Spätestens übermorgen. Einverstanden?«

Ich nickte. »Einverstanden. Sag mal, warum schleppst du denn dein ganzes Gepäck mit? Das hättest du doch auch hierlassen können.«

Er sah mich verwirrt an. »Das Gepäck ... Ja, stimmt, das habe ich irgendwie automatisch mitgenommen. Blöd, na ja, ist auch egal.«

Die Hupe des Taxis unterbrach uns. Johann beugte sich vor und küsste mich flüchtig auf die Wange. »Also, bis bald. Tschüss, mach's gut.«

»Guten Flug.«

Ich starrte dem Taxi hinterher und fragte mich, warum ich ein komisches Gefühl hatte.

Die kleine Kneipe
— Peter Alexander —

Die »Haifischbar« war von innen genauso, wie ihr Name versprach: Von der Decke hingen Fischernetze, in den Ecken Galionsfiguren. Der Raum war vollgestopft mit maritimen Gegenständen, hinter dem Tresen stand ein Wirt, der vermutlich im Nebenberuf Pirat war, und die blonde Bedienung hätte ich als Kind für eine Sirene gehalten.

Mein Vater war begeistert. »Was für ein schönes Lokal, guck doch mal. Und hier ist auch keine Selbstbedienung. Bestens. Also, Kalli hat ja wirklich Geschmack beim Ausgehen.« Er steuerte strahlend auf die Bedienung zu. »Da sind wir. Mein Freund Kalli hat einen Tisch bestellt. Einen großen.«

Howard Carpendale sang ›Ob-la-di, ob-la-da …‹, und wir wurden zu dem Tisch unter der Galionsfigur mit dem größten Busen geführt. Mein Vater sah anerkennend hoch und mich dann zufrieden an.

»Und so ein schöner Tisch. Und flotte Musik. Trinkst du auch ein Bier?«

Ich nickte ergeben und fragte mich, wann ich hier unauffällig verschwinden könnte. Während wir auf unser Bier und die anderen warteten, musterte mein Vater interessiert die Einrichtung.

»Das soll sich Dorothea nachher mal genau anschauen. Da können wir uns einige Ideen abgucken, das gefällt mir außerordentlich gut.«

»Papa, ich glaube, du solltest dich aus den Plänen für Marleens Bar lieber raushalten.«

»Wieso?« Er war erstaunt. »Kind, ich gehöre zur Zielgruppe. Ich bin Gast auf Norderney. Und ich mag Fischernetze.« Sein Blick ging nach oben. »Wo kriegt man wohl diese Galionsfiguren her?«

»Das ›de Vries‹ wird eine Bar mit Lounge, keine Hafenspelunke.«

»Lounge! Ihr tut immer so vornehm. Ich dachte, wir wollen Geld verdienen.«

»Marleen will Geld verdienen, Papa, nicht wir. Also, halte dich ein wenig zurück. Da kommt sie.«

Marleen blieb an der Tür stehen, bis sie uns entdeckte und kam dann an den Tisch.

»Hallo«, sie setzte sich neben mich auf die Bank, »Onno und Kalli kommen auch gleich, ich habe sie mit dem Rad überholt.«

»Sag mal, Marleen«, mein Vater beugte sich über den Tisch, »wie findest du diese Netze an den Decken?«

Sie hob den Kopf und sah ihn misstrauisch an. »Wieso? Hast du schon welche bestellt?«

Er lehnte sich entrüstet zurück. »Als wenn ich mich in deine Pläne einmischen würde. Natürlich nicht. Ich wollte nur wissen, wie du sie findest. Interessehalber.«

Sie guckte an die Decke. »Genau so was möchte ich nicht.«

»Schade.« Mein Vater verteilte Bierdeckel. »Das hätte dem Ganzen etwas Pfiff gegeben, ich ...«

Er fing meinen drohenden Blick auf. »Schon gut. Ah, da kommt der frischgebackene Opa mit dem Hilfsarbeiter.« Er erhob sich und winkte. »Hier, Kalli, Onno, wir sind hier!«

Onno hatte sich schick gemacht, er trug ein dunkelblaues Jackett, darunter ein rotes Hemd mit blauer Krawatte. Auch Kalli hatte sich mit einem braunen Anzug und einem weißen Hemd in Schale geschmissen.

»Du hattest doch recht, mit der Strickjacke wäre ich nicht so richtig angezogen gewesen«, flüsterte mir mein Vater zu.

Zumal diese Jacke grünblau war und er ein gelbes T-Shirt mit dem Aufdruck »Sportfreunde List« darunter getragen hatte. Ich hatte es im letzten Moment verhindert. Meine Mutter wäre zufrieden gewesen. Als die beiden am Tisch angekommen waren, setzte er sich wieder. »Na, *amigos*, ihr habt euch ja auch piekfein gemacht. Sehr elegant.« Er klaubte einen unsichtbaren Fussel von seinem grauen Sakko und strich über sein gestreiftes Hemd. »Ich finde auch, man muss sich dem Anlass gemäß kleiden. Und ein neues Enkelkind ist eben was ganz Besonderes. Wo bleiben denn die Getränke? Hört mal, Daliah Lavi, die mochte ich schon immer so gerne.«

Die Angebetete sang mit rauchiger Stimme »O-ho-ho-ho, wann kommst du«, als Frau Weidemann-Zapek und Frau Klüppersberg die »Haifischbar« enterten. Ich konnte mir nicht verkneifen, »O-ho-ho-ho, da sind sie« zu singen, was mir einen rügenden Blick meines Vaters einbrachte.

»Dass du überhaupt keine Stimme hast, das ist doch so eine einfache Melodie. Kalli, deine Gäste sind gekommen.«

Marleen und ich grinsten albern vor uns hin, der drohende Lachkoller kreiste über uns.

Hannelore Klüppersberg hatte auch für diesen Anlass vorgestrickt. Sie trug ein blau-weiß geringeltes Matrosenkleid, das am Knie geschlitzt war und einen voluminösen Kragen hatte. Ihre Freundin Mechthild Weidemann-Zapek war in Satin eingenäht, stahlblau mit kleinen Pailettenschmetterlingen, die um den Ausschnitt flatterten. Natürlich hatte sie auch Schmetterlinge im Haar.

Die blonde Bedienung blieb kurz, aber ehrfürchtig vor ihnen stehen, Onno starrte sie an wie eine Erscheinung, mein Vater wirkte ungerührt, nur Kalli beugte sich zu mir und sagte leise: »Du weißt ja, es war ein Versehen, sie einzuladen, ich hoffe, du erzählst es Hanna nicht. Das wäre mir unangenehm.«

Trotzdem ging er formvollendet auf die Damen zu, begrüßte sie mit einer Verbeugung und geleitete sie an unseren Tisch.

Marleen stieß Onno an. »Du machst Stielaugen, mein Lieber.«

Er wurde verlegen. »Entschuldigung, aber was ist das?«

Kalli wies auf zwei Stühle, auf denen Frau Weidemann-Zapek und Frau Klüppersberg umständlich Platz nahmen.

»Das ist ja urig hier.« Frau Klüppersberg zeigte auf das Fischernetz unter der Decke, dann entdeckte sie die barbusige Dame über sich, legte ihre Hand vor den Mund und juchzte leise. »Huch, Mechthild, guck mal.«

»Ich glaube, die Damen kennen alle am Tisch?«, fragte Kalli. »Oder soll ich Sie vorstellen?«

Frau Weidemann-Zapek legte ihren glitzernden Kopf schief. »Wir wohnen zwar quasi alle zusammen, aber Ihre Namen kennen wir noch nicht. Ich schlage vor, dass wir uns mit Vornamen anreden, das macht es doch gemütlicher. Ich heiße Mechthild und meine Freundin hört auf den schönen Namen Hannelore.«

»Das ist gut.« Mein Vater hob sein Bierglas. »Ich kann mir diese albernen Doppelnamen sowieso nicht merken. Also, ich bin Heinz und das ist meine Tochter Christine.«

Mechthild Weidemann-Zapek sah ihn hingerissen an. »Heinz, stellen Sie uns auch Ihre Freunde vor?«

»Klar, neben mir sitzen Onno, Kalli und Marleen, gleich kommen noch Dorothea und Nils. So, die Damen, was soll es zu trinken sein?«

Roland Kaiser schmetterte seinen Schlager ›Sieben Fässer Wein‹ im Hintergrund. Ich schluckte, es würde ein anstrengender Abend werden.

Die Damen entschieden sich erst mal für ein Fläschchen, als Dorothea und Nils eintraten. Kalli winkte sie zu uns.

»Da seid ihr ja. Dorothea, möchtest du auch einen Moselwein?«

Dorothea schüttelte sich. »Bestimmt nicht. Ich nehme ein Bier.«

»Nils?«

»Ich auch. Danke.«

Mechthild musterte Dorothea skeptisch, mein Vater beruhigte sie: »Dorothea ist Künstlerin.«

»Ach …« Mechthild wirkte nicht sonderlich beruhigt. »Ich finde, wenn Frauen Bier trinken, hat das manchmal so was Gewöhnliches.«

Dorothea starrte sie sprachlos an. Onno nickte, worauf Marleen ihm mit einem bösen Blick den Ellenbogen in die Seite rammte und zur Bedienung sagte: »Ich möchte auch ein Bier. Und du, Christine?«

»Ja.« Ich lächelte Frau Weidemann-Zapek zuckersüß an. »Ein großes, bitte.«

Statt zu antworten, drehte sie sich zu meinem Vater und legte ihre beringte Hand auf seine.

»Ich habe Ihr Bild heute in der Zeitung gesehen. Ich wusste ja gar nicht, um was Sie sich alles kümmern.«

Marleen bekam einen Hustenanfall, während ich meinen Vater beobachtete, wie er ein verdutztes Gesicht machte und schnell seine Hand wegzog, um sich am Kinn zu kratzen.

»Ach, das kennt man doch, die Medien bauschen immer alles auf. Ich bin nur ein Teil der Mannschaft.« Er lächelte bescheiden und ich überlegte, ob man Mechthild öfter um ihre Hand bitten sollte.

Als die Getränke kamen, bestand Kalli darauf, die Weinflasche selbst zu öffnen. Hannelore klatschte in die Hände, als er ihr Glas füllte.

»Wunderbar, wie Sie das machen, Kalli. Dann heben wir doch gleich das Glas auf Sie. Prösterchen!«

»Ich denke, das ist für Kallis Enkelin«, ließ sich Onno vernehmen.

»Ja.« Kalli sah stolz in die Runde. »Wir trinken auf meine neue Enkelin, auf Anna-Lena. Zum Wohl.«

Hannelore Klüppersberg hob ihr Weinglas noch einmal an.

»Und auf ihren reizenden Großvater.«

»Reizend? Na ja.« Onno guckte skeptisch, trank aber trotzdem.

Mechthild Weidemann-Zapek sah sich interessiert um.

»Christine, Sie sagten doch, dass dies ein Tanzlokal sei. Ich sehe aber gar keine Tanzfläche. Gibt es noch einen Nebenraum?«

Ich hob die Hände. »Ich kannte die ›Haifischbar‹ nicht, tut mir leid. Anscheinend wird hier nicht getanzt. Nur getrunken.«

Mein Vater nickte. »Das sieht hier wirklich nicht nach Tanz-schuppen aus. Das macht aber auch nichts, wissen Sie, ich habe ein Hüftleiden, da kann ich sowieso nicht mithalten.«

Mechthilds Kichern und ihr Zwinkern in meine Richtung konnte er zum Glück nicht deuten. Ich beschloss, sie zu ignorieren. Hannelore wandte sich an Onno.

»Sie sind doch Insulaner. Wo gehen Sie denn normalerweise tanzen?«

Onno zuckte zusammen. »Ich tanze nie. Da müssen Sie sich schon jemand anderen suchen. Ich gehe nur Karten spielen.«

»Apropos jemand anderen«, Mechthild drehte sich abrupt zu Marleen, wobei ihr ein Schmetterling aus dem Haar ins Glas fiel, »ich habe vorhin diesen gut aussehenden jungen Mann mit seinem Gepäck gesehen, diesen Herrn Thiess, ist er schon wieder abgereist?«

Marleen verfolgte die Kreise des Pailettentierchens im Glas. »Ja, warum?«

»Ach?« Mein Vater sah zu mir. Ich konzentrierte mich darauf, Tropfen vom Glas zu wischen.

Frau Weidemann-Zapek ließ nicht locker. »Er wollte doch eine Woche bleiben. Das hat er uns vorgestern erzählt, da haben wir mit ihm ein Tässchen Kaffee im Ort getrunken. Ist da etwas passiert?«

Marleen guckte unbeteiligt. »Das habe ich nicht gefragt. Das geht ja auch keinen etwas an. Vielleicht hat es ihm hier einfach nicht gefallen.«

Mein Vater entrüstete sich sofort. »Nicht gefallen? Norderney ist doch schön. Die Strände, der Ort und dann das schöne Wetter. Ich weiß wirklich nicht, was er noch will. Was ist das denn für ein Dummkopf?«

Ich war drauf und dran, Johann zu verteidigen und alles zu erklären. Doch noch bevor ich den Mund aufbekam, ging die Eingangstür auf und Gisbert von Meyer stürmte herein. Ich stöhnte, mein Vater sprang auf und strahlte.

»Da ist er ja. Komm, setz dich zu uns.« Er wandte sich an die Damen. »Darf ich vorstellen? Frau Weidemann-Zapek, Frau

Klüppersberg, die Damen wohnen in der Pension, Herr von Meyer, Journalist.«

GvM gab beiden die Hand und machte eine zackige Verbeugung. »Angenehm. Darf ich fragen, aus welcher schönen Gegend Sie kommen?«

»Aus Münster-Hiltrup.« Hannelore klimperte mit den Augenlidern. »Wir sind Geschäftsfrauen aus Münster-Hiltrup.«

»Geschäftsfrauen?« Das war meinem Vater neu. Mir auch.

»Aber ja.« Mechthild Weidemann-Zapek spürte das Interesse. »Wir führen ein Handarbeitsgeschäft.«

Darum. Ich musste sofort zur Toilette.

Im Waschraum nutzte ich die Zeit, um mein Handy zu kontrollieren. Es war eine SMS eingegangen: »Bin wieder in heimischen Gefilden, hoffe, dass sich alles schnell klärt, damit wir uns bald wiedersehen. Johann.«

Zufrieden wusch ich mir die Hände.

Als ich zurück an den Tisch kam, war der Geräuschpegel gestiegen. Hannelore Klüppersberg beschrieb ihre Eindrücke von Norderney, Mechthild unterbrach sie immer wieder und Gisbert machte sich eifrig Notizen auf einem Bierdeckel. Hier schien der morgige Artikel unseres Starkolumnisten zu entstehen. Ich sah schon die Überschriften vor mir: »Gestrickt ins Watt« oder »Münster mischt auf« oder »Maschen auf der Pirsch«.

Gisbert deutete mein unterdrücktes Lachen falsch, er lächelte mich sehnsüchtig an. Schnell setzte ich mich so, dass ich ihn nicht dauernd sehen musste, aber er hob seinen kleinen Hintern ein Stück und beugte sich vor.

»Christine, warst du eigentlich auch schon auf dem Leuchtturm? Hannelore und Mechthild waren ganz hingerissen vom Panorama. Das haben sie gerade erzählt. Es lohnt sich wirklich.«

Ich bemühte mich, nicht zu unwirsch zu klingen. »Nein.«

»Wie bitte?«

»Nein«, ich wiederholte es lauter, »nein, ich war noch nicht auf dem Leuchtturm.«

Er würde gleich einen Krampf im Oberschenkel bekommen,

wenn er seine Sitzhaltung nicht änderte. »Na, wunderbar, dann hole ich dich morgen Nachmittag ab. Man kann den Turm von 16 bis 17 Uhr besichtigen. Das ist sehr romantisch.«

Jetzt musste ich seinen Blick doch erwidern. »Vielen Dank, das ist sehr nett von dir, aber ich habe furchtbare Höhenangst. Du kannst ja stattdessen Heinz mitnehmen.«

»Seit wann hast du ...?«

Ich trat meinem Vater auf den Fuß. Er guckte böse hoch. »Aua, du bist mir ...«

Ich streichelte ihm tröstend die Hand. »Entschuldigung, ich dachte, das wäre das Tischbein. Du warst doch auch noch nicht auf dem Leuchtturm, dann kannst du das Angebot doch annehmen. Wenn es Gisbert schon so nett anbietet.«

»Na klar.« Er nickte Gisbert zu. »Dann gehen wir morgen zusammen da rauf.«

Gisberts Lächeln war dünn, er setzte sich wieder und zog einen Schmollmund.

»Sagen Sie mal, Gisbert«, Mechthild Weidemann-Zapek schien die Schlappe, die der Inseljournalist soeben eingesteckt hatte, gar nicht mitbekommen zu haben, »das muss doch ein wahnsinnig aufregender Beruf sein, den Sie hier haben. Ich kenne mich ja nicht aus. Müssen Sie über alle Themen schreiben, die es gibt?«

GvM war sofort wieder der Alte. »Ich muss nicht, Gnädigste, ich kann. Wissen Sie, die meisten Kollegen haben Vorlieben und Abneigungen. Manche Artikel gelingen ihnen gut, andere gehen völlig daneben. Meine Interessen hingegen sind weit gespannt, so geht mir alles leicht von der Hand, wenn ich das mal so sagen darf. Ob Tourismus, Sport, Politik, Prominente, ich schreibe über alles.«

Mit einem Augenaufschlag verfolgte er die Wirkung seiner Worte. Onno gähnte, Marleen tuschelte mit Kalli, dafür sahen Hannelore und Mechthild aus wie zwei Teenies, die zum Tokio-Hotel-Konzert durften.

»Prominente auch? Wen haben Sie denn schon alles getroffen?«, rief Hannelore aufgeregt. »Sind viele Stars auf der Insel?«

Gisbert schaute sich auffällig um, dann senkte er seine Fistelstimme. »Sie wollen ihre Ruhe haben, deshalb kommen sie doch nach Norderney. Ich bitte um Ihr Verständnis, meine Damen, aber meine journalistische Ehre gebietet mir, die Privatsphäre der Reichen und Schönen zu wahren.«

Die Damen machten enttäuschte Gesichter.

»Und was ist mit Sport?« Meinem Vater waren die Reichen und Schönen von jeher egal.

Gisbert gab sich lässig. »Alles.«

»Wie, alles? Was gibt es denn hier für Sport?«

»Mein lieber Heinz, ich berichte übers Surfen, über die Hochsprungwettkämpfe, über Fußball natürlich ...«

»Und über welche Spiele?«

»Ich schreibe zum Beispiel immer ausführlich über das Trainingslager der Bundesligamannschaften auf Norderney.«

»Welche Mannschaften trainieren denn hier?«

Gisbert straffte seinen schmächtigen Körper. »Werder Bremen.«

Mein Vater winkte ab. »Ach so, Werder ... Und sonst?«

Mechthild Weidemann-Zapek hatte sich wieder gefangen. »Können Sie uns nicht einen klitzekleinen Namen nennen? Einen Schauspieler oder einen Sänger vielleicht?«

Kalli beugte sich in ihre Richtung und winkte sie näher. Beide Damen streckten neugierig ihre Hälse.

»Per Mertesacker.«

Sie sahen sich an. Hannelore sagte leise:»Oh.«

Ich hörte Marleens Stimme an meinem Ohr. »Noch nie gehört. Wo hat der denn mitgespielt? In welchem Film?«

»Verteidiger. Bei Werder Bremen«, flüsterte ich zurück.

»Gisbert, wir können Ihnen versichern, dass wir niemals aufdringlich sind«, sagte plötzlich die Promijägerin Weidemann-Zapek. »Sie hätten uns ruhig ein paar Namen sagen können, schließlich wissen wir zur Genüge, wie wichtig das Privatleben der Stars ist. Wissen Sie, in Münster-Hiltrup kennt uns auch so gut wie jeder. Das ist manchmal nicht einfach und ...«

Gisbert gab sich einen Ruck und neigte sich vor.

»Sean Connery«, sagte er mit vibrierender Stimme.

»Was?«

»Sean Connery, aber pst ...«

Die Damen waren kurz vor einer Ohnmacht.

»Wer denn noch außer Werder Bremen?« Meinem Vater war die Prominenz immer noch egal. Kalli griff ein. »Das reicht doch.«

Heinz warf ihm einen genervten Seitenblick zu und fixierte Gisbert von Meyer, der auf seinem Stuhl hin und her rutschte. »Ach, Sport ist doch nicht alles. Ich schreibe auch über Kriminologie, zum Beispiel.«

»Über was?« Dieser Themenwechsel kam sogar meinem Vater zu abrupt.

»Na, Verbrechen, Mord und Totschlag, Betrug und Verrat, Nepper, Schlepper, Bauernfänger. Auch darüber muss berichtet werden.«

»Sean Bond, ähm, Sean Connery? Wo wohnt er hier?« Hannelore hatte rote Flecken am Hals.

Gisbert sah sie streng an. »Pst.«

»Als ob es hier viele Mörder gäbe.« Onno nahm sein Bierglas. »Oder, Kalli? Kennst du einen?«

Kalli schüttelte den Kopf. »Keinen einzigen. So ein richtig kriminelles Pflaster ist das hier nicht. Mit Glück gibt es mal einen Handtaschenraub oder einen Ladendiebstahl. Sonst passiert nicht viel.«

Jetzt kam Gisbert von Meyers großer Auftritt. Er fuchtelte aufgeregt mit den Händen.

»Das denkt ihr aber auch nur. Wisst ihr, wo ich heute war?«

Kollektives Schulterzucken.

»In Emden. Auf einer Pressekonferenz der Polizei.«

Kalli war noch nicht überzeugt. »Na und? Da haben wir doch nichts mit zu tun.«

»Doch.« Gisberts Antwort kam wie ein Schuss. »Ich sage nur: Heiratsschwindler auf der Flucht. Er wird auf den Inseln vermutet.« Triumphierend blickte er in die Runde, wurde aber durch Gesas Ankunft unterbrochen.

»Guten Abend, tut mir leid, dass ich jetzt erst komme, aber ich war noch bei meiner fußkranken Schwester. Habe ich was verpasst? Ihr guckt so komisch.«

Onno legte ihr die Hand auf die Schulter. »Hast du unterwegs einen Heiratsschwindler getroffen?«

»Woran erkenne ich denn einen Heiratsschwindler?«, fragte Gesa verwirrt.

Ich erklärte es ihr. »Er verspricht dir die Heirat und tut es nicht.«

»Nö«, Gesa zog den Reißverschluss ihrer Jacke auf, »heute wollte mich noch niemand heiraten. Es sei denn … Heinz, wie wäre es denn mit uns beiden?«

Gisbert schlug mit der flachen Hand auf den Tisch. »Ihr nehmt das nicht ernst. Die Pressekonferenz dauerte über zwei Stunden, das würde die Polizei nicht machen, wenn der Kerl keine ernstzunehmende Bedrohung wäre.«

Kalli lehnte sich entspannt zurück. »Also ich fühle mich von Heiratsschwindlern nicht bedroht. Was sollen die auch mit mir?«

Mechthild hingegen machte ein besorgtes Gesicht. »Können Sie uns Einzelheiten erzählen oder dürfen Sie das nicht?«

»Ob ich das darf?« GvM war jetzt ganz Robin Hood. »Ich muss sogar. Es ist meine Aufgabe, diesem Verbrecher Einhalt zu gebieten. Ich muss die potenziellen Opfer warnen, sie aufklären, wenn nicht sogar beschützen.«

Marleen und ich ergaben uns dem Lachkoller. Gisbert sprang entrüstet auf, deutete auf mich und schrie fast:

»Du lachst, Christine, dabei könntest du sein nächstes Opfer sein.«

Ich war zu keiner Antwort fähig. Gesa blieb ungerührt, zündete sich eine Zigarette an und meinte: »Das glaube ich nicht, die suchen sich doch immer alte, abgetakelte und einsame Frauen aus. Christine ist zu jung und hat viel zu wenig Kohle. Und Papa an den Hacken.« Als sie die Blicke von Frau Weidemann-Zapek und Frau Klüppersberg bemerkte, lächelte sie verlegen. »Oh, Entschuldigung, so habe ich das nicht gemeint.«

Die Mienen der Damen schienen gefroren.

Gisbert, der Retter, von Meyer klärte uns auf: »Die Vorgehensweise dieses Subjekts ist immer gleich. Er mietet sich in ein Hotel ein und bandelt mit einer Angestellten an. Ihr verspricht er die große Liebe, sie erzählt, ohne sein perfides Spiel zu durchschauen, von den anderen Gästen. Während sie arbeitet, nimmt er Kontakt zu seinen Opfern auf, und zwar immer zu alleinreisenden, älteren Damen. Wer in Frage kommt, weiß er von der Angestellten. Und denen erzählt er, man habe ihm sein Geld gestohlen, also helfen sie ihm aus. Genialer Plan. Die Polizei weiß von vier Geschädigten, eine in Leer, eine in Aurich und zwei in Emden. Dort verliert sich seine Spur. Man vermutet ihn auf den Inseln. Entweder hier oder auf Juist oder Borkum.«

Ich bemerkte Marleens Seitenblick. Sie sah zu viele Krimis, daher kam wohl auch ihr dauerndes Misstrauen. Bevor sie fragen konnte, tat ich es:

»Und wie sieht er aus?«

Gisbert von Meyer wurde durch mein Interesse befeuert. Er kramte einen Notizblock aus seiner Herrenhandtasche und blätterte darin.

»Ja, es gibt eine genaue Beschreibung. Er ist Mitte Vierzig, ungefähr 1,80 groß, normale Figur, braune Augen, volles Haar. Und er gibt sich äußerst charmant.«

»So sehen Millionen von Männern aus«, beruhigte ich mich selbst und vermied den Augenkontakt mit Marleen.

Sie hakte nach. »Und wie ist er aufgeflogen?«

GvM blätterte weiter. »Vor einer Woche war er in einem Hotel in Emden, wo er eine Kosmetikerin bezirzt hat, die in dem Hotel arbeitet. Sie ist misstrauisch geworden, als sie ihn zweimal mit älteren Damen beim Kaffeetrinken in der Stadt gesehen hat. Ihr gegenüber hat er behauptet, das erste Mal in Emden zu sein und niemanden zu kennen. Und obwohl sie so verliebt war, hat sie ihn zur Rede gestellt, er hat alles abgestritten und musste plötzlich weg, angeblich wegen geschäftlicher Termine. Er kam natürlich nicht wieder. Die Kosmetikerin hat dann mit den Damen gesprochen, und die haben ihn angezeigt.«

Auf einmal war mir sehr warm, die Luft war stickig, ich hätte gern geraucht.

Onno hatte aufmerksam zugehört. »Was kann man denn damit so verdienen?«

Auch hier hatte Gisbert mitgeschrieben. »Die vier Damen, die Anzeige erstattet haben, sind zusammen um 5000 Euro betrogen worden. Die Polizei glaubt aber, dass sie nicht die Einzigen sind, es ist den meisten ja auch peinlich.«

Onno schüttelte fassungslos den Kopf. »Und ich lege für zwanzig Euro Stundenlohn Leitungen. Sag mal, Heinz, meinst du, wir kommen da noch rein?«

Gisbert sah ihn tadelnd an. »Und außerdem zahlt er nie seine Hotelrechnungen, das kommt noch dazu.«

Ich atmete erleichtert aus. Johann hatte bezahlt. Wenn auch von meinem Geld.

Marleen stand plötzlich auf. »Dann sind wir ja informiert. Ich muss los, ich will noch meine Buchführung machen. Danke für das Bier Kalli, bis morgen dann, gute Nacht.«

Bevor sie verschwand, legte sie kurz die Hand auf meine Schulter.

Mein Vater sah ihr nach, bis die Tür hinter ihr zufiel. Dann drehte er sich wieder zu uns. Seine Stimme klang aufgeregt.

»Ich wollte ja nichts sagen, so lange Marleen dabei ist, sie stellt sich immer so mit ihren Gästen an. Aber ich hatte bei diesem Mann gleich so ein komisches Gefühl, Kalli, wie heißt der noch, der mit den tückischen Augen?«

Kalli hatte keine Ahnung, dafür antworteten Weidemann-Zapek und Klüppersberg im Chor: »Thiess.«

Mir wurde immer wärmer. Mein Vater schlug auf den Tisch.

»Genau, Thiess. Der hatte was Merkwürdiges an sich. Und er hat sich gleich an Christine rangemacht. Das ist doch eindeutig.«

»Was?« Gisbert sprang schon wieder auf und starrte mich an.

»Ach, Quatsch, er hat sich doch nicht an mich rangemacht.

Wir haben uns nur einmal im Hof unterhalten.« Meine Stimme war so dünn, dass ich mir selbst nicht geglaubt hätte.

Hannelore Klüppersberg war jetzt auch aufgeregt. »Aber er hat uns zum Kaffee eingeladen. Auf der Marienhöhe. Wir trafen ihn auf der Promenade und er lud uns sofort ein.«

»Ich habe es dir nie erzählt, Hannelore, ich wollte dich nicht beunruhigen, aber ich hatte das Gefühl, dass er uns beobachtet«, fügte Mechthild hinzu.

»Nein.« Hannelore schlug entsetzt die Hand vor den Mund. »Mechthild.«

Mein Vater sah aus wie Derrick. »Na bitte! Das sind doch eindeutige Indizien.«

Gesa stützte ihr Kinn auf die Faust. »Haben Sie ihm denn Geld geliehen?«

Gespannt warteten alle auf die Antwort. Hannelore schüttelte den Kopf. »Er hat gar nicht gefragt.«

Gisbert war enttäuscht. »Mechthild, Sie auch nicht?«

»Nein. Leider.«

Gesa nahm Erdnüsse aus einer Schale und steckte sie in den Mund. »Tolle Indizien.«

»Gesa«, sagte mein Vater belehrend, »er nimmt doch erst mal Kontakt auf. So ein Verbrecher fällt nicht gleich mit der Tür ins Haus. Der kocht seine Opfer erst mal weich. Vertrauen schaffen, dann ausnehmen. Ganz einfach.«

»Du kennst dich ja aus.« Onno legte den Kopf schief. »Woher weißt du das? Oder bist du das selbst? Wo warst du letzte Woche?«

Mechthild kicherte. »Ach, Heinz, Ihnen würde ich sofort Geld leihen.«

»Sag mal Heinz«, Onno erwärmte sich zusehends für die Geschichte, »was darfst du denn zur Rente dazuverdienen?«

Mein Vater winkte ungeduldig ab. »Ihr werdet albern. Bleibt bei der Sache.«

Onno grinste schief. »Ich bin bei der Sache.« Er hatte schon einen im Tee.

Gisbert von Meyer trommelte mit den Fingern auf den Tisch.

»Heinz, wenn du Beweise hast, sollten wir das verfolgen. Hast du ihn beobachten können? Erinnere dich bitte, alles kann wichtig sein.«

Mein Vater fühlte sich sofort wahnsinnig wichtig, er kniff seine Augen zusammen und ging in sich. Gesa war die Rettung. »Ihr seid auf dem Holzweg. Herr Thiess ist niemals ein Heiratsschwindler. Außerdem ist er heute Morgen abgereist. Und er hat alles bezahlt. In bar übrigens.«

»Das heißt gar nichts. Vielleicht hat er gemerkt, dass ich schon misstrauisch geworden bin.« Mein Vater gab nicht auf.

Gesa sah ihn geduldig an. »Ihr müsst euch einen anderen Verdächtigen suchen. Er ist nur zurückgefahren, weil er einen dringenden Termin hatte, er kommt morgen oder übermorgen wieder. Am besten, ihr fragt ihn dann gleich, ob er kriminell ist.«

»Dringender Termin …« Gisbert machte sich Notizen. »Das hat er in Emden auch behauptet. Und vielleicht kommt er wieder, um dann zuzuschlagen. Bislang hat er anscheinend noch keines seiner Opfer angepumpt.«

Ich guckte so angestrengt harmlos, dass ich Kopfschmerzen bekam. Gisbert beobachtete mich.

»Christine, du bist ganz blass. Ich hoffe, ich habe dich nicht in Angst und Schrecken versetzt. Du brauchst dir keine Sorgen zu machen, ich werde mein Möglichstes tun, um diesen Gauner zur Strecke zu bringen.«

»Sicher.« Ich versuchte ein Lächeln und kniff Gesa dabei in den Oberschenkel. »Ich habe nur ein bisschen Kopfschmerzen, wahrscheinlich vom Streichen, ich mache mich auf den Weg. Du wolltest auch los, Gesa, oder?«

»Ja, ja«, sie rieb sich ihr Bein und stand auf, »wir können zusammen gehen. Bis morgen und viel Erfolg bei der Verbrechensbekämpfung.«

»Ich begleite euch«, rief Gisbert und wollte aufspringen.

»Bleib sitzen!« Mein Vater reichte mir meine Handtasche. »Die sind doch zu zweit und der Verbrecher ist heute abgereist. Lass uns mal einen Plan machen, wie wir vorgehen wollen. Nacht, Kind, bis später. Tschüss, Gesa.«

Draußen atmete ich tief durch. Gesa stupste mich grinsend an.

»Dieser Schreiberling steht ja richtig auf dich.«

»Hör bloß auf, er geht mir so dermaßen auf die Nerven.«

»Na ja, jetzt ist er erst mal mit der Ganovenjagd beschäftigt.« Gesa lachte leise. »Der arme Herr Thiess. Dabei ist der ganz nett. Und sieht so gut aus.«

Genau das war auch mein Problem. Ich bemühte mich um Neutralität.

»Ich glaube, das ist eine Grundvoraussetzung für Heiratsschwindler. Außerdem ist Thiess zu alt für dich.«

»Ich will ihn ja nicht heiraten.« Gesa blieb stehen und kramte nach ihren Zigaretten. »Aber Thiess sucht keine alte reiche Alleinreisende. Er hat mich über Marleen ausgefragt, ich glaube, er interessiert sich für sie.«

»Was wollte er denn wissen?«

»Wie alt sie ist und ob ich ihren Freund kenne.«

»Und?«

»Was heißt und? Du weißt doch, wie alt sie ist. 50. Und ihren Freund kenne ich nicht, hat sie überhaupt einen? Kennst du den?«

Mir tat mein Herz weh. »Nein. Weißt du, was Herr Thiess hier macht?«

Gesa hob die Schultern. »Nicht genau. Ich habe ihn gefragt, warum er überall fotografiert, er hat gesagt, das wäre sein Job. Vielleicht ist er Fotograf und die Pension taucht nächstes Jahr in einem Kalender auf. Wäre doch eine tolle Werbung.«

Sein Job? Er war doch Banker! Ich mochte nichts mehr fragen, wir gingen schweigend weiter, bis wir vor Gesas Haus standen.

»Also dann, gute Nacht, Christine, bis morgen im Strandkorb. Ach übrigens, wenn er Heiratsschwindler wäre, würde er doch niemandem sagen, wo er sich gerade aufhält, oder?«

»Vermutlich nicht. Wieso?«

Gesa schloss die Haustür auf. »Weil er in der Pension mindestens vier Anrufe von einer Frau bekommen hat. Sie sagte, er hätte sein Handy aus, und hat mich gebeten, ihm zu sagen, dass er sie zurückrufen solle. Ganz nette Stimme.«

»Aha.«

Gesa drehte sich in der offenen Tür um. »Ich glaube, es war seine Frau. Sie sagte, er solle Mausi anrufen, so heißt doch keiner mit Nachnamen. Ich verstehe dann nur nicht, was er von Marleen will. Na egal, aber ein Heiratsschwindler ist Thiess garantiert nicht. Also, gute Nacht.«

»Gute Nacht, Gesa.«

Langsam ging ich zur Ferienwohnung. Ich ließ das Licht ausgeschaltet und tappte im Dunkeln auf die Terrasse. Dort setzte ich mich auf die Stufen und sah in den Sternenhimmel hinauf. Und fragte mich, in was für ein Durcheinander ich da geraten war.

Möwe, du fliegst in die Heimat
– Magda Hain –

Die laut trällernde Stimme meines Vaters weckte mich am nächsten Morgen.

»Und immer, immer wieder geht die Sonne auf ...«

Ich zog mir das Kissen über den Kopf, aber das Klingeln des Telefons eine Minute später drang trotzdem durch. Einmal, zweimal, dann Dorotheas Rufe aus dem Badezimmer.

»Heinz, bist du taub? Telefon!«

»Dadadada ...«, das Telefon wurde abgenommen, »guten Morgen, hier singt die ›Haifischbar‹, oh, hallo, ich dachte, es wäre Kalli. Na, mein Schatz, was macht das Knie?«

Ich warf das Kissen auf den Boden und spitzte die Ohren.

»Das ist ja schön. Siehst du, ich habe es immer gesagt, Übung macht den Meister. Tut es denn noch weh?«

Während meine Mutter redete, zog mein Vater die Luft durch die Zähne. Aha, sie schilderte die Details.

»Ehrlich? ... Blaue Flecken am Oberschenkel? ... Von der Kompresse? Sag bloß. Sollen wir die Klinik verklagen?«

Wieder ein Moment der Stille.

»Wirklich nicht? Das musst du entscheiden ... Und du hast keine Schmerzen? ... Das sieht nur nicht gut aus? Na ja, du trägst ja sowieso keine kurzen Röcke mehr.« Er kicherte. »Dann bin ich ja beruhigt. Hier? ... Du, hier ist alles in Ordnung ... Nein, wir verstehen uns alle prima. Ich finde, Marleen ist ein bisschen überfordert, aber das ist eigentlich auch kein Job für eine Frau, da kannst du sagen, was du willst. Ich weiß gar nicht, was sie ohne uns gemacht hätte. Ich glaube, sie ist wirklich froh, dass Kalli und ich Ordnung reinbringen. Wer? ... Dorothea?«

Er senkte seine Stimme, ich setzte mich auf, um ihn besser verstehen zu können.

»Also, ehrlich, das mit den Mädchen ist wie mit einem Sack Flöhe. Wir haben einen Innenarchitekten, ich finde das ja ein bisschen albern, also, wenn Marleen uns das rechtzeitig gesagt hätte, so ein paar Pläne, wo was hinkommt, hätten Kalli und ich auch hingekriegt, weißt du, Kalli konnte früher schon so gut zeichnen ... Jedenfalls, dieser Innenarchitekt, das ist so ein langhaariger Künstlertyp, man weiß ja nie bei denen. Und was passiert? Dorothea scharwenzelt gleich um ihn rum, oder er um sie, wir haben den Anfang nicht so mitbekommen.«

Ich stellte mir vor, was meine Mutter antwortete. Ganz falsch lag ich wohl nicht.

»Ich mische mich doch nicht ein, was du immer gleich von mir denkst! Nein, ich habe sie ja machen lassen, aber sie war zwei Nächte aushäusig. Ich habe doch irgendwie die Verantwortung. Gestern Abend haben wir das aber geklärt.«

Meine Mutter regte sich anscheinend auf.

»Quatsch, so bin ich auch wieder nicht ... Ich weiß selbst, wie alt sie ist ... Nein, nein, wir haben Carsten Jensen angerufen, von der Kneipe aus, das ist der Vater von diesem Nils, diesem Langhaarigen, Kalli kennt ihn und hat ihn zum Bier eingeladen. Um aufs Baby anzustoßen, weißt du, ganz unauffällig.«

Die arme Dorothea, ich hatte fast ein schlechtes Gewissen, sie mit den alten Herren allein gelassen zu haben.

»Ein ganz feiner Kerl, dieser Carsten ... Nein, Dorothea und Nils waren natürlich schon weg, wir sind ja diskret. Aber wir haben uns erkundigt, wie der Junge von Carsten so ist. Das klingt aber alles ganz vernünftig, obwohl sie auch viel Kummer mit ihm hatten. Er hat ja so lange eingenässt, bis er fast sechs war, und dann hatte er so viele Pickel in der Pubertät.«

Armer Nils. Mein Vater würde von nun an ständig darauf dringen, dass er rechtzeitig zur Toilette ging.

»Aber das ist jetzt alles in Ordnung. Und ernähren kann er Dorothea auch, Carsten wusste genau, was sein Sohn verdient. Der hilft uns jetzt auch noch ein bisschen mit … Wer? … Carsten Jensen natürlich, in drei Tagen ist ja schon die Einweihung.«

Na, wunderbar, jetzt waren die Wonderboys der Baustelle schon zu viert. Ich setzte mich auf den Bettrand und zog mir Socken an. Das Gespräch ging wohl in die letzte Runde, mein Vater bekam wohl noch Anweisungen von meiner Mutter, seinen kurzen Antworten nach zu schließen. Ich stand auf, um ins Bad zu gehen, blieb jedoch gerade noch rechtzeitig an der Tür stehen.

»Ach, das habe ich dir noch gar nicht erzählt, stell dir vor, wir konnten gerade noch verhindern, dass Christine einem Heiratsschwindler zum Opfer fällt. Also, ich habe mir gleich gedacht, dass da etwas im Busch ist … Ja, genau, dieser Typ, von dem ich dir erzählt habe, der mit dem stechenden Blick … Was? … Ach, tückische Augen ist dasselbe … Woher ich das weiß? Mein neuer Bekannter, Gisbert, der von der Zeitung, hat das aus erster Hand. Dieser Ganove macht sich übers Hotelpersonal an alte Damen ran und nimmt sie aus wie die Weihnachtsgänse. Das hat er hier auch versucht … Nein, bis zu den alten Damen ist er gar nicht gekommen, er hat nur Christine angebaggert, da wurde ich schon misstrauisch. Wie bitte? … Natürlich hat er das gemerkt, er hat bezahlt und ist geflohen … Doch, er hat bezahlt, aber wer weiß denn, mit welchem Geld? … Aber es ist trotzdem eine Flucht … Mach dir mal keine Sorgen, ich bin auf der Hut, der traut sich nicht mehr hierher. Norderney ist für ihn verbrannte Erde … Natürlich bin ich mir sicher, wir haben gestern Abend noch einen Freund von Gisbert angerufen, der in Bremen wohnt. Ihn haben wir zu der Adresse geschickt, wo dieser Thiess wohnt. Und jetzt halt dich fest: In dem Haus gibt es gar keinen Johann Thiess!«

Ich holte Luft. Falls Gisbert von Meyer überhaupt einen Freund hatte, der noch dazu in Bremen wohnte, was, um alles in der Welt, sollte den bewegen, mitten in der Nacht auf fremde Klingelschilder zu starren? Absurd! Ich war die Tochter meiner Mutter.

»Wieso? Was weiß ich, Gisbert hatte wohl noch etwas gut bei ihm. Und außerdem wohnt er nur zwei Straßen weiter ... Woher wir die Adresse wussten? Na, er hat doch einen Meldezettel ausgefüllt ... Nein, Marleen hat einen Kopierer.«

Ich konnte meinen Vater von der Tür aus sehen, er stand mit dem Rücken zu mir. Jetzt zog er den Kopf ein.

»Wieso regst du dich so auf? So ein Meldezettel ist keine Stasi-Akte, den kann man doch kopieren. Warum denn nicht? ... Du bist genauso leichtgläubig wie deine Tochter ... Wenn er unschuldig wäre, hätte er nicht fliehen müssen ... Nein, das haben wir noch nicht gemacht. Wir werden heute Mittag einen kleinen Bericht für die Polizei schreiben, vielleicht kann Dorothea den Verbrecher auch zeichnen. Ja, das ist überhaupt eine gute Idee, also ...«

»Wen kann ich zeichnen?« Dorothea war im Bademantel mit nassen Haaren aus dem Badezimmer gekommen und baute sich vor meinem Vater auf. Er lächelte sie an.

»Da kommt ja die geduschte Künstlerin. Also, dann pass auf dich auf und trainiere dein Bein. Ich halte dich auf dem Laufenden, bis später, tschüss.«

Er legte auf und sah mich in der Tür stehen. »Aha, du bist auch schon wach. Schöne Grüße von deiner Mutter. Es geht ihr gut.«

»Wen soll ich denn jetzt zeichnen?«, hakte Dorothea nach.

»Na, diesen Thiess. Die Polizei braucht ein Phantombild.«

»Ihr habt doch einen Vogel!« Ich ging an meinem Vater und Dorothea vorbei ins Bad. »Herr Thiess kommt heute oder morgen wieder, er hatte nur etwas zu erledigen, außerdem hat er sein Zimmer bezahlt, euer Heiratsschwindler ist aber ein Zechpreller.«

Mein Vater hob den Zeigefinger. »Er hat gemerkt, dass ich ihm auf die Spur gekommen bin. Und seine Adresse war falsch.«

Dorothea, die Teile des Telefonats anscheinend ebenfalls mitgehört hatte, sah mich nachdenklich an.

»Also, das mit der Adresse finde ich auch ein bisschen komisch, aber dafür kann es auch irgendeine andere Erklärung geben. Heinz, im Ernst, findest du nicht, dass Herr von Meyer ein ziemlicher Spinner ist?«

»Dorothea!« Heinz war entrüstet. »Gisbert ist ein ausgesprochen feiner Mensch. Er ist vielleicht etwas umständlich und schüchtern, aber ich würde ihm sofort meine Tochter anvertrauen. Das ist ein Mann fürs Leben, kein Hallodri oder Betrüger, nicht wahr, Christine?«

»Um Himmels willen, das fehlte mir noch.«

Ich flüchtete ins Badezimmer.

»Wenn sie ihn erst besser kennenlernt, traut sie sich auch. Weißt du, sie hat ja viel Pech mit Männern gehabt, deshalb muss sie erst lernen, sich wieder auf jemanden einzulassen«, hörte ich meinen Vater zu Dorothea sagen.

Sie lachte. »Hast du das in der ›Brigitte‹ gelesen? Heinz, mit Verlaub, du hast keine Ahnung, was Frauen sich wünschen.«

»Wieso?«

»Ich bitte dich, Gisbert von Meyer! Der Typ ist ein Witz.«

»Frauen wünschen sich Männer mit Humor.«

Ich drehte die Dusche auf, es war nicht auszuhalten.

Eine halbe Stunde später stand ich in der Küche der Pension und trank mit Marleen einen Kaffee im Stehen. Ich traute mich nicht, das Thema anzusprechen, ich musste es auch nicht, sie fing an:

»Und? Wann fängt Heinz an, die Insel nach dem mutmaßlichen Heiratsschwindler zu durchkämmen?«

Mir fiel ein, dass sie nur den allgemeinen Teil mitbekommen hatte.

»Och, mein Vater und Gisbert haben sich bereits auf einen Verdächtigen geeinigt. Sie wollen nachher einen Bericht für die Polizei schreiben. Mit einem Phantombild.«

Marleen war erstaunt. »Das ging ja schnell. Haben sie ihn in der ›Haifischbar‹ entdeckt?«

»Nein. Hier.« Ich war gespannt auf ihre Reaktion.

»Wieso hier? Ich habe doch keine neuen Gäste.« Sie war wirklich ahnungslos.

»Johann Thiess.«

Marleen lachte und schenkte sich Kaffee nach.

»So ein Blödsinn. Thiess ist abgereist. Und ich habe ihn auch nicht mit alten, einsamen Damen gesehen. Außerdem hat er sein Zimmer bezahlt.«

»Du fandest ihn doch auch komisch«, bohrte ich vorsichtig nach.

»Was heißt komisch, er hat mich ein bisschen verunsichert, weil er mich beobachtet hat. Zumindest habe ich mir das eingebildet. Und dann hat er am Anfang alles fotografiert. Aber vielleicht war auch nur seine Kamera neu. Außerdem hast du dich in ihn verknallt, oder? Und das spricht doch für ihn.«

»Danke, Marleen. Hat er dir nicht gesagt, dass er wiederkommt?«

Sie hob erstaunt den Kopf. »Nein, das hat er nicht. Allerdings hat er das Zimmer bis zum Schluss bezahlt, also so lange, wie er ursprünglich bleiben wollte.«

Sie bemerkte mein Zusammenzucken, da ich mich fragte, warum er ihr das nicht mitgeteilt hatte. Bevor Marleen etwas sagen konnte, stürmte mein Vater in die Küche.

»Marleen! Du musst uns sagen, wenn du hier so mir nichts, dir nichts, die Abläufe änderst. Die Jungs mit dem Fußboden sind jetzt da.«

»Was? Ach, du Schande, das habe ich verschwitzt, tut mir leid. Der Fußboden wird ja heute versiegelt, alles andere hat Pause.«

»Na, toll.« Mein Vater stemmte seine Arme in die Hüfte. »Das ist ja super organisiert. Wenn man nicht alles selbst macht. Ich berate mich mit den anderen.« Er griff sich eine Thermoskanne Kaffee, vier Becher und verschwand.

Marleen wandte sich wieder mir zu. »Das habe ich wahrscheinlich überhört, aber das ist egal, das Zimmer ist ja frei. Ich sehe mal nach, was das für eine Beratung ist, und entschuldige mich bei der Truppe. Ich hatte diesen Fußboden heute überhaupt nicht auf der Liste.«

Ich stellte die Tasse weg und folgte ihr langsam, ungläubig, dass mein Vater einmal recht haben könnte, zumindest was den wunderbaren Johann Thiess betraf.

Mitten auf dem Hof war ein Campingtisch aufgebaut, um den mein Vater, Onno und Kalli saßen sowie ein mir unbekannter, aber Nils ähnlich sehender Mann, der Carsten Jensen sein musste.

»Tja, Marleen«, mein Vater hielt Kalli seinen leeren Becher hin, »da hast du nun arbeitswillige Fachleute, die untätig herumsitzen müssen, nur weil so eine Jungtruppe vom Festland den Boden bohnert.«

Kalli schenkte Kaffee ein. »Die bohnern nicht, Heinz, die schleifen und versiegeln.«

»Das können sie doch auch nachts machen. Wir hängen jetzt hier dumm rum und verplempern Zeit.«

»Ich habe mich entschuldigt.« Marleen hob theatralisch die Arme. »Ich habe vergessen, es euch zu sagen. Meine Güte, dann habt ihr jetzt eben einen freien Tag.«

Die Jungtruppe musste mit ihrem Werkzeug einen Slalom um den Campingtisch veranstalten. Onno und Kalli verfolgten sie mit kritischen Blicken.

»Wir hätten das auch gekonnt.« Kalli war offensichtlich beleidigt.

»Ich habe die Firma schon vor sechs Wochen bestellt, bevor ich wissen konnte, dass ihr alles könnt. Stellt den Tisch doch bitte etwas an die Seite, damit die Handwerker durch können, ich muss wieder rein.«

Sie warf mir einen Hilfe suchenden Blick zu und verschwand. Ich betrachtete das Quartett, das sich nicht einen Zentimeter bewegte.

Carsten Jensen sah zu mir hoch. »Sie sind also die Tochter?«

Mein Vater und ich nickten.

Nils Vater stand kurz auf, machte eine kleine Verbeugung und setzte sich wieder.

»Carsten.«

»Christine«, antwortete mein Vater.

Onno trank seinen Kaffee aus und erhob sich. »Im Gegensatz zu euch bin ich noch kein Rentner. Ich fahre in die Firma zurück, da ist genug zu tun.«

Mein Vater musterte ihn. »Du bist doch auch schon über 60, wie lange willst du denn noch?«

»Onno wird es langweilig, wenn er aufhört«, meinte Carsten, »er muss doch gar nicht mehr. Der hat nur Angst, dass alle denken, er gehört zum alten Eisen.«

Kalli verschränkte seine Arme über der Brust und kibbelte mit dem Stuhl. »Onno ist doch noch jung, er ist erst 63, zehn Jahre jünger als wir.«

»Echt?« Carsten sah von Onno zu Heinz. »Da habt ihr euch aber gut gehalten. Oder Onno schlecht. Ich bin 74.«

»Respekt.« Mein Vater nickte anerkennend. »Das hätte ich nicht gedacht.«

Mir wurde diese Charmeoffensive zu viel. »Also, wenn ihr nichts mehr wollt, gehe ich Marleen helfen.«

»Geh nur.« Kalli winkte lässig. »Wir finden schon eine Beschäftigung. Und wenn nicht, spielen wir Skat. Habt ihr ein Kartenspiel mit?«

»Hier.« Onno zog ein Skatspiel aus seiner Arbeitstasche. »Das habe ich immer dabei, kann ich euch leihen. Und Carsten sieht nur jünger aus, weil er so volles Haar hat. Dafür hat er Bluthochdruck. Tschüss, denn.«

»Echt? Wie hoch ist denn dein Blutdruck? Also meiner ...«

Ich hörte Kalli nicht mehr zu, schließlich machte sich der Frühstücksraum nicht selbst sauber.

Neben Familie Berg saß nur noch das unvermeidliche Damenduo beim Frühstück. Mechthild Weidemann-Zapek wirkte angeschlagen, der Moselwein forderte wohl seinen Tribut. Ihre Freundin Hannelore Klüppersberg hatte sehr nachlässig mit ihrem Puder gearbeitet, eine Gesichtshälfte war ganz, die andere nur knapp bis zum Kinn bestäubt, sie wirkte ein wenig abgehalftert. Zumal beide ihre Frisuren nicht so ganz im Griff hatten, Mechthild trug sogar eine Schirmmütze.

Die Berg-Zwillinge strahlten mich an. Emily winkte mich zu ihrem Tisch.

»Die grüne Frau hat die Mütze von deinem Papa auf. Darf sie das?«, flüsterte sie.

Ich drehte mich erstaunt zu Frau Weidemann-Zapek um. Emily hatte recht, deswegen war mir der applizierte Elch bekannt vorgekommen. Allerdings passte der grüne Samtanzug nicht gut zu der gelben Mütze, auch wenn mein Vater sicherlich anderer Meinung gewesen wäre.

Lena beugte sich vor. »Hat dein Papa noch mehr Mützen mit Tieren drauf?«

»Ja, hat er. Ich glaube, heute hat er eine auf mit einem Bären. Aber er hat mindestens drei Mützen mit, er hat nicht mehr so viele Haare, und sonst wird sein Kopf in der Sonne so heiß.«

»Ob er uns auch eine schenkt?«, fragte Emily sehnsüchtig.

»Emily!« Anna Bergs Ton klang vorwurfsvoll. »Entschuldigen Sie, Christine, die Mädchen haben sonst bessere Manieren.«

Lena zeigte mit dem Finger auf Mechthild. »Aber die Frau hat doch auch eine Mütze von ihm bekommen.« Sie senkte ihre Stimme. »Oder hat sie die geklaut?«

»Lena!«

Mechthild Weidemann-Zapek hatte die letzten Sätze gehört, strich über den Schirm der Mütze und lächelte angestrengt.

»Diese Mütze, meine Kleinen, habe ich gestern Nacht beim Würfeln gewonnen. Die musste ich nicht stehlen.«

Ich verdrängte sofort den Gedanken an Strip-Poker und lächelte zurück.

»Frau Weidemann-Zapek, das hätten wir auch nie im Leben angenommen. Haben Sie noch einen Wunsch?«

Während ich ihren gewünschten Tee holte, nahm ich mir vor, bei nächster Gelegenheit die restliche Garderobe von Heinz zu kontrollieren. Schließlich musste ich mich meiner Mutter gegenüber rechtfertigen, sie hatte mir aufgetragen, mich um seine Kleidung zu kümmern. Ich hoffte, dass er nur die Mütze verwürfelt hatte.

Emily war mir unbemerkt in die Küche gefolgt.

»Wo ist denn dein Papa?«

»Du, der sitzt mit Kalli und Carsten im Hof und spielt Skat.«

»Mit Mütze?«

»Natürlich.«

Anna Berg stand jetzt auch hinter mir. »Emily, du hast hier nichts zu suchen, geh bitte zurück.« Sie wartete, bis ihre Tochter weg war, dann lächelte sie mich verlegen an. »Die beiden haben einen Narren an Ihrem Vater gefressen. Er hat ihnen gestern eine Geschichte erzählt, in der es um Möwen und Eier und einen Eierkönig ging, das hat die beiden schwer beeindruckt.«

»Eierkönig?«

Manchmal machte mein Vater mir Angst.

»Wenn es Ihrem Vater zu viel wird, soll er die beiden einfach wegschicken.«

»Ich habe überhaupt nicht mitbekommen, dass er sich mit Ihren Kindern unterhalten hat.«

Anna Berg war erstaunt. »Oh, doch. Seit wir hier sind, jeden Morgen. Sie warten schon immer auf ihn.«

»Das finde ich gut.« Ich drehte mich mit der vollen Teekanne zur Tür. »Er hat das ganz gern, so ein bisschen weibliche Bewunderung.«

Nachdem ich alle Tische abgeräumt hatte, ging ich wieder zu der Skatrunde hinaus. Der Tisch stand immer noch genau da, wo die Herren ihn hingestellt hatten, die jungen Handwerker gingen weiterhin um ihn herum.

»Na, Christine, hast du alle Gäste abgefüttert?« Kalli teilte die Karten aus. »Dein Vater verspielt übrigens gerade dein Erbe.«

Ich versuchte meinem Vater in die Karten zu sehen, er legte sie sofort umgedreht auf den Tisch.

»Was willst du, Kind? Ich muss mich konzentrieren.«

»Du wirst von zwei Damen vermisst.«

Er stöhnte leise. Carsten lachte.

»Tja, Heinz, du hättest die Sache mit der Brüderschaft doch

ablehnen sollen. Mechthild war danach ja außer Rand und Band.«

»Ihr habt Brüderschaft getrunken?«

»Und anschließend Lambada getanzt.« Kalli musterte seine Karten. »Sie duzen sich jetzt, Hannelore, Mechthild und Heinz. Und hätte Hannelore nicht diesen furchtbaren Schluckauf bekommen, sie würden jetzt noch tanzen.«

Mein Vater schwieg betreten. Ich biss mir auf die Lippe.

»Mechthild hat deine Elchmütze auf.«

»Das war meine Beste. Die hat so einen schönen Schirm. Aber Mechthild hatte einen Sechserpasch.« Er sah sich um. »Hast du ihnen gesagt, wo wir sind?«

»Die Damen, die dich vermissen, sind viel jünger.«

»Jünger?« Er zog die Stirn kraus.

»Und dann kannst du dich noch nicht mal erinnern.« Carsten schüttelte den Kopf, »wenn mich junge Damen suchen würden, wüsste ich das.«

In diesem Moment tauchten Emily und Lena in der Tür zur Pension auf und ich winkte sie an den Tisch. Schüchtern lächelten sie Carsten und Kalli an und stellten sich neben meinen Vater.

Emily legte ihm die kleine Hand auf sein Knie.

»Die dicke Frau hat deine Mütze auf. Das sieht ganz doof aus.«

»Mama hat gesagt, wir dürfen uns auch eine Mütze kaufen. Du sollst das mit uns machen. Bitte.« Lena lehnte sich an das andere Knie.

Mein Vater machte ein ernstes Gesicht. »Ich soll mit? Na, dann wollen wir mal den allerbesten Mützenladen auf der Insel suchen. Ich brauche ja auch eine neue, weil ich meine Lieblingsmütze verspielt habe. Da könnt ihr mir beim Aussuchen helfen. Aber ihr müsst erst mal fragen.«

Die Mädchen waren begeistert. Emily hängte sich an seinen Arm.

»Und können wir dann noch zu den Möwen gehen und den Eierkönig suchen?«

Ich verstand nur Eierkönig. »Wer ist denn der Eierkönig?«

Mein Vater war entsetzt. »Christine, Lille Peer! Die Geschichte vom Eierkönig. Du vergisst auch alles, was ich dir jemals beigebracht habe.«

Auf dem Weg zurück in die Küche versuchte ich, die Geschichte zusammenzubringen. Lille Peer, eine alte Sylter Sagenfigur, sollte verhindern, dass Seeräuber und Ganoven die Möweneier klauten. Aber ihn ereilte ein böses Schicksal, denn die Ganoven, die nicht an die Möweneier kamen, raubten eines Tages seinen vierjährigen Sohn. Seine Frau und er waren furchtbar verzweifelt, wehklagten und litten und passten weiterhin auf die Eier auf. Jahrelang. Bis dann eines Tages die Wellen einen jungen Mann an den Strand spülten. Und weil Lille Peer und seine Frau so gute Menschen waren, retteten und pflegten sie ihn. Es wäre aber natürlich keine Sage, wenn das alles gewesen wäre. Nein, eines Morgens guckte Lille Peers Frau den jungen Mann mal genauer an und erkannte ein Muttermal. Und dieses Muttermal hatte nur ein Mensch auf dieser Welt. Und das war? Richtig, der geraubte Sohn.

Mein Vater hatte mir die Geschichte erzählt, als ich zehn war und fürchterliche Angst vor Möwen hatte. Nach dieser Geschichte hatte ich auch noch Angst, geraubt zu werden. Die Kinder von heute waren anscheinend mutiger.

»Sie sind ja ganz in Gedanken.«

Anna und Dirk Berg standen plötzlich vor mir. Ich zuckte zusammen.

»Ich dachte gerade an den Eierkönig und seinen Sohn. Entschuldigung. Ihre Töchter sind draußen bei meinem Vater.«

»Das muss toll sein, einen Vater zu haben, dem so viel einfällt.«

Dirk Berg lächelte mich an.

»Na ja«, ich überlegte nur kurz, »es geht. Emily und Lena wollen mit ihm Mützen kaufen gehen, wussten Sie das schon?«

»Auf keinen Fall, das können wir ihm nicht zumuten. Die beiden können sehr anstrengend sein und außerdem ...«

Noch während Frau Berg redete, hatte ich einen Geistesblitz: Ich stellte mir meinen Vater mit zwei kleinen Mädchen vor, die ihn den ganzen Tag beschäftigen würden. Er würde keine Minute Zeit haben, mit Gisbert von Meyer schräge Verfolgungstheorien zu entwickeln oder irgendeinen anderen Unsinn anzustellen.

»Das macht ihm aber bestimmt Spaß«, unterbrach ich Anna Berg, »er hat leider keine eigenen Enkelkinder, dabei wäre er ein ganz toller Opa. Wir fragen ihn am besten gleich.«

Die beiden konnten mir kaum folgen, so schnell lief ich wieder nach draußen.

»Papa, du darfst mit den Mädchen Mützen kaufen.«

Ich brüllte fast über den Hof, unterschätzte mein Lauftempo, konnte nicht rechtzeitig stoppen und stieß so an den Tisch, dass der Kaffee aus den Bechern schwappte. Mein Vater sprang erschrocken hoch.

»Christine! Wie ein Elefant im Porzellanladen! Pass doch mal ein bisschen auf.«

Er wischte mit seinem Stofftaschentuch die Pfütze vom Tisch und hielt inne, als er Anna und Dirk Berg kommen sah. Sofort schob er mich beiseite und lächelte ihnen entgegen.

»Guten Morgen. Na, was steht heute auf dem Programm? Brauchen Sie wieder Tipps?«

Kallis Gesichtsausdruck ließ mich ahnen, wie die vergangenen morgendlichen Treffen verlaufen waren. Ich beugte mich zu ihm und flüsterte: »Du hast Heinz was vorgeschlagen, was er anschließend als seine Idee verkündet?«

»Hm, ja. Heute sage ich ihm aber nichts. Soll er doch selbst sehen.« Er guckte ein bisschen bockig.

Anna Berg legte Lena eine Hand auf die Schulter. »Wir brauchen heute keine Tipps, wir haben eine Einladung zu einem Segeltörn bekommen. Eigentlich wollten wir absagen, wegen der Kinder, aber wenn Sie wirklich Lust haben, sich bis zum Nachmittag mit ihnen zu beschäftigen ... Oder ist das jetzt unverschämt?«

Mein Vater stand auf. »Aber ich bitte Sie, das ist meine leichteste Übung.«

Die Mädchen strahlten. Dirk Berg betrachtete sie etwas skeptisch.

»Also, die zwei sind nicht unbedingt die friedlichsten Siebenjährigen auf der Welt. Meine Schwiegermutter findet sie meistens zu lebendig.«

»Na, dem Himmel sei Dank. Aber machen Sie sich keinen Kopf, ich habe drei Kinder großgezogen und sie sind alle ...«

Ich fand seinen Blick auf mich unverschämt kritisch und starrte zurück. Er fuhr fort:

»... soweit ganz gut geraten. Alle gesund und ... ja, auch selbstständig. Nein, ich muss sagen, das habe ich, also meine Frau und ich, ganz gut hinbekommen.«

»Papa, es geht nur um ein paar Stunden, wir verhandeln hier keine Adoption oder Kindestausch.«

»Ach«, mein Vater schaute mich wieder kritisch an, »ich glaube, du wärst denen auch zu alt.« Er wandte sich wieder den Eltern zu. »Nein, das geht klar. Dann mal Mast- und Schotbruch. Sag mal, Kalli, hast du vielleicht auch Lust, mitzukommen?«

Kalli musterte erst meinen Vater, dann die Mädchen, dann mich.

»Ich halte es für meine Pflicht.«

»Gut.« Mein Vater klopfte seinem Freund jovial auf die Schultern. »Dann mach doch mal einen Vorschlag, was zwei alte Männer mit zwei jungen Damen auf Norderney unternehmen könnten.«

Noch während Kalli grübelte, gingen Anna und Dirk Berg in die Hocke, um Emily und Lena mit leisen Ermahnungen in einen elternlosen Tag zu entlassen. Sie hätten sich nicht solche Mühe machen müssen, mein Vater und Kalli würden ohnehin alles unterwandern.

Er ist wieder da
– Marion Maerz –

Eine Viertelstunde später räumte ich mit Gesa gerade die Spülmaschine aus, als Marleen mit vier Kaffeebechern in der Hand zu uns kam.

»Es ist nicht zu fassen.« Sie stellte die Tassen auf den Tisch. »Glaubt mal nicht, dass unsere Rentnermannschaft ihren Kram selbst wegräumt. Sogar den Tisch haben sie stehen lassen.«

Ich spähte aus dem Fenster. »Sind sie schon weg? Mein Vater hat sich noch nicht einmal verabschiedet.«

Gesa grinste. »Du, er hat einen guten Tausch gemacht, ein altes Kind gegen zwei neue.«

»Sind jetzt alle drei mit den Kindern los? Carsten auch?«

»Nein«, Marleen schüttelte den Kopf, »Carsten ist mit Nils und Dorothea Kaffee trinken gegangen. Er will Dorothea mal unter die Lupe nehmen. Heinz und Carsten sind sich noch nicht sicher, ob man dieser Verbindung zustimmen sollte.«

Gesa sah mich mitleidig an. »Wie du das aushältst? Dorothea knutscht ein bisschen, da alarmiert Heinz gleich den Vater, du redest zweimal mit Herrn Thiess und der ist dann sofort ein Heiratsschwindler. Es ist wirklich kein Wunder, dass ihr beide alleine lebt.«

»Ach, ganz so schlimm …«

»Du musst ihn nicht verteidigen, meine Liebe.« Gesa griff nach ihrem Rucksack. »Ich finde Heinz ganz süß, aber als Vater möchte ich ihn wirklich nicht. Ich gehe jetzt, wir sehen uns morgen, schönen Tag noch.«

Marleen seufzte leise. »Diese jungen Frauen, sagen einfach, was sie denken. Und wir alte Hippen sind immer so diplomatisch. Ist doch irgendwie ungerecht.«

»Stimmt. Vielleicht sollte man sich ab und zu mehr trauen.«

In diesem Moment war ein lautes Knattern zu hören, wir erkannten das Moped am Geräusch und duckten uns gleichzeitig.

»Los, Christine, das ist deine Chance. Trau dich und stürze dich auf ihn.«

Ich bemühte mich, so aus dem Fenster zu sehen, dass der Fahrer mich nicht entdeckte. Gisbert von Meyer ließ seinen Helm auf dem Kopf und kam auf die Pension zu.

»Guck ihn dir an.« Ich konnte nur krächzen. »Diese dünnen Ärmchen, diese Beinchen und dann der riesige Helm auf dem Köpfchen. Wenn er ihn nicht gleich abnimmt, falle ich in Ohnmacht.«

»Hallo, ist hier niemand?« Seine Stimme klang hohl, anscheinend hatte er noch nicht mal sein Visier hochgeklappt.

Marleen riss sich zusammen. »Er ist schließlich die Presse.« Sie holte Luft und rief laut:

»Rechte Tür, in der Küche.«

Gisbert zuckte zusammen, er stand, den Helm unter dem Arm, bereits in der Tür.

»Guten Tag, die Damen, ich hoffe, ich störe nicht.«

Ich versuchte mein diplomatischstes Lächeln. »Natürlich nicht, hier ist sowieso nie etwas zu tun. Wir stehen nur rum und gucken aus dem Fenster. Wie geht es?«

Er strahlte und glättete sein dünnes, rotes Haar. »Danke, ausgezeichnet. Ich wollte dich zu einer kleinen Spritztour über die Insel einladen, Christine, ich habe extra einen zweiten Helm mitgebracht.«

Mein Blick ging zu seinem Moped. Tatsächlich, am Lenker schaukelte ein knallrotes Monstrum. Marleen hustete, ich konnte ihre Gedanken fast hören. Gisbert machte eine einladende Handbewegung.

»Darf ich also bitten?«

»Nein, danke«, ich vermied es, Marleen anzusehen, »es tut

mir sehr leid, aber wir müssen uns noch um einige Dinge kümmern, also vorbereiten und so, ich kann wirklich nicht weg.«

Enttäuscht drehte er sich zu Marleen. »Aber in der Kneipe wird doch heute der Fußboden gemacht. Und hier ist alles schon fertig.« Gisbert zeigte auf die aufgeräumte Küche.

Marleen bemerkte meinen verzweifelten Blick.

»Servietten«, sagte sie wichtig, »wir müssen noch Servietten falten. Für die Eröffnung.«

»Ach«, antwortete Gisbert. Er trommelte mit seinen dünnen Fingern auf dem Helm. »Das kann doch nicht so lange dauern.«

Mir fiel noch etwas Besseres ein. »Und ich warte auf den Anruf meines Freundes.«

Gisbert legte seinen Kopf schief und lächelte dünn. »Du hast keinen Freund. Das hat Heinz mir gesagt. Oder ...« Ihn durchzuckte ein Gedankenblitz, man konnte sein Hirn arbeiten sehen. Er straffte seinen Rücken. »Aufgeschoben ist ja nicht aufgehoben. Dann eben ein anderes Mal. Wo steckt eigentlich Heinz?«

»Er ist schon weg. Kalli und er sind heute Babysitter.«

Gisbert von Meyer wischte sich kleine Schweißperlen von der roten Stirn. »Hat er eine Nummer für den Notfall?«

Marleen zog ein Handy aus ihrer Jeanstasche. »Er hat sein Telefon mit den Kaffeebechern und dem Skatspiel draußen liegen lassen. Also ist er nicht erreichbar.«

»Und Kalli?«

Langsam wurde ich ungeduldig. »Gisbert von Meyer, es gibt keinen dringenden Fall. Und Kalli hat kein Handy.«

Ich ging an ihm vorbei, bedacht darauf, genügend Abstand einzuhalten. Auf dem Flur hörte ich noch seine aufgeregte Fistelstimme.

»Marleen, lass sie nicht ans Telefon gehen, bitte! Es geht um Leben oder Tod. Ich suche Heinz.«

Sein Gang über den Hof erinnerte an den jungen John Wayne.

Ich wartete auf das Mopedgeräusch, bevor ich zu Marleen zurückging. Sie sah ihm kopfschüttelnd nach.

»Herr von Meyer hat schon eine Meise, oder?«

»Marleen, denk daran, er ist die Presse.«

»Und deshalb wartet er jetzt auf die Rückkehr des Heiratsschwindlers?«

»Davon gehe ich aus. So eine Story hat er doch noch nie gehabt. Wollen wir wirklich Servietten falten?«

»Quatsch, ich wollte dich bloß retten. Ich gehe gleich rüber zu den Handwerkern, du kannst ja auch zum Strand fahren.«

Die Aussicht auf ein paar Stunden mit Buch im Sand war großartig.

»Bestens. Ich nehme dein Fahrrad. Wir sehen uns heute Abend beim Essen. Bis später.«

Mit der Sonne im Gesicht und Wind im Rücken fuhr ich kurz darauf die Promenade entlang. Meine Gedanken gingen zurück zu dem gestrigen Abend in der »Haifischbar«, zu der Geschichte, die Gisbert erzählt hatte. Ich schüttelte das dumpfe Gefühl ab und dachte daran, dass Johann mir die SMS geschickt hatte, »… damit wir uns bald wiedersehen«, er würde zurückkommen, ich war nicht so naiv wie irgendeine Emdener Kellnerin. Schließlich war ich 45, hatte eine Ehe und diverse Liebhaber hinter mir und verstand etwas von Männern. Zumindest hoffte ich es und zwar mit einer Inbrunst, die mich immer schneller in die Pedale treten ließ.

Nach zweimal Baden und vierzig Seiten Krimi hatte ich genug vom Strandleben. Ich schüttelte den Sand aus den Handtüchern, packte meine Sachen zusammen und beschloss, in den Ort zu fahren, um mir ein Kleid zu kaufen. Bevor ich mein Fahrrad aufgeschlossen hatte, hörte ich einen Pfiff. Die Zeiten, in denen ich noch auf so etwas reagiert hatte, waren vorbei, weshalb ich auch das nächste Pfeifen ignorierte. Dann hörte ich allerdings etwas, das ich nicht mehr ignorieren konnte.

»Christine! Bist du taub?«

Mein Herz fing an zu rasen. Ich drehte mich schnell um und sah ihm entgegen. Johann trug Jeans, Hemd und Blazer, er kam auf mich zu, ich sah nur diese rehbraunen Augen und dieses Lächeln, nie im Leben war dieser Mann ein Verbrecher. Als er vor mir stand, schloss ich die Augen … und wurde geküsst.

»Da bin ich wieder. Schneller ging es nicht.«

»Wir dachten … also ich habe es nie geglaubt, aber jetzt ist das auch egal, ich …« Ich stotterte vor Aufregung.

Er sah mich verwirrt an. »Hast du zu viel Sonne abbekommen? Ist alles in Ordnung?«

Ich schüttelte die Gedanken ab. »Ja, es ist alles in Ordnung. Woher wusstest du, dass ich hier bin?«

»Ich bin erst in die Pension gefahren. Und da habe ich Marleen nach dir gefragt.«

»Hat dich sonst noch jemand gesehen?«

»Nein, wieso?«

Ich befestigte meine Tasche auf dem Gepäckträger und vermied Blickkontakt, um meine Erleichterung zu verbergen.

»Ach, nur so. Was hast du jetzt vor?«

»Ich weiß es nicht. Ich wollte dich erst mal treffen. Wir könnten ja in den Ort fahren und Kaffee trinken oder was essen. Oder shoppen. Ach übrigens«, er griff in die Innentasche seines Blazers und zog einen Umschlag hervor, »hier ist dein Geld. Und noch mal danke fürs Leihen.«

Ich nahm den Umschlag entgegen und verstaute ihn im Seitenfach meiner Tasche. Ganz kurz sagte eine innere Stimme, die sich anhörte, wie die meines Vaters: »Zähl nach!« Ich hörte nicht auf sie.

»Und?« Johann beobachtete mich. »Was machen wir?«

Ich hätte alles mit ihm machen können, trotzdem graute mir vor der Vorstellung, mit ihm Hand in Hand durch den Ort zu gehen und plötzlich von meinem Vater, Kalli und zwei bemützten kleinen Mädchen umzingelt zu werden. Es war mir zu riskant.

»Das ist heute etwas schwierig. Mein Vater passt zusammen mit seinem Freund Kalli auf die Berg-Zwillinge auf. Ich glaube, ich sollte sie dabei ein bisschen unterstützen. Ich wollte gerade losfahren und sie suchen.«

»Da kann ich doch mitkommen.«

Ich suchte fieberhaft nach Ausreden. »Das ist keine so gute Idee. Ich ... also mein Vater ... Johann, verstehe das bitte nicht falsch, aber mein Vater ist zu Männern, die etwas mit mir zu tun haben ... also, da ist er immer komisch.«

Er glaubte mir kein Wort, das sah ich deutlich. Stattdessen wirkte er verletzt.

»Du, wir müssen auch nichts zusammen unternehmen. Da habe ich wohl etwas falsch verstanden.«

Ich ließ mein Fahrrad fallen und legte ihm den Arm um die Taille.

»Nein, hast du nicht. Mein Vater hat sich nur in eine Idee verrannt, deshalb möchte ich ihn nicht mit dir zusammen treffen. Können wir uns nicht heute Abend sehen? Spät?«

Ich hatte keine Lust, ihm das Schauermärchen vom umzingelten Heiratsschwindler zu erzählen, wollte aber auch nicht, dass er meinen Vater für einen Spinner hielt.

»Na gut.« Johann bückte sich und krempelte die Beine seiner Jeans hoch. »Dann frage ich mal nicht weiter, sondern laufe mir meinen Frust am Strand ab. Du kannst dich ja melden, wenn du dich von deinem Clan befreit hast.«

Ich war erleichtert, dass er nicht wissen wollte, in welche Idee sich mein Vater verrannt hatte.

»Ich rufe dich auf jeden Fall an. Bis heute Abend, ja?«

Er lächelte schief und küsste mich kurz.

»Hoffentlich.«

Während ich auf der Promenade dem Ort entgegenfuhr, ließ ich die Freude, dass er wieder da war, zu. Dann dachte ich darüber nach, dass er mir gar nichts weiter erzählt hatte. Auf der anderen Seite hatte ich ihn aber auch nichts gefragt. Ich hielt es für ein gutes Zeichen, er hatte einfach nur Geld und seine Papiere geholt. Mein Vater und Gisbert sollten sich doch einen anderen Heiratsschwindler suchen.

Ich schloss das Fahrrad an den Ständer vor der Post, als ich schon wieder einen Pfiff hörte. Diesmal hob ich gleich den Kopf. Dorothea und Nils kamen auf mich zu. Dorothea hielt mein Rad fest, damit ich die Tasche leichter vom Gepäckträger bekam.

»Du siehst aus, als wärst du unter die Strandräuber geraten. Was hast du denn mit deinen Haaren gemacht? Außerdem hast du noch Sand am Kinn.«

Ich tastete mit den Fingern über mein Gesicht, tatsächlich, alles sandig. Und trotzdem hatte er mich geküsst.

»Ich war am Strand.« Meine Haare fühlten sich strohig an. »Und ich habe mich nicht gekämmt.«

»Wieso grinst du so blöd?« Dorothea musterte mich neugierig. »Sag bloß, dass Jo…«

»Pst.« Instinktiv drehte ich mich um und suchte das Gesicht meines Vaters unter den Passanten. Langsam bekam ich Verfolgungswahn. »Ja, er ist zurück, aber das müssen Heinz und GvM ja noch nicht wissen.«

Nils blickte uns abwechselnd an. »Redet ihr von dem Heiratsschwindler? Der Typ aus der Pension, der nicht in Bremen wohnt?«

»Ach, Nils«, Dorothea winkte ab, »Heinz und Gisbert von Meyer machen sich doch nur wichtig. Der Typ heißt Johann Thiess und ist garantiert kein Heiratsschwindler.«

»Ihr kennt ihn näher? Warum habt ihr das dann nicht aufgeklärt?«

»Ja, warum?« Ich überlegte, während ich Nils ansah. »Die beiden waren sich so sicher. Mein Vater und Doktor Watson hätten uns gar nicht zugehört.«

Dorothea stimmte mir zu. »Und außerdem gab es ein paar Unklarheiten. Den Rest erkläre ich dir auf der Fähre.«

»Wieso fahrt ihr mit der Fähre?«

Nils legte Dorothea den Arm um die Schulter. »Wir hauen ab. Nachdem Heinz mich seziert hat und mein Vater Dorothea mit Fragen nach ihrer Kochkunst, möglichen Allergien und nach ihrem Gewicht gelöchert hat, soll jetzt noch meine Mutter ins

Rennen geschickt werden. Sie will heute Abend mit uns grillen. Da habe ich beschlossen, es langt, wir fliehen nach Juist und kommen morgen wieder.«

»Und die Kneipe?«

Dorothea erwiderte: »Ich bin mit dem Malen so gut wie fertig, das ist nicht mehr viel.« Nils nickte. »Wir haben ja ganz schön was geschafft. So, jetzt müssen wir los, die Fähre geht in zwanzig Minuten.«

Ich schaute den beiden sehnsüchtig hinterher und hätte alles Mögliche dafür gegeben, mit Johann an ihrer Stelle zu sein. Zwei Tage einsame Insel mit dem Mann meiner Träume.

»Christine! Hallo, Christiieene.«

Die Betonung lag auf »einsame Insel«. Ich drehte mich in die Richtung, aus der die Stimme meines Vaters kam. Mir stockte der Atem.

»Und? Wie findest du das?«

»Das« war eine kurze Hose aus einem Stoff, der aussah wie ein Tarnzelt. Dazu trug er ein gelbes Hemd, das mit schreiend bunten Bonbons gemustert war. Die neue Schirmmütze war hellblau mit dem Aufdruck »Endlich 18«.

Ich rang nach Luft. »Wo hast du *das* denn gefunden?«

Mein Vater wedelte mit der Hand durch die Luft. »Du, mal hier, mal da. Wir haben sämtliche Geschäfte unsicher gemacht. Kalli und die Kinder sitzen dort drüben in der Eisdiele. Ich habe dich vom Fenster aus gesehen, willst du auch ein Eis?«

Er war schon auf dem Weg zurück, ich ging langsam hinter ihm her. Wenn ich konzentriert auf die Bonbons guckte, wurde mir schwindelig.

Emilys Mütze war gelb mit der Aufschrift »Supermaus«, auf Lenas rosa Mütze stand »Traumfrau«.

»Da habt ihr euch aber schöne Schirmmützen ausgesucht.«

Ich bemühte mich um einen neutralen Ton. Die beiden Mädchen strahlten.

»Heinz hat mit ausgesucht.«

Mein Vater nickte ihnen stolz zu. »Wir haben uns auch Mühe gegeben und nicht gleich eine im erstbesten Laden gekauft.«

Emily schüttelte den Kopf. »Nein, wir waren vorher in fünf anderen.«

»Genau.« Mein Vater winkte dem Kellner zu. »Was willst du haben, Christine?«

»Kaffee, bitte.«

Ich wartete, bis der Kellner weg war. »Wer hat dich denn beraten, Papa?«

Er sah zufrieden an sich hinunter. »Das Hemd haben die Kinder ausgesucht. So ein schönes habe ich noch nie besessen. Das ziehe ich zur Eröffnung an.«

Lena legte den Zeigefinger auf einen roten Bonbon. »Da sind Bonbons drauf. Das war das allerschönste Hemd.«

Der Kellner stellte mir den Kaffee hin. Ich konnte mich gerade noch zusammenreißen.

»Ja, schön. Und die Mütze?«

»Die passt doch gut. Die habe ich selbst ausgesucht.«

»Da steht ›Endlich 18‹ drauf.«

»Echt?« Er nahm sie ab und drehte sie so, dass er die Aufschrift lesen konnte. »Tatsächlich. Habe ich gar nicht gesehen. Na und?«

Kalli schob Lena den Eisbecher etwas näher ran.

»Heinz ist doch schon 18. Das ist gute Qualität, die Mütze meine ich. Und es ist eine schöne Farbe.«

»Wir gehen gleich mit Heinz und Kalli ins Kino.« Emily war aufgeregt. »Da kommt ein Film mit Pinguinen.«

Ich guckte meinen Vater an. Er nickte stolz.

»Reise der Pinguine. Ein Naturfilm. Damit die Kinder was lernen.«

Kalli beugte sich vor. »Möchtest du mit? Dann kaufe ich dir noch eine Karte.«

»Nein, vielen Dank. Ich gehe einkaufen, ich brauche noch ein Kleid für die Eröffnung. Wir können uns hinterher im ›Central Café‹ treffen, das ist gleich um die Ecke.«

»Gut. In zwei Stunden.«

Ich trank meinen Kaffee aus und stand auf. »Dann viel Spaß mit den Pinguinen.«

»Danke.« Mein Vater winkte mir lässig zu. »Und, Christine?«
»Ja?«

»Kauf dir mal was Schönes. So etwas Buntes steht dir auch,
du solltest nicht immer nur diese eintönigen Tantenkleider anziehen. Du bist doch noch gar nicht so alt. Und außerdem haben wir Sommer.«

Ich lächelte gequält. »Ich werde mir Mühe geben. Bis später.«

Im vierten Laden wurde ich fündig. Das Kleid war knielang,
dunkelgrün mit schmalen Trägern. Ich fand mich schön, die
Verkäuferin nickte mir im Spiegel bestätigend zu. Plötzlich röhrte die Stimme von Frau Weidemann-Zapek durch den Raum:

»Guck mal, Hannelore, da steht Christine vor dem Spiegel.«
Ihre breite Gestalt, diesmal in einem Jeanskostüm mit appli-
zierten grün-roten Katzen, die munter über den üppigen Busen
tollten, schob sich vor mein Spiegelbild.

»Meine liebe Christine, der Schnitt ist ja nicht schlecht, aber
diese Tristesse ... Sag doch auch mal etwas, Hannelore.«

Frau Klüppersberg nahm ihr keckes Wollmützchen ab, das
natürlich auf das aprikosenfarbene Schlauchkleid abgestimmt
war. Ihre siebenreihige Glasperlenkette aus lauter roten Perlen
schlug geräuschvoll gegen die Knopfleiste des Kleides.

»Da gebe ich Mechthild recht. Ich würde klare Farben wählen, ein sattes Rot oder ein heißes Gelb, vielleicht ein apartes
Blumendekor, aber dieses Grün ist viel zu gedeckt.«

Ich lächelte die beiden Fachfrauen aus Münster-Hiltrup herzlich an, säuselte »Hallo«, drehte auf dem Absatz um und sagte
zur Verkäuferin: »Das ist es. Ich nehme es.«

Als ich mit meiner vornehmen Tüte fünf Minuten später aus
dem Laden trat, saßen die Damen auf einer Bank, von der aus
sie die Ladentür im Blick hatten. Ich war in die Falle gelaufen.
Mechthild musterte meine Tüte.

»Ich kann Ihnen ein sehr hübsches Tuch dazu leihen, ach
was, ich werde es Ihnen schenken. Für Ihren charmanten Frühstücksdienst.«

»Das ist doch gar nicht …«

Hannelore unterbrach mich. »Sie müssen es annehmen. Wir verkaufen diese Tücher bei uns im Geschäft, sie sind der große Renner. Sie brauchen mehr Mut in der Mode, meine Liebe, lassen Sie mal die Profis ran. Wo ist eigentlich Ihr Vater?«

Ich stand immer noch wie bestellt und nicht abgeholt vor ihnen, wollte mich aber auch nicht mit auf die schmale Bank quetschen. Ich verlagerte mein Gewicht aufs andere Bein.

»Mein Vater ist mit Kalli und …«

In diesem Moment hörte ich ein Hecheln hinter mir und drehte mich um. Gisbert von Meyer stand mit knallrotem Kopf und völlig atemlos so plötzlich vor mir, dass ich zusammenzuckte.

»Wo … ist … Heinz?« Er pfiff vor lauter Atemnot und ließ sich auf die Bank fallen. Mechthild hüpfte ein bisschen hoch und sah ihn alarmiert an.

»Ist etwas passiert?«

Gisbert von Meyers Atmung rasselte und pfiff, dabei hatte ich ihn noch nie rauchen sehen. Vielleicht war er Allergiker. Oder konditionsschwach. Oder beides. Geheimnisvoll schaute er sich um.

»Und ob. Wir müssen uns sofort zusammensetzen. Parole ›Haifischbar‹, versteht ihr?«

Hannelore verschluckte sich fast. »Der Heiratsschwindler! Sie haben ihn wieder gesehen?«

Jetzt bekam ich wenig Luft. »Wo denn?«

»Er hat sich vermutlich in der ›Georgshöhe‹ eingemietet. Ich habe ihn an der Rezeption erkannt«, erklärte Gisbert triumphierend. Was hatte ein halbes Hemd wie GvM in so einem Spitzenhotel zu tun? Während ich mir die entsetzten Gesichter der Damen anguckte, lief mein Gehirn auf Hochtouren. Johann war am Strand und nicht in der »Georgshöhe«, er wohnte in der Pension und außerdem hatte Gisbert ihn noch nie gesehen. Erleichtert dachte ich an die Beschreibung meines Vaters, der nur von mittelgroß, mittelalt, mittelblond und tückischen Augen geredet hatte, das passte auf jeden Dritten. Und deshalb gab es jetzt vermutlich einen neuen Mister X und ich hatte Ruhe. Und Johann Thiess. Gisbert deutete mein Lächeln falsch und warf sich in die Brust.

»Ja, da bist du froh, dass ich nicht so schnell aufgegeben habe, oder? Von wegen abgereist. Den machen wir dingfest, versprochen. Wo ist Heinz denn jetzt? Er weiß noch gar nichts von der neuen Situation.«

Hannelore spielte nervös mit ihrer Glasperlenkette. »Wissen Sie, Gisbert, ich wollte es in der ›Haifischbar‹ nicht vor allen Leuten erzählen, aber jetzt, wo sozusagen Gefahr im Verzug ist, gelten persönliche Gefühle nichts.«

Mechthild warf ihrer Freundin einen Blick zu und zog dabei eine Augenbraue hoch.

»Was kommt denn jetzt?«

Hannelore legte Gisbert die beringte Hand aufs Knie. Drei Augenpaare folgten der Hand, Mechthilds echauffiert, meine milde, Gisberts panisch.

»Also, um es kurz zu machen, Herr Thiess hat mir das eine oder andere Mal, nun, wie soll ich es sagen … begehrliche Blicke zugeworfen.«

Ich hustete, Gisbert schrie fast: »Na bitte«, und Mechthild stand betont langsam auf und schulterte ihre Handtasche.

»Ach, Hannelore, du bist manchmal erfrischend naiv. Er hat dich lediglich gegrüßt. Mich hingegen hat er zum Essen eingeladen, ich habe aber abgelehnt. Schließlich weiß ich, was sich gehört.«

Getroffen! Hannelore Klüppersberg hatte ihre Mimik nicht mehr im Griff. Sie sah aus wie ein rosa Karpfen und nahm die Hand vom Nachbarknie.

»Mechthild, du bist so …«

Ihr fiel kein passender Ausdruck ein. Sie klappte den Mund zu. Gisbert starrte konzentriert in die Luft.

»Wir müssen was unternehmen. Mechthild, Hannelore, Sie sind fast Opfer eines Verbrechers geworden. Ich habe eine Idee. Christine, wo ist denn jetzt dein Vater?«

Ich zeigte vage in Richtung des Kurtheaters. »Das letzte Mal habe ich ihn am ›Haus der Insel‹ gesehen, zusammen mit Kalli und in Begleitung von zwei jungen Damen.«

»Junge Damen?« Mechthild und Hannelore vereinten sich wieder zu einem Chor.

Gisbert wandte sich ihnen zu. »Im Kurtheater ist heute Tanztee. Wollen wir da hingehen? Dann können wir Heinz gleich verständigen.«

»Gisbert ...« Ich bemühte meinen gönnerhaftesten Ton. »Ich an deiner Stelle würde mich nicht trauen, dazwischenzufunken. Die beiden Damen waren sehr hübsch und sehr jung und Heinz und Kalli wirkten so, als hätten sie einen Heidenspaß. Mach ihnen nicht den Beutezug zunichte.«

»Christine!«, entrüstete sich das Trio im Chor.

»Ihr müsst es wissen, ich habe nichts gesagt. Viel Erfolg.«

Was ich ihnen auch nicht gesagt hatte, war, dass es im Kurtheater ein Kino gab. Aber wenn Gisbert als Kulturinstanz das nicht wusste, war es wohl nicht so schlimm.

Ich verließ die drei und ging schnell die Straße entlang, in der Hoffnung, sie würden mir weder folgen, noch meinen Vater vor mir finden. Ich hatte noch eine halbe Stunde bis zur Verabredung im Café und 800 Euro in der Tasche, das heißt 710 Euro und ein Kleid in der Tüte. Vor einer Parfümerie blieb ich stehen. Beim letzten romantischen Treffen mit Johann hatte ich nach Terpentin gerochen, heute Abend oder Nacht sollte es besser sein. Ich betrat den Laden.

Herz aus Glas
— Münchener Freiheit —

Fünf Parfümproben später und um 100 Euro ärmer, dafür mit einer gefühlten Ausstrahlung, die einer Hollywood-Diva in nichts nachstand, nahm ich Kurs auf das »Central Café«. Ich hatte mich etwas verspätet, Schönheit dauert. Erleichtert sah ich die vier Kinogänger bereits an einem Fenstertisch sitzen, ohne Gisbert von Meyer und das Damenduo. Deren Suche war wohl erfolglos geblieben, vielleicht schob Gisbert gerade Mechthild über das Tanzteeparkett. Oder Hannelore. Oder beide auf einmal. Mit schadenfrohem Lächeln trat ich an den Tisch. Niemand beachtete mich, es lag eine eigenartige Stimmung in der Luft. Die Zwillinge hatten ihre Köpfe zusammengesteckt und tuschelten leise. Mein Vater starrte auf den Tisch, Kalli auf seine verschränkten Hände. Ich räusperte mich laut.

»Hallo. Na, wie war der Film?«

Kalli und Heinz hoben ihre Köpfe und sahen mich ernst an. Mein Vater warf den Kindern einen schnellen Blick zu und winkte mich näher zu sich.

»Was ist passiert?« In Erwartung einer grauenvollen Nachricht ließ ich mich auf einen Stuhl sinken. Die Stimme meines Vaters klang belegt.

»Hast du das gewusst?«

»Was?«

»Dass so viele sterben müssen? Hunderte. Und auch so viele Kinder.«

»Wo denn? Wieso?«

»In der Antarktis.« Mein Vater schnäuzte sich.

Ich sah Kalli fragend an. »Diese Kaiserpinguine«, erklärte er, »die Schwachen bleiben einfach zurück. Uns hat es sehr mitgenommen.«

»Die Pinguine.« Ich versuchte, ein betroffenes Gesicht zu machen, was mir nicht so schnell gelang. Obwohl ich Pinguine mochte.

Emily bemerkte mich jetzt erst und lächelte. »Das war ein schöner Film. Aber da sind welche gestorben. Pinguine legen auch Eier. Heinz wird jetzt Eierkönig für Pinguine.«

»Oh.« Vor meinem geistigen Auge sah ich meinen Vater im Schneeanzug durch die Antarktis stapfen, um Pinguine zu retten. Na gut, es gibt schlimmere Alterskarrieren. Es blieb die Frage, was meine Mutter dazu sagen würde. Mit einem schmerzenden Knie durch den Schnee zu stiefeln war ein Problem, zumal sie immer friert. Und das alles für fremde Pinguine. Ich befürchtete, dass ich albern wurde. Lena legte ihre kleine Hand auf die meines Vaters.

»Du musst nicht traurig sein. Das war ja nur ein Film. Können wir jetzt Saft trinken?«

»Ach, Lena …«

Das ganze Leid der Welt und der Kaiserpinguine legte mein Vater in diese kurze Antwort. Dann besann er sich auf seine Verantwortung.

»Du hast bestimmt recht. So, und jetzt bestellen wir etwas.«

»Das ist doch eine Ansage.«

Mein Vater strafte mich für diesen forschen Ton mit Blicken. Wie konnte so ein Mann eine so unsensible Tochter haben? Ich ignorierte sein Unverständnis und winkte der Bedienung zu.

Die Zwillinge waren die Einzigen, die nach einigen Minuten vor sich hin plapperten, wir Erwachsenen schwiegen. Mein Vater war sehr nachdenklich. Plötzlich beugte Kalli sich vor, um besser auf den Kurplatz sehen zu können.

»Guck mal, da ist doch Gisbert von Meyer mit den beiden Damen. Macht er eine Führung?«

Mein Vater folgte seinem Blick. »Das kann er doch gar nicht.

Für einen Gästeführer ist er viel zu jung, dafür braucht man Erfahrung.«

Kalli sah aus, als würde er gleich ans Fenster klopfen. Ich hielt seinen Arm fest. »Kalli, willst du sie jetzt ranwinken? Mechthild und Hannelore sind immer so laut, das kann Heinz im Moment doch gar nicht vertragen.«

Mein Vater guckte sofort wieder traurig. »Sie hat recht, ich kann das im Moment wirklich nicht. Duckt euch ein bisschen, damit sie uns nicht sehen.«

Kalli gehorchte, ich atmete erleichtert auf. Mein Vater würde sich früh genug in die Ermittlungen einschalten, jetzt sollte er erst mal in Ruhe um die kleinen Pinguine trauern.

Gut gelaunt stellte ich Marleens Fahrrad wieder in den Schuppen. Kalli hatte vorgeschlagen, mit den Mädchen zum Trampolinspringen an den Weststrand zu gehen. Die Zwillinge waren Feuer und Flamme, mein Vater schloss sich zwar lustlos, aber sofort an. Er fühlte sich schließlich für die Kinder verantwortlich, außerdem gab es im Moment keine konkrete Möglichkeit, die Pinguinrettung zu starten.

Ich lehnte Kallis Aufforderung, sie zu begleiten, ab, zumal mein Vater mir mit angewidertem Gesicht mitgeteilt hatte, er bekäme Kopfschmerzen von meinem Geruch.

»Irgendwie riechst du aufdringlich. Oder hast du was Komisches gegessen?«

Ich verzichtete auf eine Antwort und verabschiedete mich mit Würde.

Marleen hörte das Klappen der Tür und kam mir entgegen. »Ich habe Tee gekocht. Willst du auch eine Tasse?« Ihr Blick traf meine Einkaufstüten. »Ich dachte, du wolltest zum Strand. Das habe ich auch Herrn Thiess erklärt. Hast du ihn überhaupt getroffen? Er ist wieder da.«

»Ich weiß.«

Mit den Tüten über der Schulter folgte ich Marleen zum Strandkorb. Sie schenkte Tee ein und schob mir eine Tasse hin. Erwartungsvoll sah sie mich an.

»Und? Erzähl. Hat er dich gefunden?«

Ich setzte mich neben sie. »Ja, hat er. Ich wollte nur gerade los und nach Heinz und den Zwillingen sehen.«

»Ja, und?«

»Nichts und. Du warst doch in der ›Haifischbar‹ dabei, als Gisbert von Meyer mit meinem Vater diese Theorie erfunden hat, dass Johann der Heiratsschwindler ist. Von wegen tückische Augen.«

»Na ja, und dann war das mit der Adresse auch noch komisch.«

»Marleen, das kann tausend Gründe haben. Wer weiß, wie dämlich dieser Freund von Gisbert ist und ob er überhaupt am richtigen Haus geguckt hat.«

»Und was ist mit Mausi?«

Ich suchte meine Zigaretten in der Tasche. »Dafür gibt es garantiert auch eine Erklärung. Ich treffe mich später mit ihm und dann werde ich ihn danach fragen. Jedenfalls habe ich keine Lust, aufgrund wilder Spekulationen an so eine Verschwörungstheorie zu glauben. Bevor ich mit ihm gesprochen habe, würde ich aber ganz gern ein Zusammentreffen zwischen Kalle Heinz Blomquist und Johann vermeiden.«

»Du hast dich ganz schön verknallt, oder?«

Marleen grinste mich an.

»Ich glaube, ja. Das heißt aber nicht, dass ich mein Hirn ausschalte. Sei beruhigt. Ach übrigens, ich habe Gisbert mit Weidemann-Zapek und Klüppersberg im Ort getroffen. Da gibt es auch schon wieder neue Theorien. Unser wacher Journalist hat den Heiratsschwindler nämlich an der Rezeption der ›Georgshöhe‹ observiert.«

»GvM kennt Johann Thiess doch gar nicht.«

»Eben, aber da wird sofort jemand nach einer vagen Beschreibung festgenagelt. Johann war um die Zeit am Strand, was soll er in der ›Georgshöhe‹?«

»Außerdem wohnt er wieder hier«, sagte Marleen nachdenklich. »Wie auch immer, ich versuche, Heinz zu beruhigen. Ich kann mich wirklich ärgern, dass ich ihm das mit den Fotos erzählt habe. Und dass ich Johann Thiess komisch fand. Tut mir leid.«

Ich trank meinen Tee aus und stand auf. »Schon gut. Du kannst ja noch an der Schadensbegrenzung arbeiten. Ich gehe jetzt duschen und mich eincremen, ich habe nämlich lauter teures Zeug gekauft, damit heute nichts mehr schiefgehen kann. Ich weiß nur noch nicht, wie ich mein Rendezvous bewerkstelligen soll, ohne dass mir die Bluthunde folgen.«

»Ach, komm«, Marleen war entspannt, »das kriege ich hin, als Wiedergutmachung. Irgendwie lenke ich die Jungs ab.«

Ich sammelte meine Tüten ein, als Marleen noch etwas einfiel: »Die Jungs kriegen übrigens morgen Verstärkung. Hubert hat vorhin angerufen, er kommt schon früher.«

»Wieso, was ist denn mit deiner Tante Theda?«

»Thedas beste Freundin Agnes aus Leer wird 70 und feiert zwei Tage lang. Hubert hat sich geweigert, daran teilzunehmen. Er bringt Theda hin und fährt anschließend auf die Insel.«

»Und was macht er hier dann ganz alleine?«

Marleen sah mich resigniert an. »Rate mal.«

»Er will helfen. Damit bis Samstag alles fertig wird.«

»Genau. Jetzt sind sie zu fünft. Heinz, Kalli, Onno, Carsten und Hubert. Habe ich erzählt, dass Carsten an den Plänen von Nils rumgemäkelt hat? Sein Sohn hätte da ein bisschen gepfuscht, er will ihm das morgen noch mal verbessern. Onno ist übrigens das Baby mit seinen 64, der Rest unserer Handwerker ist … zusammen 295 Jahre alt. Das ist doch spitze.«

»Marleen, ich hoffe, du machst dich nicht strafbar. Nicht, dass du Ärger mit der Rentenkasse bekommst. Jetzt gehe ich aber rüber. Falls Heinz kommt, lass dir nichts anmerken. Er hat sich neu eingekleidet, sieht aus wie ein Diskokönig und ist deprimiert, weil in der Antarktis Pinguine sterben. Also, bis später.«

Beim Gehen sah ich kurz über meine Schulter. Marleen saß zusammengesunken im Strandkorb, ihrem leeren Blick war nicht anzusehen, ob sie gerade am Altersdurchschnitt ihrer Helfer oder am Tod der Pinguine verzweifelte.

Ich entfernte gerade vorsichtig das Preisschild meines neuen Kleides, als ich den Schlüssel in der Haustür hörte. Danach schlurften die Schritte meines Vaters über den Flur. Anscheinend hatte das Trampolinspringen seine Betroffenheit nicht vermindert.

»Christine?«

»Ich bin in der Küche.«

Er kam rein und ließ sich langsam auf die Küchenbank sinken.

»Was für ein Tag!«

»Waren die Zwillinge so anstrengend?«

»Die Zwillinge? Nein, das war alles ganz einfach. Sind ja nicht die ersten Kinder, mit denen ich mich beschäftigen musste.«

»Was dann? Haben dich die Pinguine so geschafft?«

»Du hättest das mal sehen sollen. Da muss man doch etwas unternehmen. Das ist ein Skandal.«

»Papa, das ist die Natur. Natürlicher Schwund. Nur die Starken überleben.«

Er war das personifizierte Entsetzen.

»Christine! Ich weiß wirklich nicht, von wem du diese brutale Art hast. Von mir jedenfalls nicht.«

Rantanplan, dachte ich und zog den letzten Faden aus der zugenähten Rocktasche.

»So«, sagte ich und hielt das Kleid hoch, »fertig.«

Mein Vater hatte das Kinn auf seine Faust gestützt und betrachtete das Kleid.

»Hast du das heute gekauft?«

Angesichts seines Bonbonhemds hatte ich Angst vor der Antwort und nickte vorsichtig.

»Das sieht schön aus. Hübsche Farbe, passt zu deinen Augen.«

Es ging ihm wirklich nicht gut. Ich setzte mich neben ihn und legte ihm die Hand auf den Rücken.

»Weißt du was? Es gibt doch bestimmt irgendeine Antarktis- oder Pinguinstiftung. Ich werde mal im Internet danach suchen. Und jetzt ziehen wir uns um und gehen essen.«

Er blickte an sich runter. »Wieso soll ich mich umziehen? Das sind doch alles neue Sachen.«

»Ja, schon«, ich bemühte mich um einen unverbindlichen Ton, »aber ich finde, dass du mit Jeans und einfarbigem Hemd etwas, nun … solider wirkst.«

»Solide? Für Kalli oder Marleen? Oder Onno? Ich habe Carsten übrigens auch zum Essen eingeladen, der gehört jetzt ja zum Team.«

Marleen würde begeistert sein. Langsam wurde unser kleines Abendessentreffen zur Großküchenveranstaltung.

»Carsten. Na gut. Hoffentlich weiß Marleen das.« Mein Vater nickte etwas zu selbstbewusst.

»O. k., ich rufe sie an. Ich habe dir die Sachen aufs Bett gelegt, wir können gleich gehen.«

Bevor ich Marleens Nummer wählen konnte, rief sie selbst an. Sie setzte mich davon in Kenntnis, dass Carsten bereits da war, er hätte seine Frau entschuldigt, sie müsse zum Kegeln. Gisbert von Meyer hätte aber abgesagt, weil er mitten in einer Observierung stecke. Dafür habe sie Johann Thiess geraten, sich zügig aus der Schusslinie diverser älterer Herren zu begeben, ich würde ihm das später erklären. Und wir sollten uns beeilen, die Würstchen wären heiß.

Mein Vater, elegant in Jeans und hellblauem Hemd, hatte zwar gemault, dass Kartoffelsalat und Würstchen allenfalls am Heiligen Abend gingen, aß aber trotzdem drei Stück und lehnte sich danach zufrieden zurück.

»Es wird einem aber schnell schlecht davon.«

Er machte seinen Gürtel ein Loch weiter.

Carsten zeichnete unterdessen seine Vorstellungen von der Inneneinrichtung auf ein Stück Papier und versuchte, Onno zu überreden, Nils' Anweisungen zu ignorieren.

»Glaub mir, die Lampen müssen mittig über die Tische, damit man das Essen sehen kann. Mein Sohn denkt einfach nicht praktisch.«

Marleen verdrehte die Augen, ich lächelte ihr beruhigend zu

und gab mir Mühe, die Uhrzeit auf Kallis Armbanduhr zu erkennen. Es war kurz vor neun. Ich zuckte zusammen, weil mein Handy in der dünnen Rocktasche des neuen Kleides vibrierte. Mein Vater beobachtete mich.

»Irgendwie bist du nervös. Merkst du eigentlich, dass du manchmal einfach so zuckst?«

»Wirklich?« Unbeteiligt griff ich zu meinem Glas. »Vielleicht sind das Muskelreflexe vom Schwimmen.«

Ich zählte bis zehn, dann stand ich auf. Mein Vater hatte anscheinend heute nicht nur ein Herz für Pinguine, sondern auch für Töchter.

»Wo willst du denn hin?«

»Aufs Klo.«

»Dann geh mal.«

»Danke.«

Auf der Toilette rief ich sofort die SMS auf: »Ich warte im ›Surfcafé‹, egal bis wann. Freue mich.«

Mir wurde warm. »Komme innerhalb der nächsten Stunde. Freue mich auch.«

Wie auch immer ich das anstellen würde. Ich zog die Spülung und ging zurück. Es waren keine fünf Minuten vergangen, trotzdem hatte sich die Stimmung verändert. Mein Vater guckte pikiert, Kalli beleidigt, Carsten ratlos, Onno hilflos. Marleen war das Ziel all dieser Blicke.

Ich sah erst sie, dann die anderen an.

»Was ist denn hier los?«

»Das musst du Marleen fragen.« Mein Vater feuerte einen bösen Blick auf sie ab. »Wir sind ihr wohl nicht genug.«

Marleen hob die Schultern. »Ich habe nur gesagt, dass Hubert morgen Mittag kommt und auch noch ein bisschen mit anpacken will.«

Carsten beugte sich vor. »Und wo soll er wohnen? Die Insel ist voll.«

»Hubert ist der Lebensgefährte meiner Tante. Die haben oben in der Pension eine eigene Wohnung. Meine Güte, am Freitag kommen die ganzen Möbel, da brauchen wir jeden.«

Mein Vater schnaubte. »Ja, jeden. Kalli hat gesagt, er ist 76. Was soll der denn noch schleppen?«

»Papa, bitte. Ihr seid auch nicht mehr die Jüngsten.«

»*Dich* habe ich überhaupt nicht gefragt. So, und jetzt bedanke ich mich für das Essen und gehe zu Bett. Nacht allerseits.«

Er stand auf und ging zur Tür. Ich unterdrückte den Impuls, ihm nachzugehen. Auf der Schwelle drehte er sich noch einmal um.

»Christine, mach nicht mehr so lange. Morgen früh geht es weiter.«

Mein Impuls verschwand, ich blieb sitzen und sah auf die Tür, die hinter ihm zufiel.

»Er meint es nicht so.« Kalli nahm meinen Vater natürlich in Schutz. »Er hatte einen anstrengenden Tag. Erst die Zwillinge, dann die Pinguine, das war zu viel für sein weiches Herz.«

»Schon gut.« Marleen erhob sich und begann, die Teller einzusammeln. »Christine, hilfst du mir?«

»Natürlich.«

Während wir den Tisch abräumten, tranken die drei Männer ihre Gläser aus und machten sich langsam bereit zum Aufbruch. Wir hörten sie leise reden, dann ein dreistimmiges, »Tschüss, danke, bis morgen.«

Marleen nahm mir den Teller aus der Hand und sah mich aufmunternd an. »Worauf wartest du noch? Los, viel Spaß.«

Ich atmete tief durch. »Danke, und …«

»Beeil dich. Und übrigens …«

»Was?«

»Macht keinen Lärm auf dem Flur, wenn ihr in sein Zimmer geht.«

»Marleen. Was du immer gleich denkst …«

Ich hörte sie pfeifen, während ich das Fahrrad aus dem Schuppen zog.

Nichts haut mich um, aber du!
— Daliah Lavi —

Stunden später, bereits im Morgengrauen, stand ich wieder vor der Tür der Ferienwohnung und drehte den Schlüssel mit angehaltenem Atem im Schloss. Dann schob ich die Tür vorsichtig auf, Millimeter für Millimeter. Nichts war zu hören. Fünf Minuten später stand ich barfuß im Flur und wiederholte die Prozedur beim Schließen der Tür. Ein leises Schnarchen drang aus dem Zimmer meines Vaters, der bei offener Tür schlief, ich betete, dass es so blieb. Mit meinen Schuhen in der Hand verharrte ich einen Moment, dann schlich ich auf Zehenspitzen ins Wohnzimmer. Unterwegs bahnte sich ein Schluckauf seinen Weg, der Hickser kam unvermittelt und viel zu laut, ich presste eine Hand auf meinen Mund und blieb wieder stehen. Das Schnarchen hörte nicht auf, eine Welle voller Gefühl für meinen Vater und seine Schlafgeräusche stieg in mir hoch. Ich lächelte so gerührt, dass ich mir selbst albern vorkam. Erleichtert ließ ich mich im Dunkeln auf das Gästebett sinken und schob meine Tasche und meine Schuhe darunter, zog mich aus und kroch unter die Decke. Sofort kam die Erleichterung und dann dieses unbändige Glücksgefühl: Was für eine Nacht! Ich versuchte, die Uhrzeit auf dem Wecker zu erkennen: 5.20 Uhr. In einer Stunde musste ich aufstehen und war hellwach. Ich hatte Johanns Geruch in der Nase, seine Stimme im Ohr und seine Hände auf der Haut. Und meinen Vater zwei Türen weiter.

Johanns grünes Hemd hatte mir entgegengeleuchtet, als ich auf das »Surfcafé« zufuhr, mit jedem Meter hatte sich mein Pulsschlag erhöht. Er sah so schön aus. Umständlich hatte ich mein Fahrrad angekettet, ich brauchte jede Sekunde Zeit, um mich in den Griff zu kriegen, schließlich wollte ich nicht wie eine verknallte Sechzehnjährige auf ihn zustürmen. Dass ich über ihn herfallen könnte, sollte er zu diesem Zeitpunkt ja noch nicht wissen. Vorher hatten wir noch einiges zu klären. Er war lächelnd aufgestanden, als ich ihm entgegenging.

Ich drehte mich auf den Rücken und seufzte. Einschlafen wollte ich jetzt nicht mehr, lieber den ganzen Abend noch einmal durchleben, Szene für Szene, wie im Kino, die Kamera auf Johann gerichtet, alles in Großaufnahme.

Johann hatte eine Flasche Weißwein im Kühler vor sich stehen, daneben eine Flasche Wasser und vier Gläser, zwei waren unbenutzt.

»Oder möchtest du etwas anderes?«

Ich schüttelte den Kopf, er nahm die Flasche und schenkte ein. Seine Hände gefielen mir.

»Und?« Er wartete mit erhobenem Glas auf eine Reaktion von mir. Ich riss mich vom Anblick seiner Hände los und starrte stattdessen ihn an. Mein Hals war trocken.

»Christine? Alles in Ordnung?«

Was sollte ich ihm sagen? Sollte ich mit der Tür ins Haus fallen und ihn auf Mausi ansprechen? Auf sein Interesse an Marleen? Auf die falsche Adresse in Bremen? Oder auf die Fotos, die er von der Pension gemacht hatte? Er würde mich für eine hysterische Ziege halten, ich würde alles verderben, ich musste souverän wirken, die erste Frage sollte bedacht sein. Interessiert, aber nicht misstrauisch, klug, aber nicht neugierig, zugetan, aber nicht zutraulich. Mein Hirn lief auf Hochtouren, es dauerte einen Moment, bis es merkte, dass Johann mit mir sprach.

»Christine? Hallo, Erde an Christine, hast du die Sprache verloren?«

Ich holte tief Luft. »Mein Vater hält dich für einen Heirats-schwindler.«

Zack! Mein Hirn war wohl noch woanders. Klug und abge-klärt, zugetan und interessiert. Super. Und dann war es noch nicht einmal eine Frage gewesen. Christine S., Rhetorikkünst-lerin. Ich krümmte mich innerlich.

Johann starrte mich erst verblüfft, dann ungläubig an. Er hat-te sehr lange Wimpern. Beneidenswerte Wimpern. Ich hätte sie gern berührt. Was hatte ich da gerade gesagt? Und wieso rea-gierte er nicht? Plötzlich war ich wieder bei mir. Ich setzte mich gerade hin. Johanns Augen glänzten. Er legte die Hand vor den Mund und fing an zu lachen. Erst leise und für sich, dann immer mehr, bis schließlich der ganze Mann vibrierte. Minutenlang. Schließlich wischte er sich mit den Händen die Tränen weg, suchte in der Hosentasche nach einem Taschentuch, schnäuz-te sich umständlich, sah mich kurz an und fing wieder an zu la-chen.

»Ach, Christine«, er konnte kaum sprechen, wischte sich nur mit dem Taschentuch durchs Gesicht. »Großartig.«

Ich verstand ihn nicht und kam mir wie eine Idiotin vor. An-scheinend dachte er, ich hätte einen Witz gemacht. Abgesehen davon, dass es keiner war, wäre er auch so schlecht gewesen, dass ich diesen Ausbruch von Heiterkeit überhaupt nicht be-griff. Was hatte dieser Mann bloß für einen Humor?

»Ähm … Johann?«

»Ja?« Er sah regelrecht erschöpft aus.

»Das war kein Witz. Mein Vater meint das ernst. Und nicht nur er.«

»Schon … klar.« Johann rang nach Luft. »Es geht gleich wie-der. Schenk mir doch bitte mal Wasser ein.« Er hielt mir sein Glas entgegen. »Ein Heiratsschwindler also.«

»Ja. Und was ist daran so komisch?«

Ich musste warten, bis er ausgetrunken hatte, damit er ant-worten konnte. Zumindest versuchte er es.

»Komisch ist, dass ich dir weder einen Antrag gemacht habe, noch dass ich pleite bin, was meines Wissens der Antrieb eines

Heiratsschwindlers ist. Aber irgendwie bin ich auch erleichtert, weil ich schon dachte, ich leide unter Verfolgungswahn.«

Ich verstand ihn nicht. Anscheinend war es mir anzusehen.

»Seitdem ich wieder hier bin, habe ich das Gefühl, ich werde verfolgt. Als ich vom Strand kam, fuhr der Freund deines Vaters, der Blonde, weißt du ...«

»Kalli?«

»Ich glaube ja, der auch in der Kneipe hilft, also der fuhr erst mit dem Fahrrad hinter, dann auch noch neben mir. Minutenlang. Er grüßte nicht und guckte angestrengt weg. Aber höchstens einen Meter neben mir.«

»Hast du ihn nicht gefragt, was er will?«

»Doch, natürlich. Ich habe ihn gefragt, ob ich ihm helfen kann. Aber er antwortete nicht. Und als ich anhielt, fuhr er weiter. Pfeifend.«

»Und dann?«

»Danach hatte ich einen rothaarigen Mopedfahrer an den Hacken. Der ließ sich auch nicht abschütteln. Als ich essen ging, setzte er sich auf die Terrassenbrüstung des Restaurants und starrte mich an. Mit einem Fernglas.«

Gisbert von Meyer. Agent seiner Majestät.

»Wieso bist du nicht einfach hingegangen und hast ihn angesprochen?«

Johann hob die Schultern. »Ach, wozu. Ich dachte, das ist vielleicht nur ein armer Irrer.«

So falsch lag der Observierte damit nicht. Trotzdem war es Zeit, ihn aufzuklären. Ich wollte nicht, dass er gleich alle für verrückt hielt. Also erzählte ich ihm ausführlich von Gisberts Bericht über die Pressekonferenz und den Theorien meines Vaters. Als ich an die Stelle mit Gisberts Freund in Bremen kam, schüttelte Johann ungläubig den Kopf.

»Du hättest mich einfach fragen können. Das kann ich dir erklären: Ich habe im letzten Jahr in Schweden gearbeitet und bin Mitte Mai erst zurückgekommen. Meine Sachen waren in Köln bei meiner Tante gelagert, bei ihr habe ich auch zwischendurch gewohnt, weil ich die Wohnung in Bremen erst zum 1. Juni gemietet hatte. Die meisten meiner Klamotten sind auch schon in Bremen. Der Hausmeister sollte ein Klingelschild anbringen, das hat er mir auch zugesichert, ich weiß nicht, warum das da noch nicht hängt.«

»Bist du auch von Köln nach Norderney gefahren? Also, als du hier ankamst?«

»Ja, wieso?«

Das war die Erklärung für die durchgefahrene Nacht. Na bitte.

»Ach, nur so.«

Ich hörte ein Geräusch im Flur. Schritte kamen auf die Wohnzimmertür zu, ich schloss meine Augen und stellte mich schlafend. Die Schritte gingen vorbei zum Badezimmer, die Tür klappte zu, kurz darauf rauschte die Spülung, die Schritte kamen zurück, mein Vater hustete leise, dann war wieder Ruhe. Ich drehte mich auf den Bauch, vergrub mein Gesicht in der Armbeuge, Johanns Rasierwasser streichelte meine Nase.

Ich hatte kurz überlegt, Johann direkt nach Mausi zu fragen, traute mich dann doch nicht.

»Wieso machst du eigentlich allein Urlaub auf Norderney?«

Johann zögerte kurz, bevor er antwortete. »Das war ... zum Ausspannen. Ich bin ja gerade erst aus Schweden zurück, habe dann den Umzug organisiert, das neue Büro eingerichtet, und, und, und. Irgendwie war ich müde und wollte Ruhe haben. Auf Norderney war noch was frei.«

»Und du hast hier niemanden kennengelernt?«

»Doch. Dich.«

»Ich meine vorher.«

Er lächelte mich so hinreißend an, dass mir schwindelig wurde. »Nein. Und ehrlich gesagt, habe ich auch keinen Bedarf nach neuen Leuten. Ich möchte meine Ruhe haben und dich vielleicht ab und zu von deiner Crew weglotsen. Das würde mich schon sehr zufrieden machen.«

Ich hoffte, dass sich meine Hand, die er nahm, nicht schwitzig anfühlte.

Es war kurz vor sechs Uhr. Ich hatte noch eine halbe Stunde Zeit für meinen Johann-Film, bevor der Wecker klingelte. Meine Augen wurden schwer, langsam wurde ich von der Müdigkeit übermannt. Ich strengte mich an, Johanns Gesicht zu sehen, es lohnte sich nicht mehr, einzuschlafen.

Irgendwann verließen wir das »Surfcafé« und liefen am Strand entlang in Richtung der Weißen Düne. Es war eine warme Nacht, der Mond glitzerte auf dem Wasser, man hörte nur das Geräusch der Wellen, sonst nichts. Es waren diese Momente, in denen man nicht glaubte, dass sie einem tatsächlich jetzt passierten. Und in denen man sich wünschte, sie würden nie aufhören. Später saßen wir in einem Strandkorb, schauten aufs Meer und erzählten uns von unserer Kindheit, unseren Träumen und Wünschen. Und küssten uns in allen Gedankenpausen ...

Der Wecker riss mich aus dieser zärtlichen Wärme, der Schlaf war doch stärker als die Verliebtheit gewesen. Vielleicht lag es am Alter. Meine Hand fand den Knopf nicht gleich, das schrille Piepen tat in den Ohren weh.

»Meine Güte!« Die Stimme meines Vaters übertönte das Geräusch, ein gezielter Schlag von ihm brachte den Wecker zum Verstummen. »Bist du tot? Oder gelähmt? Das Ding brüllt seit zehn Minuten.«

Mein Vater stand im Schlafanzug vor meinem Bett und betrachtete mich aus der Höhe.

»Und ich sag noch: Mach nicht so lange. Wie spät war es denn?«

Ich vergrub meinen Kopf unter dem Kissen und murmelte etwas von: »Keine Uhr ...«

»Wieso? Wo ist denn deine Uhr? Sag bloß, du hast sie verloren. Die haben wir dir zum Dreißigsten geschenkt, die war teuer.«

»Das war vor fünfzehn Jahren.«

»Na und? Dann ist sie jetzt antik und noch teurer. Wo hast du sie denn das letzte Mal gehabt?«

»Papa!«

»Wir reden später darüber. Jetzt steh auf, es ist Viertel vor. Ich gehe zuerst ins Bad.«

Ich zog die Decke über meinen Kopf und hoffte, dass er trödelte.

»Christiieene!« Diesmal war er angezogen und roch nach Rasierwasser. »Es ist jetzt sieben Uhr. Was hast du denn alles getrunken?«

Ich setzte mich schnell auf, mir wurde schwindelig. Die Müdigkeit war jetzt bleiern.

»Um Himmels willen.« Mein Vater ging in die Knie und musterte mein Gesicht. Ich konnte ihn kaum erkennen. »Was ist denn mit deinen Augen? Die sind ja ganz rot und geschwollen. Du siehst aus, als hättest du zwei Monate nicht geschlafen.«

Genauso fühlte ich mich. Ich stellte meine Beine langsam auf den Boden und rieb mir das Gesicht. »Bindehautentzündung, glaube ich.«

Er strich mir unbeholfen über den Kopf. »Dann wasch dich erst mal, vielleicht geht es dir hinterher besser. Ich warte, bis du fertig bist.«

Mit schlechtem Gewissen schleppte ich mich ins Bad und nahm mir vor, meinem Vater am Abend von Johann zu erzählen. In Ruhe und ausführlich, schließlich sollte er ihn mögen.

Marleen drückte mir sofort ein Tablett in die Hände, als wir in die Küche kamen.

»Gut, dass du da bist, die sind heute alle so früh zum Frühstück gekommen und Gesa ist noch nicht da. Kannst du das schnell reinbringen? Ich habe zwei Abreisen. Was ist denn mit deinen Augen?«

»Bindehautentzündung.« Mein Vater antwortete undeutlich, er hatte schon ein Stück Rosinenbrötchen im Mund. »Deswegen hat sie auch nicht gut geschlafen.«

»Aha.«

Marleen grinste und ging an mir vorbei zur Rezeption. Mein Vater sah ihr kopfschüttelnd nach.

»Sie ist mir manchmal zu forsch. Ich möchte sie mal sehen mit Bindehautentzündung.«

»So eine richtige Bindehautentzündung ist das ja nicht.«

»Von wegen, das sieht man doch. Gestern Abend hattest du noch ganz andere Augen. Ich gehe frühstücken, Kalli kommt sicher auch gleich.«

Ich folgte ihm langsam mit dem Tablett.

Nachdem es am Strand zu kühl geworden war, waren wir zurück in die Pension gelaufen. Ohne viel darüber zu reden, hatte ich Johann auf sein Zimmer begleitet. Ich verbot meinen Gedanken, dahin abzuschweifen, ich hätte sonst weiche Knie bekommen. Trotzdem schob sich das Bild vor meine Augen, sein Gesicht, das mich morgens angesehen hatte, braune Augen unter verstrubbelten Haaren, der Mund, der so gut küssen konnte, sein Lächeln. Ich war stehen geblieben. Gesa rannte mich fast über den Haufen.

»Meine Güte, Christine, was machst du denn? Ich erschrecke mich zu Tode.«

»Guten Morgen, Gesa, ich habe nur nachgedacht.«

Sie sah mich skeptisch an. »Klar. Das ist ein guter Platz zum Nachdenken. Wirklich. Wenn ich richtig überlege, sogar der beste. Wenn du hier nicht alle Probleme des Lebens gelöst kriegst, dann weiß ich auch nicht. Haben wir Ostwind oder ist bei dir irgendwas ausgehakt? Lass mich wenigstens durch, bevor du wieder in Trance fällst.«

Sie huschte an mir vorbei, ich lächelte ihr hinterher.

Mein Vater saß im Frühstücksraum an dem gewohnten Tisch. Emily zeigte ihm gerade ihr neues Möwenbild, das sie gemalt hatte, Lena pellte ihm sein Ei. Ich stellte die Kaffeekannen auf die Tische und legte meinem Vater kurz die Hand auf seine Schulter.

»Hier bitte, dein Kaffee. Na, ihr beiden?«

Lena pustete auf ihren Finger. »Das Ei ist heiß. Und deine Augen sind komisch.«

»Ich weiß.«

Ich musterte die anderen Tische im Raum, bis auf Johann und die Münster-Hiltruper Geschäftsfrauen waren alle Gäste da. Ich merkte mir, was an Kaffee, Tee oder anderen Dingen fehlte, und ging zurück in die Küche. Während ich dort hantierte, hörte ich auch schon die Stimmen von Frau Weidemann-Zapek und Frau Klüppersberg. Als ich mit der Teekanne für die beiden Damen in den Frühstücksraum kam, setzten sie sich gerade an ihren Tisch. Lena und Emily standen in unveränderter Stellung neben meinem Vater. Emily hatte etwas Triumphierendes in ihrem Blick.

»Guten Morgen, Frau Weidemann-Zapek, guten Morgen, Frau Klüppersberg.«

Mein Lächeln war Johann zu danken, ich stellte die Kannen auf den Tisch.

»Aber meine Liebe, wir waren doch schon bei den Vornamen.« Hannelore schüttelte nachsichtig den Kopf. »Nicht wahr, Mechthild?«

Mechthild Weidemann-Zapek beugte sich vor und griff nach meiner Hand. »Ja, das waren wir, Christine. Aber Sie gehören ja zum Glück noch zu der Generation, die sich scheut, schnell vertraulich zu werden.« Sie schoss einen giftigen Blick in Richtung der Zwillinge und ihrer Eltern ab. »Heutzutage haben Kinder ja kein Gespür mehr, was Anstand und Takt sind.«

Ich gab die Verständnisvolle und neigte mich zu ihr.

»Wieso? Was war denn?«

»Ach«, sie winkte nonchalant ab, »Kinder, eben. Fühlen Sie sich nicht gut? Sie sehen etwas derangiert aus.«

»Das ist nichts.« Ich winkte genauso lässig ab. »Ich habe nur etwas entzündete Augen. Brauchen Sie noch etwas?«

Beide schüttelten den Kopf und sahen zu meinem Vater. Der reagierte überhaupt nicht, sondern malte mit einem gelben Filzstift den Schnabel von Emilys Möwe aus. Die Damen sahen sich an, dann standen sie auf, um am Büfett ihre Teller zu beladen. Mein Vater zuckte zusammen, als ich mich neben ihn setzte.

»Christine, pass doch auf! Jetzt habe ich drübergemalt.«

»Entschuldigung.«

Er legte den Kopf schief. »Guck mal, Emily, der Schnabel war sowieso zu klein, Silbermöwen haben einen größeren. So. Aber jetzt muss ich in die Kneipe, es ist schon Viertel vor acht.« Er drehte sich zu mir um. »Wolltest du was? Deine Augen sind immer noch komisch.«

»Was war denn gerade mit deinen Damen?«

Emily faltete ihr Blatt ordentlich zusammen. »Das sind nicht seine Damen. Die wohnen nur hier.«

»Genau.« Mein Vater reichte Emily den Filzstift. »Sie wollten sich zu uns setzen. Weil ich so alleine sei und sie mir deshalb Gesellschaft leisten wollten.«

»Und dann?«

»Dann hat Lena gefragt, ob sie nicht gucken können, und Emily hat gesagt, hier sei besetzt. Und dass sie sich verkrümeln sollen.«

»Emily!«

»Wieso?« Mein Vater strich Lena eine Haarsträhne aus dem Gesicht. »Es hätte auch schlimmere Wörter gegeben. Verkrümeln geht doch noch. Aber jetzt, Mädels, muss ich los. Wir haben nur noch zwei Tage Zeit bis zur Eröffnung.«

Er stand auf, die Zwillinge lösten sich nur zögernd vom Tisch, Anna Berg winkte sie zu sich.

»Lena, Emily, jetzt lasst ihn gehen, wir wollen doch gleich Fahrräder mieten.«

»Ja. Tschüss, Heinz, bis bald.«

Sie gingen zurück zu ihren Eltern, ich folgte meinem Vater aus dem Frühstücksraum. Noch bevor wir die Tür erreicht hatten, schlug das andere Damenteam zu. Hannelore war aufgesprungen und hatte uns den Weg abgeschnitten. Plötzlich stand sie vor uns, ein gelber Angorafaden wehte vor ihrem Mund. »Moment, Heinz. Wir müssen mit dir reden.«

Fasziniert verfolgten wir die sanften Bewegungen des gelben Fadens. Mein Vater kniff die Augen kurz zu. »Natürlich, nur leider muss ich jetzt zum Dienst.«

»Der Heiratsschwindler ist wieder aufgetaucht.«

Ich zuckte zusammen, mein Vater bemerkte es und drückte beruhigend meinen Arm.

»Hannelore, ich denke, unser Freund Gisbert hat das vollkommen im Griff. Wir sollten uns erst einschalten, wenn die Situation für uns, also für Christine oder euch oder Marleen, gefährlich wird.« Er wandte sich zu mir. »Ich habe ihn noch nicht wieder gesehen. Du musst dir keine Sorgen machen.«

Ich sandte ein Stoßgebet zum Himmel, damit Johann sich an meine Bitte hielt, nicht vor 9 Uhr zum Frühstück zu erscheinen, auch wenn Leidenschaft hungrig macht. Mechthild stand inzwischen neben Hannelore. Sie sah ihre Freundin ärgerlich an, die enttäuscht ob der verhaltenen Reaktion ihres Retters schwieg. Mechthild war nicht so schnell zu beruhigen.

»Was heißt, wenn es gefährlich wird? Es ist bereits gefährlich, dieser Filou hat mich gestern Abend angesprochen.«

»Wer?«, fragte mein Vater alarmiert.

»Na, der Heiratsschwindler. Dieser Herr Thiess.«

Ich dachte an den gestrigen Abend. Es konnte gar nicht sein. Er hätte mir bestimmt von einem Zusammentreffen mit den Walküren erzählt. Entweder log Mechthild oder sie hielt jemand anderen für Johann Thiess.

Mein Vater wirkte aufgeregt. »Sag mal, Christine, ist er denn wieder auf der Insel? Dieser Thiess?«

»Also, ich sehe ihn hier nicht.« Meine Zehen kreuzten sich in den Clogs.

Anscheinend hatte Kalli noch keine Observierungsberichte abgeliefert, genauso wenig wie GvM. Ich überlegte, wie ich diesem Schlamassel entkommen konnte. Und ich drückte die Daumen, dass der beste Liebhaber aller Zeiten wirklich nicht vor 9 Uhr frühstückte. Kalli erlöste mich. Ich erkannte ihn am Pfeifen auf dem Flur. Er lächelte in die Runde.

»Guten Morgen, die Damen, hallo, Christine. Heinz, wo bleibst du? Onno und Carsten stehen schon vor der Tür. Gesa sagt, du hast den Schlüssel.«

»Ja.« Mein Vater sah mich besorgt und das Duo entschlossen

an. »Wir kümmern uns drum. Heute Abend, 20 Uhr, Treffpunkt Strandkorb im Garten. Falls Gisbert hier auftaucht, wir sind drüben. Komm, Kalli, wir haben zu arbeiten. Einen schönen Tag die Damen.«

Er ging mit schnellen Schritten los, Kalli nickte uns zu und beeilte sich, Heinz zu folgen. Während Hannelore und Mechthild mich nachdenklich ansahen, hatte ich plötzlich die Vision von Johanns Füßen, die in Beton gegossen waren. Ich nahm mir vor, dringend mit meinem Vater zu sprechen. Vor dem konspirativen Treffen. Nicht, dass aus Versehen irgendetwas Dummes passierte.

Schau mir noch mal in die Augen
– Gerhard Wendland –

Die letzten Gäste hatten gerade den Frühstücksraum verlassen, als Johann hereinkam. Er sah sich kurz um, dann lächelte er mich an.

»Na? Bahn frei für mich?«

»Es ist nur zu deinem Besten. Die Herrentruppe ist drüben in der Kneipe. Ich werde nachher mit meinem Vater reden, damit dieses Durcheinander aufhört.«

Johann küsste mich auf den Nacken, bevor er sich setzte.

»Du, ich finde so eine heimliche Romanze eigentlich ganz reizvoll. Von mir aus musst du dich nicht outen.«

Das Misstrauen hatte ich von meinem Vater.

»Wieso? Soll er nichts von uns wissen?«

Ich biss mir auf die Lippe, das war so eine richtig dämliche Mädchenfrage gewesen.

Johann sah mich irritiert an. »Christine, *du* hast mich gebeten, auf meinem Zimmer zu bleiben, bis die Luft rein ist. Von mir aus kannst du auch allen erzählen, wo du die letzte Nacht verbracht hast.«

»Entschuldigung. Ich bin irgendwie durcheinander, ich hole dir mal Kaffee.«

In der Küche trat ich einmal mit dem Fuß gegen die Wand, der Schmerz im Zeh hielt, bis ich wieder zurückging. Wir saßen uns gegenüber, ich sah ihm beim Frühstücken zu und fühlte mich sehr leicht und warm. Er rieb meinen Fuß zwischen seinem, immer wenn er an den Zeh kam, fing es an zu pochen.

»Guten Morgen, Herr Thiess. Christine, ich soll dir das hier geben.«

Gesa stand plötzlich am Tisch, ich zuckte zusammen und starrte auf die Packung, die sie mir hinhielt. Augentropfen.

»Wo kommen die denn her?«

Ich zog meinen Fuß unauffällig zu mir und stand auf.

»Ich war schnell in der Praxis meiner Mutter. Heinz hat gesagt, es wäre ein Notfall, wenn du nicht in der nächsten halben Stunde Tropfen bekämst, würdest du blind. Meine Mutter meinte, du solltest besser vorbeikommen. Was ist denn mit deinen Augen? Die sind doch nur ein bisschen dick.«

Ich wich Johanns erstauntem Blick aus und nahm Gesa die Tropfen aus der Hand.

»Es heißt geschwollen, Gesa, man hat geschwollene Augen, keine dicken. Es ist auch nichts, Heinz macht nur immer so einen Aufstand. Aber trotzdem danke.«

»Augen können doch nicht anschwellen, nur die Lider.« Johann trank den Kaffee aus und schob seinen Teller zurück. »Glaube ich wenigstens.«

Gesa sah ihn interessiert an. »Aber sie hat doch dicke Augen, oder?«

Er legte den Kopf schief und betrachtete mich. »Vielleicht müde Augen. Was machst du jetzt? Kommst du mit zum Strand?«

Gesas Augen wurden groß. Ich sah an ihr vorbei.

»Gerne, ich muss aber rüber. Morgen kommen die Möbel und wir sind noch nicht fertig.«

»Schade.« Er stand auf und streckte sich. »Dann leihe ich mir mal ein Fahrrad und mach mich allein auf den Weg. Frohes Schaffen.«

Er ging zur Tür und warf mir hinter Gesas Rücken eine Kusshand zu.

»Sag mal, Christine, habe ich da was verpasst? Ich dachte, du hältst ihn für einen Heiratsschwindler?«

»Heinz und Gisbert tun das. Ich nicht.«

»Aber dann musst du ihnen doch sagen, dass sie sich irren.

Ich war gerade drüben, die sitzen alle am Tisch und Heinz teilt sie zum Beschatten ein.«

Ich stapelte das Geschirr auf ein Tablett. »Ich rede nachher in Ruhe mit meinem Vater. Gisbert von Meyer kann sich von mir aus auf eine Düne setzen und Johann mit dem Fernglas beim Sonnen beobachten. Dann geht er uns hier wenigstens nicht auf die Nerven.«

Gesa folgte mir in die Küche. »Aber läuft da schon was zwischen euch?«

»Sei nicht so neugierig, Gesa.«

»Wieso denn? Ich kann doch mal fragen …«

Ich räumte die Spülmaschine ein und stellte sie an. »Ich muss aber nicht antworten, Schätzchen. Und jetzt gehe ich zu den alten Männern und lackiere die Fußleisten.«

Die alten Männer lösten gerade ihre Tischrunde auf, als ich die Tür der Kneipe öffnete und mit dem Sturmhaken befestigte.

»Wieso habt ihr die Tür denn zu? Der Farbgeruch soll doch raus.«

Gisbert von Meyer steckte einen Notizblock in seinen kleinen Rucksack und sah mich wichtig an.

»Wir hatten hier eine Besprechung, die nicht für alle Ohren bestimmt war.«

»Mister Wichtig.«

Obwohl ich das nur geflüstert hatte, bekam Kalli es mit und sah mich mit vorwurfsvollem Kopfschütteln an. Mein Vater bemerkte es und stellte sich neben mich.

»Ja, Kalli, da schüttelst du den Kopf. Aber sie hat eine gefährliche Bindehautentzündung, deshalb sieht sie so komisch aus. Kind, du musst nicht arbeiten, wenn du krank bist. War Gesas Mutter nicht da?«

Kalli trat einen Schritt näher. »Wieso? Sie sieht doch aus wie immer.«

»Quatsch!« Mein Vater beugte sich vor und starrte mich an. »Sie hat doch ganz dicke Augen.«

»Was hat sie mit den Augen?« Onno schob Kalli zur Seite.

»So schlimm sieht das doch gar nicht aus. Vielleicht am rechten Auge, das Dicke da, das war sonst nicht.«

Carsten legte seine Hand auf meine Schulter und drehte mich um. »Lass mal sehen. Och, das geht doch. Setz doch eine Sonnenbrille auf. Dann sieht man das gar nicht.«

»Ich habe nichts mit den Augen.«

»Brüll doch nicht so.« Mein Vater drehte mich wieder zurück. »Was hat Gesas Mutter denn gesagt?«

»Nichts, Papa, ich war nicht bei ihr. Gesa hat mir Augentropfen mitgebracht, es ist doch schon fast wieder gut.«

»Nils hatte früher Heuschnupfen, da bekam er auch immer solche Matschaugen.«

»Carsten, ich habe keine Matschaugen, also bitte. Können wir jetzt mal anfangen zu arbeiten? Morgen kommen die Möbel.«

Kalli sah mich mitleidig an. »Lasst sie in Ruhe, man fühlt sich ja nicht besonders, wenn man so zugeschwollen ist.«

»Du hast gerade eben gesagt, ich sehe aus wie immer. Wieso bin ich jetzt zugeschwollen?«

»Das kann dein Vater doch viel besser beurteilen. Der kennt dein Gesicht doch auswendig.«

»Siehst du.« Heinz sagte es mit tiefer Befriedigung. »Und du hast heute komische Augen. Nimm mal die Augentropfen, dann wird es schon wieder. So, und ich hänge jetzt die Lampen auf. Komm, Onno, hör mal auf, meine Tochter anzustarren, das hilft ihr auch nicht. Los, Männer, an die Arbeit.«

Ich lackierte die Fußleisten im Takt von ›Schau in meine Augen‹, das Margot Hielscher im Radio und mein Vater lautstark auf der Leiter sangen. Als er sich zu mir umdrehte, um ein fröhliches »Das passt doch« zu rufen, geriet die Leiter ins Wanken.

»Heinz! Du brichst dir irgendwann noch den Hals.« Marleen war unbemerkt in die Kneipe gekommen und hielt geistesgegenwärtig die Leiter fest. »Sei so gut und mach das außerhalb meiner Kneipe.«

»Sonst ist Marleen nämlich dran, wegen Schwarzarbeit.«

Onno kramte in seinem Werkzeugkasten nach irgendwelchen Teilen und sah kurz hoch. »Aber wir können ja sagen, er sei vom Fahrrad gefallen. Dann zahlt seine eigene Versicherung und wir sind fein raus.«

»Ihr habt alle was furchtbar Brutales.« Mein Vater stieg vorsichtig von der Leiter. »Es geht im Leben um Dinge wie Mitgefühl, Liebe, Menschlichkeit. Aber das kennt ihr nicht, das rächt sich irgendwann, ihr werdet noch an meine Worte denken und …«

Marleen unterbrach ihn. »Ich habe deine schwankende Leiter festgehalten, mein Lieber. Und apropos Menschlichkeit, du kannst ein gutes Werk tun.«

Er lächelte sie milde an. »Natürlich helfe ich dir. Geht es um die Kinder? Oder brauchst du selbst eine starke Schulter?«

»Weder noch. Jemand muss Hubert von der Fähre abholen, er hat so viel Gepäck dabei.«

Mein Vater hörte auf, milde zu lächeln und kletterte wieder auf die Leiter.

»Er kann sich doch ein Taxi nehmen. Wir haben keine Zeit, Ausflugsfahrten zu unternehmen.«

»Papa!« »Heinz …«

»Ist doch wahr.« Mein Vater fingerte am Lampenkabel rum. »Aua.«

Die Leiter fing wieder an zu wackeln, diesmal griffen Marleen und Kalli gleichzeitig zu. »Ich habe einen gewischt bekommen! Wieso ist der Strom nicht aus? Wollt ihr mich umbringen?« Böse starrte er Marleen an. »Das war knapp.«

Sie hielt seinem Blick stand. »Ich habe mit dem Strom hier nichts zu tun.«

»Das ist doch deine Kneipe.«

»Papa, es reicht.« Ich fand es einen guten Zeitpunkt, mich einzumischen. »Dann hole ich ihn eben ab. Wie sieht Hubert denn aus?«

Marleen wandte sich an Kalli. »Du kennst ihn doch. Am besten fährst du mit zum Hafen. Hubert freut sich bestimmt.«

Kalli nickte und sah dabei meinen Vater an. Sein Blick war unsicher, auf seiner Stirn stand geschrieben: »Halte mich nicht für einen Verräter.« Das verstand auch der mittlerweile wieder milde Heinz. »Das ist doch blöd, wenn Kalli mit Christine fährt. Dann komme ich doch mit. Ich gehe mir nur schnell die Hände waschen.«

Carsten hielt meinen Vater zurück. »Ich kenne Hubert auch vom Sehen, ich kann statt Christine mitkommen.«

»Quatsch. Jetzt mache ich das.«

Er verschwand, wir sahen ihm hinterher, bis Marleen fragte: »Was ist nun daran blöd?«

Ich hob die Schultern. »Keine Ahnung. Aber es ist besser so. Wir hatten früher zwei Kater und bekamen dann noch einen dazu. Der Tierarzt hat uns geraten, alle drei erst mal zusammen in einen Raum zu sperren, damit sie die Rangfolge auskämpfen können. Das geht im Auto bestimmt noch besser.«

»Und wie ist es ausgegangen?«

»Der Neue hat verloren. Als wir sie rausgelassen haben, fehlte ihm ein kleines Stück vom Ohr.«

Kalli verzog angewidert das Gesicht. »Das ist ja furchtbar. Und was hat das mit uns zu tun?«

Marleen verbiss sich ein Lachen, ich bemühte mich, ernst zu antworten: »Nichts. Aber Hubert sollte sich im Auto besser nach hinten setzen.«

Ich kehrte zurück zu meinen Fußleisten und ließ den verwirrten Kalli mit seinen Gedanken allein.

Als ich den letzten Meter Fußleiste lackiert hatte, sah ich auf die Uhr. Mein Vater und Kalli waren jetzt schon über eine Stunde weg. Hatte ich mit meinen Katererinnerungen womöglich irgendeine Katastrophe heraufbeschworen? Ich erhob mich langsam und drückte meine Hände ins Kreuz, diese gebückte Haltung war nichts für Frauen meines Alters, erst recht nicht nach einer solch kurzen Nacht.

Onno sah mich an. »Sag mal, was ist denn mit Essen?«

»Hast du Hunger?«

»Na sicher, es ist schon lange Mittag vorbei. Müssen wir warten, bis Kalli und Heinz wiederkommen?« Er stand unschlüssig neben dem Tresen. »Die Reihe hier habe ich fertig, für die andere habe ich zu viel Hunger.«

Carsten wischte sich mit seinem Taschentuch die Stirn ab. »Ich bekomme Kopfschmerzen, wenn ich nichts esse. Und ich habe einen Durst, das kann ich gar nicht beschreiben.«

»Ich gehe mal gucken, ob sie schon da sind. Ihr könnt auch gleich mitkommen.«

Der Platz, auf dem Marleens Auto sonst stand, war leer. Dafür stand Gisberts Moped neben der Hintertür. Er selber saß am Küchentisch und redete auf Marleen ein, die dabei den Tisch deckte.

»Und dann hat er sich kurz umgesehen und ist im Eingang zur ›Georgshöhe‹ verschwunden, er hat wohl gedacht, dass er mich abgeschüttelt hat, aber nichts da. Wenn Gisbert von Meyer einen Job übernimmt, dann macht er ihn anständig. Da kann sich der Typ warm anziehen. Jedenfalls …«

»Mahlzeit.« Onno blieb unbeeindruckt und setzte sich. »Was gibt es denn?«

»Der Heiratsschwindler ist in der ›Georgshöhe‹ auf der Pirsch.« Gisberts Fistelstimme überschlug sich.

»Ich meine, was es zu essen gibt.«

»Frikadellen.« Marleen stellte Gläser auf den Tisch. Gisbert sah sie fassungslos an und packte Onno am Arm. »Hörst du? Der Heiratsschwindler!«

»Ja, ja.« Onno schaute sich um. »Mit Kartoffelsalat?«

Marleen stellte eine Schüssel auf den Tisch. »Na klar. Hier bitte. Ihr könnt auch schon anfangen. Kalli hat gerade angerufen, Hubert hat Heinz und Kalli zum Essen eingeladen, als Dank für den Abholservice.«

Ich verschluckte mich, hoffentlich war das kein Ablenkungsmanöver für ein ruiniertes Ohr.

Gisbert schnappte nach Luft. »Hört mir denn niemand zu? Der Heiratsschwindler ist wieder da, ich ertappe ihn fast in flagranti und ihr redet von Frikadellen?«

»Wobei hast du ihn denn ertappt?«, fragte ich.

»Er ist in das Hotel gegangen, um sich sein nächstes Opfer zu suchen.«

»Hat er dir das erzählt?«

»Christine. Wieso nehmt ihr das alle so leicht? Es ist Gefahr im Verzug. Onno, sag du mal was. Oder Sie, Carsten.«

Carsten deutete bedauernd auf seinen vollen Mund.

»Marleen, hast du Ketchup? Wozu soll ich was sagen?« Onno sah Gisbert freundlich an.

Der Inselreporter atmete mittlerweile so hektisch, dass sein Gesicht ganz rot wurde. Ich beobachtete die Verfärbung und dachte an Johanns Gesicht, das so rührend aussah, wenn er schlief. Ich bekam ein zärtliches Gefühl und ein schlechtes Gewissen, dass ich den anderen noch nicht gesagt hatte, dass Johann nichts, aber auch gar nichts mit dem gesuchten Heiratsschwindler aus Emden zu tun hatte. Fast tat mir der aufgeregte Gisbert von Meyer leid.

»Gisbert«, ich schob ihm ein Glas Wasser hin, »du musst dich nicht so aufregen. Ich weiß ja nicht, wen du in der ›Georgshöhe‹ observiert hast, aber sieh mal, es gibt doch auch die Polizei, die sich darum kümmern kann, da musst du dir doch …«

Er hatte seine Atmung wieder unter Kontrolle. »Wen ich observiert habe? Na, diesen Gast hier, diesen Thiess, diesen Johann Thiess, der angeblich aus Bremen kommt, der alles fotografiert, der dich und Mechthild und Hannelore und wer weiß, wen noch, angequatscht hat und der …«

»Gisbert.« Marleen legte ihm die Hand auf die Schulter. »Ganz ruhig, Gisbert. Kann es nicht sein, dass ihr euch irrt? Ich glaube nämlich, dass Herr Thiess ganz harmlos ist, dass da nur ein paar Missverständnisse vorliegen.«

Ich warf ihr einen dankbaren Blick zu und erschrak, als GvM plötzlich auf den Tisch schlug.

»Er hat euch schon eingelullt, ich fasse es einfach nicht! Das ist der Beweis. Er wickelt euch Frauen um den Finger, genau das ist doch seine Masche. Und ihr fallt alle um.«

In seinem Gesicht spiegelte sich die nackte Verzweiflung.

Ich versuchte, ernst zu bleiben, und blickte in die Runde. Sekundenlang herrschte Stille. Dann räusperte sich Onno.

»Sag mal, Gisbert?«

»Ja?«

»Wenn du deine Frikadelle nicht isst, kann ich die dann haben?«

Langsam stand Gisbert auf und nahm seine Jacke von der Stuhllehne. Während er seinen Stuhl an den Tisch schob, schaute er uns an.

»Wenn ihr es nicht wissen wollt, bitte. Ich kann nur hoffen, dass es kein Heulen und Zähneklappern gibt, wenn dieses Subjekt euch mit gebrochenen Herzen und geplünderten Konten sitzenlässt. Ich habe euch gewarnt. Wenn Heinz und Kalli zurückkommen, sagt ihnen, Plan B, Standort G, sie wissen dann schon Bescheid. Mahlzeit.«

Er ließ die Tür laut hinter sich zufallen, Onno zuckte zusammen und schluckte.

»Meine Güte. Der ist aber auch immer aufgeregt. Und wem hat er jetzt das Herz gebrochen?«

Marleen und ich sahen uns an und schoben ihm unsere Frikadellen zu. Onno lächelte.

Onno, Carsten und ich gingen nach dem Essen zurück in die Kneipe. Weder mein Vater noch Kalli waren bislang wieder aufgetaucht. Marleen hatte sich in ihr Büro zurückgezogen, um die Ankunft der Möbel für den nächsten Tag zu organisieren, Onno stellte das Radio an und Carsten schob sich zu den Klängen von Gitte Haenning, die einen Cowboy als Mann wollte, die Leiter zurecht. Ich nahm mir vor, in den nächsten zwei Jahren keinen einzigen deutschen Schlager mehr zu hören, und bekam Sehnsucht nach Johann. Mit dem Rücken zu den beiden Männern tippte ich eine SMS: »Wo bist du gerade? Sehnsüchtige Küsse, C.«

Während ich auf die Antwort wartete, begann ich, die Fenster zu putzen. Nach dem dritten Fenster hörte ich im Hof ein Auto, kurz darauf klappende Türen und dann das Lachen meines Vaters. So lachte niemand, der einem andern gerade ein Ohr abgebissen hatte. Ich fühlte mich doch ein wenig erleichtert.

Die Tür ging auf und ein hochgewachsener Mann folgte meinem Vater und Kalli in den Raum.

»Da sind wir wieder.« Mein Vater blieb am Tresen stehen. »Onno, steig mal von der Leiter, Carsten, Christine, darf ich euch den Fünften im Bunde vorstellen? Das ist Hubert, feiner Kerl, er ist übrigens Hobbyornithologe. Er hat handwerkliches Geschick und trinkt auch Weizenbier. Hubert, das ist Carsten, der Vater vom Innenarchitekten hier. Und das da ist meine Tochter Christine, sie sieht sonst besser aus, hat aber heute was mit den Augen.«

Hubert kam mit ausgestrecktem Arm auf mich zu und deutete eine Verbeugung an, während er meine Hand schüttelte.

»Sehr angenehm, Christine. Sie haben auch heute schöne Augen.«

Das »Na, na« meines Vaters ließ mein erfreutes Lächeln etwas dünner ausfallen. Ich fand Hubert äußerst charmant, er würde eine echte Konkurrenz für den berühmten Inselführer werden. Was wohl zwei Geschäftsfrauen aus Münster-Hiltrup über ihn denken würden? Hubert begrüßte Carsten und Onno und sah sich dann um.

»Es ist ja schon alles fertig.«

Seine Stimme klang ein bisschen enttäuscht. »Was kann ich denn noch machen?«

»Urlaub.« Marleen war gekommen, in der Hand einen Korb mit Thermoskannen und Tassen, den sie auf einen Tisch stellte.

»Hallo, Hubert, schön, dass du da bist.« Sie umarmte den Liebsten ihrer Tante und trat dann einen Schritt zurück. »Du siehst ja immer jünger aus, Theda und das dauernde Verreisen scheinen dir gutzutun.«

Hubert strich sich geschmeichelt über die Haare und lächelte verlegen.

»Man tut, was man kann. Aber sag mal, hier gibt es ja gar nichts mehr zu tun. Ich habe Theda versprochen, dass ich dir helfe.«

»Wir sind auch noch nicht fertig. Es muss noch alles geputzt werden, die Steckdosen fehlen noch …«

»Alles mit Strom mache ich.« Onno kämpfte um seinen Arbeitsplatz. »Dass das klar ist.«

Beschwichtigend hob Hubert die Hände. »Von Elektrik verstehe ich nichts. Wieso hängen diese Planen an den Wänden?«

Mein Vater hob eine Plane ein paar Zentimeter an. »Die schützen Dorotheas Wandgemälde.« Er nickte stolz. »Das sind nämlich Kunstwerke, die müssen beschützt werden.«

»Geschützt.« Ich verbesserte ihn automatisch und kassierte dafür einen tadelnden Blick.

»So wie du mit Farbe umgehst, beschützt.«

Carsten wippte auf den Fußspitzen und sagte: »Die Künstlerin ist die Freundin von meinem Sohn.«

»Jetzt hör aber auf.« Mein Vater ließ die Plane wieder fallen. »Wir haben sie mitgebracht. Das wollen wir erst mal sehen, ob das mit Nils wirklich was wird.«

Hubert blickte verständnislos zwischen beiden hin und her und wurde von Marleen zum Tisch geschoben.

»Wie auch immer«, sagte sie, »du wirst Dorothea und Nils nachher kennenlernen. Jetzt trinken wir Kaffee und dabei erzähle ich dir, was noch alles zu tun ist.«

»Für Hubert ist nicht viel zu tun.« Mein Vater suchte die Kanne ohne Koffein. »Du wirst einen ehemaligen Fabrikanten ja wohl nicht putzen lassen.«

»Warum denn nicht?« Onno befreite ein Kuchentablett vom Papier. »Das muss doch gemacht werden. Ich habe keine Zeit, ich habe noch genug Elektrik.«

Mein Vater legte mir ein Stück Kirschkuchen auf den Teller. Es war das einzige Stück und mein Lieblingskuchen, dafür hatte ich meinen Vater gern.

»Christine kann putzen. Sie kommt mit ihren kleinen Frauenhänden ja auch besser in die Ecken.«

Und das für ein läppisches Stück Kirschkuchen. Ich sah mich in dem großen staubigen Raum um. »Und das soll ich alles allein bis morgen früh schaffen? Wo ist denn Gesa eigentlich?«

»Beim Sport.« Marleen goss mir Kaffee ein. »Sie kommt aber danach wieder. Und Dorothea hat gestern Abend angerufen, dass sie um vier wieder hier sind. So, was müssen wir Hubert jetzt noch erklären?«

»Gar nichts.« Kalli rührte schwungvoll Milch in seine Tasse. »Wir haben ihm schon alles beim Mittagessen erzählt. Heinz hat auch einen kleinen Plan gezeichnet, wie die Möbel morgen gestellt werden sollen und so.«

»Marleen, du brauchst dich um nichts kümmern.« Mein Vater zog sich den Kuchen näher. »Kann ich den Butterkuchen haben? Ich erkläre Nils dann, warum wir einiges ändern.«

Marleens Blick bekam etwas Starres. Ich stieß sie unter dem Tisch an. Sie atmete tief durch.

»Ach, Hubert, wir müssen nachher noch ein paar Dinge im Büro besprechen, komm doch nach dem Kaffee mit rüber. Heinz, Kalli und Carsten können hier den Rest machen.«

»Aber ich möchte doch …«

Marleen stand auf und unterbrach seinen Protest.

»Hubert, am besten du nimmst deinen Kaffee mit und wir bereden das sofort. Ich muss auch noch in die Stadt.«

Mein Vater klopfte ihm beschwichtigend auf die Schulter. »Geh mal ruhig, hier passiert sowieso nichts Spannendes. Aber heute Abend müssen wir reden, du weißt ja …«

Er sah seinen neuen Kumpel verschwörerisch an und deutete ein Durchschneiden der Kehle an. Marleen und ich stöhnten gleichzeitig auf.

»Bitte nicht wieder diese Heiratsschwindler-Fantasie. Steckt Hubert nicht auch noch an.« Ich versuchte meinen besten Tochterblick, leider ergebnislos.

»Was heißt Fantasie? Wir reden über harte Fakten. Außerdem solltet ihr uns etwas von Gisbert ausrichten, zum Glück haben wir ihn in der Stadt getroffen. Er hat recht, man sollte euch da ganz raushalten. Wie auch immer, Hubert, um 20 Uhr im Strandkorb.«

Ich beschloss, draußen eine heimliche Zigarette zu rauchen und meine Mutter anzurufen.

Liebeskummer lohnt sich nicht
– Siw Malmkvist –

Meine Mutter nahm nach zwei Freizeichen ab.

»Na? Wie weit seid ihr?«

»Wir werden heute fertig. Es sind nur noch Kleinigkeiten zu machen und dann müssen wir putzen. Wie geht es deinem Knie?«

Meine Mutter seufzte. »Frag lieber nicht. Es tut weh. Ich dachte, es ginge alles viel einfacher. Aber was soll's, ich mache alles, was die Ärzte und Krankengymnasten sagen, und bin froh, wenn ich wieder nach Hause kann. Genug gejammert. Erzähl mal, was gibt es Neues?«

»Hubert ist heute gekommen, weißt du, der Lebensgefährte von Marleens Tante. Theda kommt erst morgen, sie ist noch zu einer Freundin gefahren und hat Hubert vorgeschickt.«

»Dann kann er euch ja noch helfen.«

»Das wollte er auch, aber glaube mal nicht, dass die Herren putzen, das haben sie bereits sehr deutlich gesagt.«

»Na ja, Christine, das ist aber auch nichts für sie.«

»Mama. Ich bitte dich. Was ist denn daran so schlimm?«

Meine Mutter lachte leise. »Dein Vater oder Kalli mit einem Wischmopp. Stell dir das mal vor. Die wissen doch gar nicht, welches Ende man in den Eimer steckt.«

»Ich finde das nicht komisch. Diese Männer sind nur so unfähig, weil ihr ihnen immer alles hinterhergeräumt habt.«

»Kind, jetzt fangen wir aber nicht mit feministischen Diskussionen an, oder? Mein Knie tut weh.«

»Schon gut. Hast du heute schon mit Papa telefoniert?«

»Ja, heute Mittag. Sag mal, was ist denn mit deinen Augen? Warst du in der Klinik?«

»Natürlich nicht. Die waren nur geschwollen. Zu wenig Schlaf.«

»Das klang bei deinem Vater aber ganz anders.«

»Du kennst ihn doch. Hast du dir etwa Sorgen gemacht?«

»Nicht richtig. Wenn du so ausgesehen hättest, wie er dich beschrieben hat, hätte ich dir sowieso nicht mehr helfen können. Wieso hast du so wenig geschlafen?«

Mütter hören immer Untertöne.

»Ich habe mich mit Johann Thiess getroffen.«

»Papas Heiratsschwindler?«

»Mhm.«

»Und?«

»Schön.«

»Aber dann musst du mit deinem Vater mal ernsthaft reden, er hat mir vorhin erzählt, dass es heute Abend ein konspiratives Treffen gibt. Dieser junge Mann, dieser Gilbert oder Giselher …«

»Gisbert von Meyer.«

»Genau, der hätte jetzt Beweise und morgen wollen sie zuschlagen. Das hat er wörtlich gesagt. Hoffentlich blamiert sich Heinz nicht. Du weißt ja, wie er sich benimmt, wenn er von einer Sache überzeugt ist.«

»Ja, das wissen wir.«

»Dann rede nachher mit ihm. Am besten, du stellst ihm den jungen Mann gleich vor.«

»Papa schlägt ihn sofort nieder.«

»Ach Unsinn. Du übertreibst immer so, von mir hast du das nicht. Du, jetzt kommt gerade mein netter Therapeut, ich muss trainieren. Viel Spaß beim Putzen und bis bald.«

Bevor ich in die Kneipe zurückging, warf ich noch einen schnellen Blick auf mein Handy. Nichts. Johann hatte meine SMS nicht beantwortet. Vielleicht hatte er am Strand keinen Empfang. Er hätte aber auch von sich aus Sehnsucht zeigen können. Das gehörte sich nach der ersten Nacht.

»Christine, warte mal.«

Ich drehte mich um und sah Gesa, die von ihrem Fahrrad absprang und es einfach fallen ließ.

»Rauchst du noch eine Zigarette mit mir?«

»Ich muss eigentlich weitermachen.«

»Ach, komm, ich helfe gleich mit. Das schaffen wir doch locker. Wo ist Heinz?«

Irgendwie begriff ich nicht so richtig, was sie eigentlich wollte. Ihr Gesicht war gerötet, ihre Haare hatte sie zu einem unordentlichen Zopf geflochten.

»Ist was passiert?«

Gesa wich meinem Blick aus. »Nein, nein, ich war beim Sport. Ich wollte nur noch eine rauchen und was trinken, bevor ich die Putzlappen schwinge. Komm, zehn Minuten im Strandkorb.«

Ich spähte vorsichtig durchs Fenster. Onno stand auf der Leiter, Kalli reichte ihm Schrauben, mein Vater und Carsten saßen nebeneinander am Tresen und malten etwas auf einem Blatt Papier. Vermutlich entstanden hier Pläne für die Möbelpacker, die mit Nils Entwürfen nichts mehr zu tun hatten.

»Ich komme mit.«

Gesa holte zwei Gläser und eine Flasche Wasser aus der Küche und setzte sich neben mich. Sie wirkte nervös, sah mich immer wieder von der Seite an, sagte aber nichts. Irgendwann verlor ich die Geduld. »Sag mal, Gesa, ist irgendwas?«

Sie schluckte und zündete sich eine Zigarette an.

»Ich gehe zweimal in der Woche in die ›Georgshöhe‹ zum Sport, habe ich das schon erzählt?«

»Nein. Und?«

»Sie haben dort so einen ganz großen Wellness-Bereich. Da bin ich Mitglied. Ich mache erst Fitness, dann gehe ich in die Sauna. Macht Spaß.«

»Ja. Toll.«

Sie trank ihr Wasser aus, drehte die Kappe der Flasche umständlich ab und schenkte nach. Dann drehte sie den Verschluss wieder zu und sah mich an. Schweigend.

»Gesa? Und?«

»Ich habe Gisbert von Meyer da gerade eben getroffen. Er sitzt mit Schirmmütze und Sonnenbrille auf der Terrasse und observiert Johann Thiess.«

Ich legte meine Hand auf ihr Bein. »Und weiter? Du weißt doch, dass Gisbert ein Idiot ist.« Plötzlich begriff ich, was sie gesagt hatte. »Johann? In der ›Georgshöhe‹?«

Gesas Stimme klang gepresst. »Ja. Er war auch da.«

Ich tätschelte ihr Bein. »Er ist zum Strand gefahren. Wahrscheinlich hat er Durst oder Hunger bekommen und hat oben angehalten.«

Wieso hatte er sich dann nicht auf meine SMS gemeldet? In dem Hotel hatte man Empfang.

»Ach, Christine, ich habe ja auch gedacht, dass Heinz und Gisbert spinnen, aber Johann Thiess saß im Restaurant mit einer alten Dame, die ziemlich reich und verknallt aussah. Sie hat ihn auch dauernd angefasst.«

Mein Hirn wurde bleiern. »Wie? Angefasst?«

»Seine Hand gedrückt, ihm über die Wange gestrichen, das ganze Programm eben. Ach, Christine, es tut mir so leid.«

»Und er?«

»Wie, und er?«

»Was hat Johann Thiess gemacht?«

»Er hat gelächelt. Und er hat sie geküsst, als er ging.«

»Bist du sicher?«

Gesa nickte traurig. »Ja. Und Gisbert von Meyer hat das alles mit seinem Handy fotografiert.«

»Es wird eine ganz normale Erklärung dafür geben.« Bleib ruhig, dachte ich.

»Sicher.« Gesa drückte ihre Zigarette frustriert aus. »Ganz bestimmt. Ach, Christine, ich finde ihn so sympathisch, ich kann mir überhaupt nicht vorstellen, dass Heinz und Gisbert recht haben, aber das war schon ziemlich eindeutig.«

Sie sah so verzweifelt aus, wie ich mich gerade fühlte.

»Komm, Gesa, wir gehen putzen.«

Mein Vater hatte mich zur Disziplin erzogen.

Ich schrubbte meine ganzen Gedanken in die Holzbohlen. Weder mein Vater noch der Rest der Crew hatte auch nur den Kopf gehoben, als Gesa und ich mit unseren Eimern und Wischmopps in die Kneipe traten. Nur von Carsten war ein zufriedenes »Ah, die Putzkolonne« gekommen.

Ich erkannte gleich, womit mein Vater so konzentriert beschäftigt war. Er hatte keinerlei räumliche Vorstellungskraft, also zeichnete er seit jeher Möbel auf Millimeterpapier, schnitt sie aus und schob sie auf maßstabgetreuen Plänen hin und her. Stundenlang und immer wieder. Die Möbel meiner Eltern lagen sortiert in einer alten Pralinenschachtel, bevor meine Mutter umstellte, machte Heinz immer einen Probelauf. Und meine Mutter stellte oft um.

Während er mit zusammengekniffenen Augen die Sitzgruppen über den Kneipenplan schob und dabei mit der Zungenspitze Schwung holte, wrang ich meinen Lappen aus und scheuerte die Ecken. Gesa sah mich von Zeit zu Zeit an, vielleicht war ihr eingefallen, dass man früher die Überbringer schlechter Nachrichten geköpft hatte. Zu allem Überfluss blieb mein Handy stumm. Als ich am Tresen vorbeiging, um das Wasser zu wechseln, fiel mir ein Papierfitzelchen vor die Füße. »Sessel/Leder/rot«. Mein Vater und ich bückten uns gleichzeitig und stießen mit den Köpfen zusammen.

»Aua! Mensch, Christine.«

Ich rieb mir mit geschlossenen Augen die Schläfe und spürte den Zeigefinger meines Vaters, der mein Kinn hob.

»Was ist los?«

Mir schossen die Tränen in die Augen, ich drehte mich weg.

»Nichts. Schon gut. Entschuldigung.«

»Du hast doch was.«

»Ich habe sie!« Gisbert schoss wie ein gehetztes Kaninchen in die Kneipe. »Die Beweisfotos. Ja. Ja. Ja.«

Er blieb mitten im Raum stehen, legte seinen Kopf in den Nacken und streckte seine dünnen Ärmchen zur Decke. Wahrscheinlich fühlte er sich wie der Terminator, dabei sah er aus wie immer.

Mein Vater löste widerstrebend seinen Blick von mir und ging auf den Meisterschnüffler zu.

»Lass sehen.«

Gisbert holte mit großer Geste sein Handy aus der Hemdtasche und hielt es wie einen Pokal in die Höhe. »Hier ist der Verbrecher, in flagranti erwischt, in Ausübung seiner kriminellen Tätigkeit.«

Gesa erhob sich langsam aus der Hocke und warf mir einen ängstlichen Blick zu. Gisbert sah mich ebenfalls an, allerdings triumphierend. »Hier, Christine, hier ist der Beweis. Du mit deiner Gutgläubigkeit.«

Eigentlich wollte ich das alles überhaupt nicht wissen und schon gar nicht bewiesen haben. Ich stellte mich trotzdem neben ihn und wartete. GvM drückte auf die Tasten des Geräts.

»Warte mal, wie ging das noch? Ins Menü, dann Einstellungen, nein ...« Seine Finger wurden hektisch. »Erst Extra, Enter, nein. Ach so, ja, zurück, dann ...«

Er bekam wieder seine hektischen Flecken am Hals. Kalli, Heinz, Carsten und Gesa bildeten einen Kreis um uns.

»Noch mal von vorn. Nein ... Oh, jetzt ist alles weg.«

In mir stieg ein kleines Gefühl der Hoffnung auf, die anderen traten einen Schritt näher. Das Techniktalent sah entschuldigend in die Runde.

»Ich habe das Telefon nämlich neu und bin mir nicht mehr sicher ...«

Mein Vater streckte die Hand aus. Meine Hoffnung wuchs. Wenn er das Handy in die Finger bekäme, um irgendwas auszuprobieren, würden die Photos bestimmt gelöscht. Ich schob meinen Vater näher zu Gisbert.

»Nein, warte, jetzt habe ich's. Menü ... Galerie ... Photos. Na bitte. Hier, da sind sie.«

Aufatmend hielt er mir das Display vors Gesicht, ich starrte regungslos drauf. Johann, der eine Dame, die bestimmt über 70 war, anlächelte. Auf dem zweiten Bild griff sie ihm ins Haar. Die nächste Einstellung zeigte ihn, als er sich vorbeugte, um sie zu küssen.

»Ja, o. k. Gute Bildqualität. Tolle Kamera.«

Ich schob Gisberts Arm zur Seite und fragte mich, warum man unter Schock so einen Unsinn redete. Während die anderen sich wie die Geier auf das Handy stürzten, setzte er nach.

»Und? Das ist er doch, dieser Thiess, oder? Den du so reizend fandest? Und habe ich den jetzt verwechselt?«

»Nein, das ist er. Du, entschuldige, aber wir haben hier noch zu tun.«

Ich zwang mich zur Königinnenhaltung und ging zurück zu meinem Wischeimer. Mein Vater folgte mir.

»Sag mal, Kind …«

»Ja?« Nie im Leben zuvor hatte ich einen Lappen so dermaßen trocken gewrungen. Ich musste ihn noch einmal eintauchen. »Was ist?«

»Du hast uns nicht geglaubt, oder?«

»Was?«

»Dass dieser Kerl nicht ganz koscher ist.«

»Jetzt habe ich es ja gesehen. Du kannst dir also dein Ich-habe-es-dir-ja-gleich-gesagt sparen.«

Ich knallte den nassen Lappen gegen die Fußleiste, mein Vater nahm sein Taschentuch und wischte sie wieder trocken.

»Das wollte ich gar nicht sagen. Ist er … also, ich meine, hat er dir … wie soll ich sagen?«

»Papa, du musst dir keine Gedanken machen, ich bin seit 28 Jahren keine Jungfrau mehr und verlobt hat er sich auch nicht mit mir. Was ist jetzt? Wollen wir uns unterhalten oder was tun?«

Er sah mich traurig an. »Ach, Tine.« Er streckte seinen Rücken durch. »Aber wenn der glaubt, dass er bei mir damit durchkommt, dann hat er sich geschnitten. Warm anziehen kann der sich, ganz warm. Gisbert? Wir müssen reden. Kalli, Carsten, ich hole uns ein Bier. Gisbert, hilf mir tragen.«

Während der nächsten zehn Minuten überlegte ich fieberhaft, welche harmlosen Erklärungen es geben könnte, es fiel mir aber keine einzige ein. Trotzdem musste ich mit Johann reden, sobald ich unauffällig verschwinden konnte, würde ich mich auf die Suche nach ihm machen. Heinz hatte Recht, so groß war Norderney nicht.

Die Tür wurde plötzlich aufgerissen. Hannelore und Mechthild, gewandet in violette Jogginganzüge mit passenden Schirmmützen und weißen Turnschuhen marschierten ein und blieben aufgeregt am Tresen stehen.

»Christi-ene!« Mechthild sprach meinen Namen immer mit »ie« aus. »Das ist ja nicht zu fassen, Gisbert hat uns alles erzählt. Was sagen Sie denn dazu?«

Ich überlegte, ob ich sie durch einen Hüftwurf mit dem Lappen treffen könnte, und schwieg. Dafür redete Gisbert, der vor meinem Vater eintrat.

»Da seid ihr ja schon. Heinz, ich habe den Damen vorhin schon die Ergebnisse der Observierung mitgeteilt. Und sie hatten eine großartige Idee.«

Er strahlte wie ein Honigkuchenpferd. Hannelore Klüppersberg wippte aufgeregt auf den Zehenspitzen und platzte fast.

»Ja. Wir geben die Lockvögel.«

Carsten verschluckte sich, Kalli hustete und ich erhob mich abrupt.

»Papa, ich muss in die Wohnung gehen und Augentropfen nehmen. Hinterher soll ich einen Moment liegen.«

»Ja, gut.« Er nickte mir besorgt zu. »Lass dir Zeit. Wir kümmern uns um alles.«

Ich durchquerte schnell den Raum, ich wollte bloß raus und nichts, aber wirklich gar nichts mehr über die weiteren Strategien wissen. Kurz vor der Wohnungstür klingelte mein Handy.

»Ich bin es, Johann. Ich muss dauernd an dich denken. Was machst du gerade?«

Ein dumpfes Gefühl schoss durch meinen Magen. Meine Stimme klang eisig.

»Ich muss dich sofort sehen. Hörst du? Sofort. In zehn Minuten an der Bank vor der ›Milchbar‹.«

Ich beendete das Gespräch und versuchte, ganz normal zu atmen.

Jeder Weg hat mal ein Ende
– Marianne Rosenberg –

Obwohl ich fast rannte, liefen mir kalte Schauer über den Rücken. Ich ließ mich schwer atmend auf die Bank fallen und kniff die Augen gegen die Sonne zusammen. Bevor ich mich richtig beruhigen konnte, stand Johann schon vor mir. Lächelnd, als ob die Welt in Ordnung wäre.

»Na? Du hast deine Sehnsucht wohl genauso wenig im Griff wie ich?«

Als er mich küssen wollte, drehte ich meinen Kopf zur Seite, sein Kuss streifte meine Wange. Er setzte sich und legte den Arm auf die Banklehne. Ich rutschte vor.

»Was ist denn los?«

Seine Stimme klang verblüfft. Schauspieler. Ich setzte mich so hin, dass ich ihm ins Gesicht sehen konnte. Manche Lügen erkennt man an den Augen.

»Wo warst du den ganzen Tag?«

»Am Strand. Wieso?«

»Nicht in der ›Georgshöhe‹?«

Johann setzte sich gerade hin, er schien auf einmal ungehalten.

»Sag mal, was soll das denn? Gestern haben wir darüber geredet, was für ein Quatsch diese Heiratsschwindlergeschichte ist, du hast selbst über diesen Gisbert von Meyer gelacht und jetzt hast du so einen misstrauischen Ton. Habe ich was verpasst?«

»Warst du im Hotel, ja oder nein?«

»Ja, meine Güte, ich habe dort was getrunken. Ist das ein Verbrechen?«

Er gab es sogar zu.

»Du bist gesehen worden.«

Seine Augen flackerten. Er überlegte einen Moment, bevor er antwortete.

»Ich verstehe nicht, dass du nach der letzten Nacht so wenig Vertrauen zu mir hast. Wieso bist du so?«

»Wieso ich so bin?« Ich hörte selbst, dass ich schrill klang, es war mir egal. »Mit wem warst du denn jetzt was trinken?«

Johann sah mich nachdenklich an. »Ach, Christine. Ich kann solche Verhöre wirklich nicht leiden. Heute Morgen fühlte sich das zwischen uns noch ganz anders an.«

Gisbert hätte diesen Satz vermutlich mitgeschrieben, genauso würde sich ein Heiratsschwindler herausreden. Er war ertappt und drehte den Spieß einfach um. Aber warum hatte er nur so schöne Augen? Und diese Wimpern ...

»Man hat dich gesehen und du warst nicht allein. Mir hast du erzählt, dass du hier niemanden kennst. Und dass du zum Strand fährst.«

»Vielleicht hat euer Meisterdetektiv auch eine Situation missverstanden. Die ganz große Leuchte beim Observieren ist er ja auch nicht.«

»Dann erzähl mir, was du hier machst. Warum du mit alten Frauen Kaffee trinkst, warum du dich für Marleen interessierst, warum du die Pension und alles fotografiert hast. Ich will ...«

Johanns Handy klingelte. Er machte keine Anstalten, dranzugehen. Nach drei lauten Tönen sagte ich: »Nun gehe schon ran.«

Er ließ mich nicht aus den Augen, während er sich meldete. Die Stimme am anderen Ende war so deutlich, dass ich sie verstehen konnte.

»Sag mal, wo steckst du? Seit einer Viertelstunde sind wir verabredet. Komm endlich hoch, Zimmer 126.«

Johann verdrehte die Augen. »Mausi, im Moment ist es schlecht, geh schon an die Bar, ich komme, sobald ich kann.«

Ich stand schon, bevor er das Handy weggesteckt hatte. Johann griff nach meiner Hand.

»Meine Tante.«

Er lächelte schief, ich wurde unglaublich wütend. Die Stimme hatte ziemlich jung geklungen. Betont langsam entzog ich mich ihm.

»Weißt du was, Johann? Verarschen kann ich mich allein. Es ist mir völlig egal, was du hier für Spielchen spielst. Aber nicht mit mir. Reise am besten ab, bevor mein Vater und Gisbert dich treffen. Du kannst ja in die ›Georgshöhe‹ gehen, da bist du bestimmt besser untergebracht. Oder du fährst gleich nach Hause, wo auch immer das ist.«

»Christine, das ist albern. Ich kann dir alles erklären. Aber nicht jetzt.«

Natürlich nicht, schließlich wartete Mausi auf ihn.

»Du kannst mich mal.«

Ich drehte mich auf dem Absatz um und ließ ihn stehen. Irgendwann hatte ich gelernt, dass man mit hoch erhobenem Kopf und dem letzten Wort abtreten musste. Ich fragte mich nur, warum es sich so falsch anfühlte. Trotzdem sah ich mich nicht mehr um, sondern ging mit schnellen Schritten und zusammengebissenen Zähnen zurück in die Pension.

Die Fenster und Türen der Kneipe standen sperrangelweit offen. Marianne Rosenberg und mein Vater sangen ›Fremder Mann‹, Dorothea kam mit zwei Müllsäcken heraus und ich fing an zu heulen. Sie ließ die Säcke sofort fallen und lief auf mich zu.

»Was ist los?«

Ich konnte nicht antworten.

»Deine Mutter?«

»Mein ... Vater ... hatte ... recht ... Heirats ...« Ich erstickte fast.

Hubert sang jetzt die tiefen Töne, einer der anderen hämmerte im Takt.

»Komm, Christine, wir gehen in die Wohnung.«

Sie zog mich am Arm hinter sich her, ich leistete keinen Widerstand.

Später saßen wir in der kleinen Küche unserer Ferienwohnung. Dorothea hatte Tee gekocht, ich hatte zwei Pakete Tempos verbraucht und war langsam wieder in der Lage, zusammenhängende Sätze zu formulieren. Sie hörte mir mit großen Augen zu. Ich bemühte mich, kein Detail auszulassen, bis auf wenige, und beschrieb den gestrigen Abend und die folgende Nacht chronologisch und mit Herzklopfen. An einer Stelle seufzte sie: »Wie im Film«, und mir trieb es wieder die Tränen in die Augen. Bei der Bindehautentzündung war sie amüsiert. Als ich zu Gisbert und seinen Handyfotos kam, setzte sie sich gerade hin.

»Und? Was war drauf?«

»Na, was wohl? Johann und so eine alte Dame, ziemlich beringt, teuer angezogen und sehr innig mit ihm.«

»Und wer war das?«

»Was weiß ich? Das nächste Opfer wahrscheinlich ...«

Dorothea guckte skeptisch. »Hast du ihn denn nicht gefragt, wer die Frau ist?«

»Doch«, ich dachte kurz an das zurückliegende Gespräch, »aber er hat es nicht beantwortet.«

»Vielleicht hast du ja auch nicht richtig gefragt. Hatte er überhaupt eine Chance, das Ganze aufzuklären?«

»Natürlich.« Ich verdrängte die Erinnerung an meine Verhörtaktik. »Und außerdem gab es nichts aufzuklären. Und dann rief noch diese Mausi an.«

»Und?«

»Er sagte, es wäre seine Tante. Die Stimme klang aber ziemlich jung.«

»Tante Mausi? Das denkt man sich doch nicht aus.«

Ich rieb meine Augen und verschmierte damit die letzte Wimperntusche. »Sag mal, auf wessen Seite stehst du eigentlich? Ich fand den Heiratsschwindlerquatsch auch albern, aber jetzt passiert so etwas. Ich verstehe das nicht.«

Dorothea rührte nachdenklich in ihrer Tasse. »Ich weiß nicht, irgendwas stimmt hier nicht.«

»Sag ich doch.«

Sie winkte ab. »So meine ich das nicht. Denk doch mal vernünftig. Du lernst einen richtig guten Typen kennen. Du verknallst dich, er sich anscheinend auch, und ihr habt eine richtig tolle Nacht. Am nächsten Morgen musst du arbeiten, also fährt er allein zum Strand. Und auf dem Rückweg trinkt er in einem Hotel Kaffee und zufällig sitzt er da am Tisch einer alten Dame. Wenn sich unser geisteskranker Gisbert von Meyer jetzt nicht für James Bond halten würde und dein Vater keine Schwäche für wilde Geschichten hätte, wäre doch überhaupt nichts dabei, oder?«

»Und was ist mit der Adresse? Und sein Interesse für Marleen? Und die Fotos von der Pension?«

»Das war doch geklärt.«

»Nicht richtig.« Meine Verzweiflung ließ sich nicht abstellen. Ich sah die Gesichter von Gisbert, Kalli und meinem Vater, das Handydisplay mit den Bildern und immer wieder Johanns Gesicht im Schlaf. Wütend warf ich den Kaffeelöffel in Richtung Spüle. Er fiel daneben. »Warum habe ich immer so ein Pech mit den Männern?«

»Christine.« Dorothea bückte sich und hob den Löffel auf. »Du benimmst dich wie eine Vierzehnjährige. Selbst wenn Johann Thiess nicht ganz sauber ist, dann hattest du wenigstens eine schöne Nacht mit ihm. Wann hattest du zum letzten Mal Sex? Vor zwei Jahren? Dann wurde es doch mal Zeit.«

Mir fiel keine Antwort ein. Das letzte Mal war schon zweieinhalb Jahre her. Dorothea nahm mein Schweigen als Zustimmung.

»Siehst du. Du lässt dich von unserer Altherrenrunde echt verrückt machen. Thiess ein Heiratsschwindler, ich glaube das nicht, nie im Leben. Rede noch mal mit ihm, er ist doch wirklich sexy.«

Vielleicht hatte Dorothea recht, vielleicht hatte ich mich nur von GvM und Heinz anstecken lassen, aber trotzdem verhielt Johann sich nicht wie ein Frischverliebter. Zumindest nicht so, wie ich das erwartete.

In diesem Moment klopfte Marleen ans Fenster, Dorothea öffnete es.

»Ist Christine hier? Ich suche sie überall. Ach, da bist du ja. Du hast mit den Augentropfen die ganze Wimperntusche verschmiert. Sieht furchtbar aus.«

Dorothea sah mich an. »Augentropfen?«

»Ja, sie hat doch eine Bindehautentzündung, Heinz hat ihr Augentropfen besorgt, was gibt es denn da zu lachen?« Marleen hielt inne und betrachtete Dorothea, die sich die Hand vor den Mund hielt. »Ist auch egal. Sag mal, Christine, weißt du, dass Johann Thiess abreist? Er hat gerade bezahlt und gesagt, dass er in die ›Georgshöhe‹ zieht, du könntest dich bei ihm melden, wenn du willst.«

»Vergiss es.« Meine Wut hielt sich die Waage mit der Enttäuschung.

»Siehst du«, sagte ich zu Dorothea.

Marleen ließ ihren Blick zwischen Dorothea und mir hin- und herwandern.

»Kann mich mal jemand aufklären? Und was hat Johann Thiess mit Kalli und Hubert gehabt?«

Das wusste ich auch nicht. »Wieso?«

»Als er an der Rezeption stand, liefen Kalli und Hubert am Fenster vorbei und er ging sofort in Deckung.«

Dorothea grinste. »Das wird ja immer verrückter. Vielleicht war Kalli bewaffnet.«

Mir fiel ein, was Johann erzählt hatte. »Kalli hat ihn observiert. Er hat sich mit Gisbert abgewechselt. Johann wollte ihn wohl nicht treffen.«

Dorothea bekam einen Lachkoller. »Kalli observiert? Meine Güte, hier ist es wie im Wilden Westen und ich kriege nichts mit.«

»Ja, weil du nur Nils im Kopf hast und dich dann nach Juist abgesetzt hast.« Es ging mir auf die Nerven, dass Dorothea mein privates Debakel so leichtnahm. »Und jetzt lachst du nur darüber.«

Dorotheas Miene blieb heiter. »Du hast ja recht. Also, ich werde sofort meine Dienste zur Verfügung stellen, vielleicht kann ich das eine oder andere zur Aufklärung beitragen, hier und da ein wenig beschatten oder gar vollstrecken, alles im Auftrag seiner Majestät.«

»Was ist denn hier los?« Mein Vater stand plötzlich neben Marleen und schaute durchs Fenster. »Welche Majestät?«

Dorothea verbeugte sich. »Euer Majestät, König Heinz und natürlich Prinz Gisbert von Meyer. Ich will auch Verbrecher jagen.«

»Sei nicht albern. Das ist Männersache, mischt ihr euch da mal nicht ein. Wir sind drüben fertig, ihr könnt jetzt putzen.«

»Zu Befehl, mein Heinz. Komm, Christine, lass uns die Hütte auf Hochglanz bringen, das lenkt ab.«

Mein Vater beugte sich vor. »Sind die Augen noch so schlimm?«

Ich stand auf und stellte meine Tasse in die Spüle. »Nein, Papa, die Augentropfen haben geholfen, danke. Ich komme gleich.«

Er fing mich vor der Haustür ab und sah mich forschend an. »Du bist doch traurig, oder?«

Ich biss mir auf die Lippen und schüttelte den Kopf.

»Also, wenn ich was tun kann ...«

Er lächelte schüchtern. Ein Heinz drängte sich nie auf.

»Ich hab dich lieb, Papa.«

Ich küsste ihn auf die Wange und ging putzen.

Kriminal-Tango
– Ralf Bendix –

Ich betrachtete meine schrumpeligen Hände, während ich im Strandkorb saß und auf die anderen wartete. Es war kurz vor acht, wir waren gerade fertig geworden und im Gegensatz zu Marleen, Dorothea und Gesa verspürte ich überhaupt keine Lust, mich umzuziehen. Es war ein verrückter Tag gewesen. Am Morgen hatte ich das Leben noch großartig gefunden, mittags war Gisbert-der-Zerstörer gekommen und jetzt lag alles in Scherben. Johann war weg, ich unglücklich, die Mädels mitleidig und die Rentnerband plante Johanns Abschuss. Da konnte ich auch in Putzklamotten dabeisitzen. Mir war jetzt sowieso alles egal.

Marleen, in sauberen Jeans und weißem T-Shirt, die Haare noch feucht vom Duschen, setzte sich mir gegenüber.

»Was bin ich froh, dass wir alles fertig haben. Die Möbel kommen morgen früh gegen acht, ich muss aber noch schnell zur Bank, das ging mit dem Termin nicht anders, aber ihr seid ja da. Ich bin gegen halb neun wieder zurück. Hörst du mir überhaupt zu?«

»Wie?« Beim Wort Bank fiel mir Johann wieder ein. Falls er überhaupt Banker war, vielleicht war das ja auch gelogen. »Natürlich höre ich dir zu. Wir sollen morgen zur Bank.«

»Christine!«

Aber hatte er mich überhaupt angelogen? Eigentlich war er immer nur ausweichend gewesen. Wie auch immer, kein verliebter Mann benahm sich so.

»Ja?«

Marleen sah mich scharf an. »Du hörst mir nicht zu, du bist mit den Gedanken völlig woanders und ich kann mir auch denken, wo. Also, ich sage dir jetzt was, bevor die Jungs kommen. Ich glaube kein Wort von diesen Albernheiten. Johann Thiess ist ein netter Kerl, vielleicht löst er gerade irgendein Problem, aber das hat garantiert nichts mit alten, reichen Frauen zu tun. Ein bisschen Menschenkenntnis habe ich schließlich auch. Überleg doch mal, er macht hier Urlaub, wird plötzlich misstrauisch beäugt, dann auch noch wie in einem drittklassigen Film von ein paar alten Männern beschattet, also ich bitte dich. Und dann fängst du auch noch an, komisch zu werden. Ich glaube, der ist wirklich in dich verschossen und ...«

»Wer ist verschossen?« Die Stimme meines Vaters klang gefährlich freundlich. Marleen lächelte.

»Heinz, da bist du ja. Ich glaube, Gisbert ist in Christine verschossen. So oft, wie der hier ist ...«

Mein Vater setzte sich neben mich und rieb sich zufrieden die Hände. »Ja, da kannst du recht haben. Wobei ihn natürlich auch andere Dinge beschäftigen. Aber dass er meine Tochter sympathisch findet, glaube ich auch. Deswegen will er sie ja auch vor diesem Verbrecher schützen.«

Zur Bekräftigung legte er seinen Arm um meine Schulter und drückte mich kurz.

»Sag mal, Heinz«, Marleen hatte einen katzenfreundlichen Ton, »kann es nicht sein, dass Gisbert den Mann, den Christine sympathisch findet, einfach deshalb zum Verbrecher erklärt?«

»Ach, Unsinn.« Mein Vater nahm seinen Arm abrupt weg. »Das hat Gisbert doch gar nicht nötig.«

Ich hustete, bevor mir ein verzweifeltes Kichern entwich. Marleen schüttelte resigniert den Kopf und sah in diesem Moment Gisbert auf den Hof fahren. Er hatte einen kleinen Anhänger an seinem Moped, auf dem eine Kiste Bier stand.

»Na wenigstens bringt er mal was mit. Sonst trinkt er hier immer umsonst.«

»Marleen.« Mein Vater zischte es ihr leise zu. »Wenn ich

irgendetwas hasse, sind das kleinliche Frauen. Du wirst ihm noch für seine Dienste dankbar sein.«

Er stand auf und ging ihm entgegen. Marleen beugte sich vor.

»Klein-Gisbert kriegt die Kiste nicht vom Hänger und Heinz hat es in der Hüfte. Da bin ich mal gespannt.«

Kalli fuhr durch die Einfahrt, winkte uns zu und schwang sich von seinem Fahrrad. Mein Vater nahm ihm das Rad ab und stellte es ordentlich an die Wand.

»Kalli, heb doch mal eben die Kiste vom Anhänger, ich hole Gläser. Gisbert, komm, setz dich.«

Gisberts Haare waren aufgeladen, als er den Helm abnahm, sie wehten im Wind. Er streckte seine Brust raus und kam strahlend auf mich zu.

»Christine, du siehst toll aus. Darf ich?«

»Heinz sitzt neben Christine.« Marleen war reaktionsschneller als ich. »Hol dir doch bitte einen Klappstuhl aus der Garage.«

Er zog einen Flunsch, brachte aber immerhin gleich zwei Stühle mit. Kalli, der die Bierkiste anschleppte, dankte ihm.

Mein Vater kam in Begleitung von Gesa, die das Tablett mit Gläsern, und Hubert, der die Wasserflaschen trug, zurück. Er setzte sich zu mir in den Strandkorb und warf Gesa einen auffordernden Blick zu. »Jetzt brauchen wir noch ein paar Klappstühle. Wo ist denn Carsten? Quatscht er Dorothea wieder voll?«

»Sie kommen gleich.« Gesa verteilte die Gläser, dann holte sie Stühle.

»Ich habe sie auf dem Deich gesehen. Guck, da sind sie schon.«

»N'Abend.« Carsten klopfte auf den Tisch und setzte sich. »Nils, hol doch mal die Bank aus der Kneipe, das sieht nicht gut aus mit den ganzen Klappstühlen. Du bist doch sonst so eigen mit Möbeln. Dorothea, du kannst dich neben mich setzen. Kalli kann Nils helfen.«

Ich hatte das Bedürfnis, allein zu sein. Irgendwo am Strand zu sitzen, eine Zigarette zu rauchen, aufs Meer zu schauen und an unerfüllte Lieben zu denken.

In diesem Moment sprang mein Vater auf und brachte den Strandkorb zum Wanken.

»Können wir jetzt anfangen? Wir machen doch hier kein fröhliches Grillfest.«

»Genau.« Gisbert sah zu meinem Vater auf. »Wir haben eine Mission.«

Kalli öffnete die Bierflaschen und gab sie weiter.

»Wo sind denn Frau Klüppersberg und Frau Weidemann-Zapek?«

»Kalli.« Dorothea hatte den Ernst der Lage immer noch nicht erkannt. »Du hast es doch gehört, wir machen hier kein fröhliches Grillfest.«

Kalli wurde rot. »Aber so meinte ... die wollten doch ... möchte noch jemand ein Bier?«

Gisbert von Meyer räusperte sich und stand auf. Er strich einen Zettel glatt und sah sich um. »So, wir sind vollzählig. Ich möchte ...«

»*Jetzt* sind wir vollzählig.« Onno war plötzlich da und guckte Gisbert ärgerlich an, bevor er sich einen Stuhl neben den Strandkorb stellte. Er beugte sich zu mir.

»Der Wichtigtuer geht mir auf den Geist. Immer vergisst er mich.«

Ich war erstaunt. Der stille Onno rebellierte.

Gisbert ignorierte Onno weiterhin und fing an:

»Ihr Lieben. Ich möchte euch zunächst meinen Artikel vorlesen, der morgen im ›Inselkurier‹ erscheint. Aufgepasst: ›Wie wir aus verlässlicher Quelle erfahren konnten, wurde eine große Gefahr von den Inselbewohnern und ihren Gästen, vor allen Dingen den weiblichen, abgewendet. Mit nie vorher gekanntem Einsatz gelang es einem tapferen Heer mutiger Männer einen von Interpol gesuchten Heiratsschwindler dingfest zu machen. Durch tagelange Recherche und lebensgefährliche Observierungen gelang es den Rettern, einen mit allen Wassern gewaschenen Verbrecher in die Enge zu treiben. Schon am heutigen Tag wird dieses Subjekt Norderney verlassen. Die Polizei, die mit den alltäglichen Delikten auf unserer Urlaubsinsel ausgelastet scheint, wird froh sein über die Tatkraft dieser beherzten Bürgerwehr, die sich so selbstlos gegründet hat. Weitere Informationen über den Verlauf der Festnahme und die Details der Spurensuche folgen morgen an gleicher Stelle. GvM.‹« Er faltete das Blatt zusammen und setzte ein triumphierendes Lächeln auf. »Und?«

»Interpol?« Marleen verkniff sich das Lachen.

»Bürgerwehr?« Nils grinste offen.

Dorothea legte nach: »Lebensgefährliche Observierungen?«

Hubert verstand gar nichts. Er blickte von einem zum anderen und fragte schließlich:

»Könnte mich bitte mal jemand einweihen? Ich dachte, er wird noch gesucht? Und wieso verständigt man nicht die Polizei?«

»Die Polizei! Die wollen Beweise.« Gisbert wandte sich ihm zu. »Das hier ist investigativer Journalismus. So nimmt der Leser Anteil am Geschehen. Außerdem erhöht es die Auflage von übermorgen.«

»Ja, aber wo ist der Verbrecher denn jetzt?«

»In der ›Georgshöhe‹. Auf Beutefang.« Gisbert wirkte ungeduldig. »Morgen erwischen wir ihn. Mit Hilfe von Mechthild und Hannelore.«

Mein Vater machte ein Zeichen, damit Gisbert sich setzte. Es funktionierte.

»Gisbert, du erklärst das nicht gut. Also, Hubert, das ist so: Hier wohnt ein Gast, der mir gleich komisch vorkam. Er hatte irgendwie tückische Augen. Dann hat er meine Tochter angesprochen und …«

»Papa, das stimmt so nicht, ich …«

Er unterbrach mich. »Christine, lass mal. Hubert, sie steht noch ein bisschen unter Schock. Jedenfalls hat er danach Marleen belästigt …«

»Heinz, bitte! Erzähl doch keinen Blödsinn.«

Auch Marleens Beitrag wurde weggewischt, mein Vater fuhr fort: »Und er hat die Pension fotografiert. Er hat sich äußerst auffällig benommen, war dann plötzlich zwei Tage verschwunden, da hat er dann wohl gemerkt, dass wir ihm auf die Finger gucken. Auf einmal war er wieder da. Wir blieben achtsam, aber sehr diskret, und zack: Der feine Herr wird unvorsichtig und wir haben ihn in flagranti ertappt. Hier ist der Beweis. Gisbert, dein Handy.«

Er streckte die Hand aus, Gisbert legte das Handy wie einen Staffelstab hinein. Mein Vater fing an, auf die Tasten zu drücken.

»Weißt du, wie …?«, fragte Gisbert.

»Natürlich. Ich kenne mich mit Technik aus.«

Heinz hielt das Handy in Armeslänge entfernt und bediente weiter die Tastatur. Ich hatte seine Brille in der Wohnung liegen sehen. Er hatte das Gerät anscheinend trotzdem im Griff.

»Oh!« Mein Vater zeigte mir das Handy. »Was ist das jetzt? Christine?«

Ich las auf dem Display: »Bilder löschen?«

»Du musst nur ›o.k.‹ drücken.«

Ich hatte keine Lust, diese Fotos noch einmal zu sehen.

Hubert war enttäuscht, keinen Heiratsschwindler in echt zu sehen. Er sah immer noch verwirrt aus. Dafür war Gisbert sauer, traute sich aber nicht, meinen Vater anzubrüllen. Zur Strafe lehnte er wenigstens das Bier ab. Hubert stützte sein Kinn auf die Hand.

»Und auf den Bildern war er also drauf? Wie er einer Dame gerade einen Antrag macht?«

»Ja.« Gisbert nickte eifrig. »Ich habe ihn dabei erwischt.«

Marleens Stimme klang genervt. »Ach, Quatsch. Auf den Bildern war ein junger Mann mit einer älteren Dame zu sehen, die ihn ein wenig vertraulich berührt. Er kann ihr ja schlecht auf die Finger hauen. Aber Gisbert hat seine eigene Fantasie.«

Hubert nickte. »Und was war mit der Adresse? Wieso wisst ihr, dass sie falsch ist?«

»Das haben wir überprüft. Wir haben Kontakte nach Bremen«, erklärte mein Vater stolz. »An der angegebenen Adresse ist kein Namensschild von ihm zu finden.«

»Er hat erzählt, dass er erst kürzlich nach Bremen gezogen

ist, der Hausmeister hatte noch keine Zeit, das Schild anzubringen.«

Wenigstens ein bisschen Verteidigungsarbeit musste ich leisten.

Mein Vater fand das nicht. »Eine blöde Ausrede. Das glaubt doch keiner.«

»Bremen.« Hubert dachte nach. Ich hatte das Gefühl, dass er noch mehr wissen wollte.

»Vorher war er in Köln. Bei einer Tante.«

Hubert schüttelte den Kopf. »Das ist wirklich kurios. Wenn das wirklich ein Heiratsschwindler ist, sollte man nicht tatenlos zusehen. Wie wollt ihr ihn stellen?«

Gisbert, mittlerweile wieder fleckig, ergriff das Wort: »Mechthild Weidemann-Zapek und Hannelore Klüppersberg, zwei Damen, die hier Urlaub machen, sind heute Abend in der ›Georgshöhe‹ an der Bar. Sie haben von mir ein Diktiergerät bekommen und stellen diesem Gigolo eine Falle. Morgen früh werde ich das Band und die Fotos der Polizei übergeben. Selbstverständlich werde ich bei der Festnahme dabei sein, um exklusiv darüber zu berichten.«

Hubert nickte. »Respekt.«

Aus Dorotheas Richtung kam ein Wimmern, Nils sah Marleen fassungslos an, mein Vater drückte meinen Arm und lächelte mich beruhigend an.

»Gisbert? Welche Fotos?« Ich wartete ab, ob der Wichtigtuer meine Frage beantwortete.

Er stutzte, sein Blick ging erst zu mir, dann zu meinem Vater, dann zu seinem Handy.

»Die Fotos? Ach so. Na, egal. Das Band reicht auch. Obwohl ... Ich wollte sowieso noch mal ins Hotel. Schließlich habe ich die Verantwortung für die Damen.«

Es reichte mir, ich stand auf. »Ich gehe ins Bett. Waidmannsheil. Und passt auf, dass ihr euch nicht blamiert. Ich habe keine Lust, meiner Mutter zu erzählen, dass ihr Mann wegen Erregung öffentlichen Ärgernisses oder Hausfriedensbruchs im Knast sitzt.«

Mein Vater griff nach meiner Hand und hielt sie zwischen seinen. »Mach dir keine Sorgen, Kind, wir sind die Guten. Schlaf gut.«

Ich nickte den anderen zu und schob mich an den diversen Knien vorbei. Marleen erhob sich und folgte mir ein Stück. Als wir außer Hörweite waren, sagte sie:

»Ich weiß nicht, warum wir uns das alles antun, aber ich sage denen trotzdem gleich meine Meinung. Hubert glaubt sonst alles. Komm, Kopf hoch, ich halte das nach wie vor für ausgemachten Quatsch. Wir reden morgen in Ruhe, wenn alles fertig ist, in Ordnung?«

»Na klar.« Ich bemühte mich, Marleen anzulächeln, und ging dann in die Wohnung.

Mein Handy hatte nicht einmal geklingelt. Und der Name Mausi für eine erwachsene Frau war absolut lächerlich.

Junge, komm bald wieder
– Freddy Quinn –

Mein Vater kniete vor Johann auf dem Boden und hielt ihm eine Torte entgegen. Sein Gesicht sah schuldbewusst aus, Johanns neutral. Ich saß inmitten einer Gruppe von Zuschauern und drückte verzweifelt die Daumen, damit Johann die richtige Antwort gab. Doch er schüttelte nur leicht den Kopf. Mein Vater redete auf ihn ein.

»Ich weiß wirklich nicht …«, das Bild verschwamm, die Stimme meines Vaters wurde deutlicher, »… was ich tun soll. Ich bin völlig aus der Übung. Und mit Liebeskummer kenne ich mich sowieso nicht aus. Was macht ihr denn Freude?«

Ich öffnete die Augen und vertrieb damit den Rest des Bildes. Mein Vater telefonierte im Flur.

»Sie mochte früher doch so gerne Hähnchen mit Pommes. Vielleicht kann Marleen ja heute … Ja, ich weiß, dass morgen Eröffnung ist … Wieso? … Wenn ich unglücklich bin, hilft mir auch immer gutes Essen. War auch nur eine Idee. Und wenn ich ihr was Hübsches kaufe? … Na, vielleicht ein Kleidungsstück? … Nein? … Ach, dann weiß ich auch nicht.«

Seine Stimme war mutlos, ich war müde genug, mich nicht zu fragen, um was es bei dem Gespräch ging, ich ahnte es sowieso. Als ich mich aufsetzte, fiel der Wecker um.

»Schatz, ich muss aufhören, hast du den Lärm gehört? Sie ist aufgewacht.« Er hatte seine Stimme vorher gesenkt, jetzt räusperte er sich und brüllte fast: »Ja, toll … Du, hier ist alles in Ordnung, heute Abend sind wir fertig … Nein, alle haben gute

Laune und sind lustig ... Den Mädchen geht es gut, na klar ...
Also dann, wir telefonieren später. Tschüss, grüß dein neues
Knie.«

Er legte auf und kam mit schnellen Schritten in mein Zimmer.

»Guten Morgen, Kind. Hast du gut geschlafen?«

Schwungvoll setzte er sich neben mich, das Kopfteil des
Gästebetts schnellte hoch.

»Oh!« Mein Vater sprang auf, das Bett knallte wieder runter.
»Hoppla, das ist ja eine wackelige Angelegenheit.«

Ich zog mir Socken an. »Nur wenn man zu zweit zu weit unten sitzt.«

»Sollen wir mal die Betten tauschen?«

Verblüfft sah ich zu ihm hoch. Er rieb sich nachdenklich das
Kinn.

»Ich muss mich noch rasieren. War nur so ein Gedanke, das
mit den Betten, meine ich. Oder willst du es unbedingt? Ich meine, wenn du das wirklich ...«

»Papa. Was ist los?«

»Ach, nichts. Ich rasiere mich mal. Ich habe übrigens eine
Thermoskanne Kaffee von drüben geholt, du trinkst doch ganz
gerne nach dem Aufstehen eine Tasse. Setz dich doch in Ruhe
auf die Terrasse und werde gemütlich wach, ich gehe dann
schon vor.« Er schob die Terrassentür auf und trat hinaus. »So
schöne Luft. Küssige Luft, sagt deine Mutter immer, oh, entschuldige, ich wollte nicht ... Also ich hole dir mal den Kaffee.
Hier, ich stelle dir den Stuhl hierhin, da kannst du die Tasse
draufstellen, also ...«

Ich sah ihm hinterher, als er eifrig an mir vorbei in die Küche
lief. Wenn er mir jetzt noch einen Aschenbecher mitbrächte,
würde ich durchdrehen. Er balancierte die Kanne und eine Tasse
auf die Terrasse und deutete verschwörerisch auf den Stuhl. »Es
ist serviert. So, ich gehe jetzt rüber.«

»Du wolltest dich doch noch rasieren.«

»Ach ja«, er strich sich wieder übers Kinn, »das kann ich auch
nachher machen. Man sieht dominanter aus mit Bart, habe ich
mal gelesen, das schadet sicher nichts, wenn wir diese Möbel-

lieferanten vom Festland empfangen. Sonst meinen sie noch, sie könnten uns Insulaner rumkommandieren. Also, lass dir Zeit, bis später. Du kannst ja noch mal deine Mutter anrufen.«

»Warum?«

Er antwortete betont harmlos: »Nur so, ihr führt doch manchmal Frauengespräche, oder? Sie telefoniert doch so gerne. Mach das mal.«

Mit einem Lächeln verschwand er, kurz danach fiel die Tür ins Schloss. Ich nahm das Telefon mit auf die Terrasse und wählte die Nummer des Krankenzimmers meiner Mutter. Nach dem ersten Freizeichen meldete sie sich mit dieser bestimmten Stimme, die Mütter schnell bekommen, wenn sie ahnen, dass es dem Kind schlecht geht. Nur wegen dieses Tonfalls stiegen mir die Tränen in die Augen.

»Ach, Mama, es ist alles total kompliziert.«

Mit Samt ausgeschlagen kam die Antwort. »Dein Vater hat schon was angedeutet, was ist denn los?«

Als wenn ein Ventil absprang, quoll alles aus mir raus. Unsortiert redete ich los: Johann, der beste Mann, den ich je gesehen hatte, seine Wimpern, Gisberts Handy, die Liebesnacht, seine Augen, Bremen, Gesa und die alte Dame im Hotel, Hubert, der jetzt auch mitmachte, Marleen, die dagegen war, Kalli beim Observieren, der Streit, Mechthild und Hannelore, die die Lockvögel spielten, mein gebrochenes Herz, mein Vater, der mir Kaffee brachte und für einen Moment sogar die Betten tauschen wollte.

Als ich schließlich nach Luft rang, fiel mir beschämt mein Alter ein. Ich hätte meiner frisch operierten Mutter auch einfach meine schönsten Ferienerlebnisse erzählen können. Meine Nase war verstopft, ein Taschentuch hatte ich nicht, die Geräusche, die ich beim Atmen machte, waren mir selbst peinlich.

»Kind, hast du kein Taschentuch?«

»Doch, gleich.« Der Versuch, einhändig meine Handtasche zu öffnen und nach den Tempos zu kramen, gab mir Zeit, wieder erwachsen zu werden.

»Entschuldigung, ich habe schlecht geschlafen.«

Meine Mutter ging nicht weiter darauf ein. »Ich weiß gar nicht, wieso ihr da so ein Chaos veranstaltet. Es gibt doch nur zwei Möglichkeiten: Entweder ist dieser Thiess ein Verbrecher, dann ist das Sache der Polizei, aber Papa und seine Truppe kommen in die Zeitung. Ist alles nur heiße Luft, kannst du dich in Ruhe verlieben, dann müssen die Männer sich aber bei ihm entschuldigen. Wo ist das Problem?«

Ich hasse Pragmatismus in falschen Momenten.

»Mama, das kann man doch nicht so ...«

»Außerdem seid ihr da, um Marleen zu helfen. Ihr müsst doch heute fertig werden, morgen ist Eröffnung. Als wenn ihr da Zeit hättet, Emil und die Detektive zu spielen.«

»Ich spiele ja nicht mit.«

»Du solltest auf deinen Vater achten. Ich finde sowieso, dass er zu viel Fernsehen guckt, er kriegt immer so schnell kriminelle Fantasien. Das weißt du doch. Also, jetzt reiß dich zusammen, es wird nichts so heiß gegessen, wie es gekocht wird. Ich glaube außerdem nicht, dass sich meine Tochter in einen Schwindler verliebt, so haben wir dich jedenfalls nicht erzogen.«

Sie machte eine Pause. Ich versuchte, mir einen Satz auszudenken, der dem ganzen Thema den Ernst nahm, bevor er mir einfiel, hatte meine Mutter ihn schon:

»Aber wenn ich richtig darüber nachdenke, ist das ja alles Quatsch. Christine, du bist 45. Frag den jungen Mann doch einfach, wenn du irgendwas nicht verstehst, und lass dir nicht von einem Haufen Rentner Flöhe ins Ohr setzen.«

»Mama, ich ...«

»Und lass diesen weinerlichen Ton. Geh rüber und arbeite, sonst wird das nichts mit eurer Eröffnung morgen. Und pass auf deinen Vater und Kalli auf, nicht dass die noch Ärger kriegen.«

Ich putzte mir die Nase und versprach es ihr. Sie hatte ja recht.

Als ich in den Frühstücksraum kam, hatte Gesa schon die ganze Arbeit gemacht. Ich wollte mich entschuldigen, sie legte mir nur mit mitleidigem Gesicht die Hand auf den Arm und sagte:

»Ich war heute so früh wach. Geh du mal frühstücken, in der Kneipe ist nachher noch genug zu tun.«

Etwas verdutzt setzte ich mich an unseren Tisch. Mein Vater war schon weg, vor meinem Teller stand ein Schnapsglas mit vier Gänseblümchen. Vom Nebentisch sahen die Zwillinge neugierig zu mir rüber.

»Hast du Geburtstag?«, fragte Emily.

»Nein.« Ich schob das Schnapsglas ein Stück zur Seite. »Sind die Blumen von euch?«

Lena schüttelte den Kopf. »Die hat dein Papa da hingestellt. Hast du wirklich nicht Geburtstag?«

»Wirklich nicht. Und das war Heinz?«

»Ja.« Emily nickte mit Nachdruck. »Dann ist das vielleicht nur so. Ich will auch so was.«

»Ich sag es ihm.«

Während ich ein Brötchen belegte, kam Dorothea mit Nils in den Raum.

»Guten Morgen, Christine. Ich brauche ganz dringend einen Kaffee. Drüben werden die Möbel gerade ausgeladen. Nils hat den Plan an den Tresen geklebt, darauf steht genau, wo was hin soll, wir können also in Ruhe frühstücken.« Dorothea griff zur Kanne, noch bevor sie saß. »Och, wie süß. Heimlicher Verehrer? Oder immer noch der alte?«

»Dorothea!« Nils hatte denselben Ton wie meine Mutter. »Morgen, Christine, dürfen wir?«

Ich machte nur eine einladende Handbewegung, ich hatte bereits abgebissen.

»Danke.« Er setzte sich mir gegenüber und sah mich aufmerksam an. »Und? Gut geschlafen?«

»Ja, wieso?«

Die Antwort kam zögernd. »Na ja … es geht dir ja nicht so gut … und überhaupt …«

Ich musterte ihn, er wich meinem Blick aus. Dorothea hob die Schultern. »Dein Vater hat uns gestern Abend sehr theatralisch mitgeteilt, dass du in einer privaten Krise steckst und wir alle ein wenig Rücksicht nehmen sollen.«

Sie grinste, ich verschluckte mich.

Nils stieß sie an. »Dorothea, das war vertraulich.«

Mein Brötchen landete angebissen auf meinem Teller.

»Das ist doch wohl nicht wahr! Wieso hast du nichts dazu gesagt? Mein Gefühlsleben muss doch nicht in großer Runde diskutiert werden.«

Dorothea schnappte sich mein Brötchen vom Teller und aß es weiter.

»Ich dachte, wenn Heinz sich um sein Kind kümmert, hat er weniger Zeit zum Observieren. Ist doch ganz in deinem Sinne.« Sie deutete auf die Gänseblümchen. »Sind die von den Kindern?«

»Nein.«

Ich strich vorsichtig über die Blüte, ein Blatt fiel ab. Er liebt mich ...

Vielleicht hatte Heinz sie mir hingestellt, damit ich das Orakel befragen konnte. Als ich das Glas zur Seite schob, fiel ein weiteres Blatt ab. Er liebt mich nicht ... Es war nur so ein dummes Kinderspiel.

»Ich gehe jetzt rüber.« Ich erhob mich und nahm das Schnapsglas in die Hand. »Das war übrigens Heinz.«

Wir starrten alle drei auf die vier Gänseblümchen. Das nächste Blatt fiel. Er liebt mich ... Na bitte. Ich stellte das Glas vorsichtig zurück und machte mich erhobenen Hauptes auf den Weg in die Kneipe.

Der Lieferwagen mit Hamburger Kennzeichen stand diagonal im Hof. Von der Ladefläche hievten ein paar Männer die in Folien verpackten Möbel herunter und trugen sie in die Kneipe. Ich schob mich hinter einem blonden Mann, der einen Tisch schulterte, durch die Tür.

In der Kneipe herrschte ein ohrenbetäubender Lärm. Das Radio lief auf Hochtouren, Hubert, Kalli und Carsten riefen sich aus drei Ecken Kommentare zu, die Möbelpacker schoben die Einzelteile hin und her und irgendwo klingelte ein Handy. Mit zugehaltenen Ohren durchquerte ich den Raum und drehte

Lolita den Saft ab, die gerade im Radio den Refrain von ›Männer, Masten und Matrosen‹ schmetterte. In der einsetzenden Stille war das Handy noch lauter.

»Telefon.« Mein Vater, der mitten im Raum stand und eine Zeichnung in der Hand hielt, schaute kurz hoch. »Da klingelt ein Telefon. Hallo, junger Mann, der Sessel da kommt in die rechte Ecke. Immer vorher fragen. Jetzt geh doch mal einer ans Telefon.«

»Oh, das ist meins.« Carsten zog ein Handy aus seiner Brusttasche, er musste taub sein. Es hatte mindestens zehnmal geklingelt. »Ja, hallo?«

Er hielt das Handy mit zwei Fingern vom Ohr weg. »Nils! Ich kann dich nicht gut verstehen. Was? ... Näher dran? Bist du wahnsinnig? Da kriegt man Blumenkohlohren ... Hat Heinz gelesen ... Was? ... Natürlich wissen wir, wo was hinkommt, wir sind ja nicht blöd ... Du kannst dir Zeit lassen, wir kennen uns aus ... Ja, ja, der Zettel, ist schon klar ... Tschüss.« Er drückte konzentriert auf eine Taste und steckte das Handy weg. »Der Herr Innenarchitekt hat Angst, dass wir irgendetwas falsch machen. Dabei hättet ihr früher mal sein Kinderzimmer sehen sollen. Da hat er keinen Plan gehabt, das musste Vati machen. Ohne mich wäre das eine Rumpelkammer geworden.«

»Ja, so sind sie, die Kinder.« Kalli zog die Folie von einem Stuhl. »Das vergessen sie gerne. Aber dann alles besser wissen.«

Mein Vater stand plötzlich neben mir und stupste mich an.

»Na? Alles klar?«

»Danke für die Blumen.«

Er winkte lässig ab. »Du, die standen da rum, mir ist mein Schlüssel runtergefallen, da war die eine ein bisschen platt und ich habe sie gerettet. Ist doch ganz hübsch, nicht?«

Ich nickte. »Ja, sehr hübsch. Zeig mir mal den Plan, dann kann ich mitmachen.«

Mein Vater presste die Zeichnung an seine Brust. »Du, das reicht, wenn einer Anweisungen gibt, sonst kommen alle durcheinander. Hilf doch Kalli, der entfernt die ganze Folie, legt sie aber nicht so schön zusammen.«

»Die kommt doch sowieso in den Müll.«

»Bist du verrückt? Das ist ganz stabile Folie, die kann man doch noch gebrauchen. Marleen will sie bestimmt aufheben.«

Ich hatte meine Zweifel, wurde aber von Hubert abgelenkt, der einen der Möbelträger anherrschte:

»Haben Sie saubere Finger, junger Mann? Das ist ein weißer Sessel, fassen Sie bitte nur an der Folie an.«

Der junge Mann stellte den Sessel einfach da ab, wo er gerade stand, und sah sich Hilfe suchend um. Sein Kollege machte eine beruhigende Geste und winkte ihn nach draußen. Hubert schaute kopfschüttelnd hinterher.

»Die haben vielleicht Nerven. Ach, guten Morgen, Christine. Alles in Ordnung?«

»Na klar, guten Morgen. Was kann ich denn tun?«

»Du könntest vielleicht Kaffee und Tee von drüben holen.«

Kallis Vorschlag kam verlegen. »Das haben wir zwar schon Gesa gesagt, sie hat es aber noch nicht geschafft. Aber nur, wenn es dir nichts ausmacht. Also, weil es dir ja nicht so gut geht.«

Ich begann zu ahnen, wie theatralisch mein Vater gestern Abend mein Seelenleben geschildert hatte.

»Kalli, ich bin nicht krank oder debil. Also, ich hole jetzt Kaffee.«

Er zuckte zusammen. »Äh, nein, das meinte ich auch nicht, also … Kannst du vielleicht auch Tee mitbringen? Aber nur, wenn es geht.«

Onno kniete sich vor seinen Werkzeugkasten, der zwischen mir und meinem Vater stand. Während er ihn durchsuchte, sagte er:

»Als der Hund von meiner Schwester gestorben ist, war sie auch ganz unglücklich. Da hat ihr mein Schwager einen neuen Welpen gekauft. Das hat geholfen.«

Irritiert überlegte ich, ob Onno es so meinte, wie ich befürchtete. Kalli runzelte seine Stirn und nahm mir die Antwort ab:

»Aber Thiess ist doch nicht tot.«

»Und außerdem, was soll Christine mit einem Welpen?«,

legte mein Vater nach. »So ein Tier braucht viel Zeit, mit Erziehung und so. Die hat sie ja gar nicht.«

Ich machte den Mund wieder zu und ging die Getränke holen.

Gesa füllte gerade Kaffee in eine Thermoskanne und sah nur kurz hoch, als ich die Küche betrat.

»Kannst du den Kaffee gleich rüberbringen? Ich habe es bisher nicht geschafft, Frau Weidemann-Zapek hat die Quarkschüssel runtergeschmissen. Der Quark hängt in den Heizungsrippen, ich hätte sie erschlagen können. Und sie fragt nur, ob ich ihr gleich neuen bringen könnte. Was glaubt die, wer sie ist?«

»Ein Lockvogel.« Ich öffnete den Kühlschrank und nahm Milch heraus. »Die Damen gehören zur beherzten Bürgerwehr.«

»Dieser bescheuerte Artikel steht ja tatsächlich heute in der Zeitung. Hast du ihn schon gesehen?«

Ich stellte Tassen und Kannen auf ein Tablett. »Nein, muss ich auch nicht. Es hat mir schon gelangt, ihn vorgelesen zu bekommen. Ich bringe das hier erst mal rüber.«

»Christine?« Gesa hielt mich an der Schulter fest.

»Ja?«

»Es tut mir leid. Wenn ich dir irgendwie helfen kann, sag was.«

Die Tassen klirrten, weil ich das Tablett mit Schwung auf den Tisch knallte.

»Gesa, ich weiß nicht, was Heinz euch gestern Abend alles erzählt hat, und ich glaube, ich will das auch nicht wissen. Aber ich bin im Vollbesitz meiner geistigen Kräfte und *nicht* am Rande eines Nervenzusammenbruchs. Johann Thiess ist nicht der erste Mann, bei dem ich mich vertan habe, wobei das noch nicht mal bewiesen ist, er hat mir weder geschadet, noch mich ausgenommen, es ist überhaupt nichts Sensationelles passiert, also hört auf mit dieser Mitleidsnummer. Es ist wirklich lächerlich. Mein Vater pflückt mir Gänseblümchen, Onno will mir einen Welpen kaufen und Kalli zuckt zusammen, wenn ich in

seine Nähe komme. Lasst mich doch einfach in Ruhe ein bisschen schlechte Laune haben. So, ich bringe das jetzt weg und
dann will ich im Strandkorb eine Zigarette rauchen.«

Ich stellte das Tablett auf den erstbesten Tisch in der Kneipe
und floh sofort vor Ted Herold, der aus dem Radio ›Vergeben,
vergessen, vorbei‹ röhrte. Die Blicke der Möbelträger waren
bereits verzweifelt, mein Vater dirigierte sie mit großen Gesten
und lauter Stimme in die richtigen Ecken, Hubert und Kalli
rückten anschließend jedes Teil zurecht. Irgendwie sah es eigenartig aus, was mir im Moment aber egal war. Gesa kam mir in
der Tür mit dem zweiten Tablett entgegen.

»Ich habe dir Kaffee in den Strandkorb gestellt. Ich rauche
gleich eine Zigarette mit, meine Güte, ist das ein Krach da drin.«

Sie drückte sich an mir vorbei und ich ging langsam in den
Garten. Die Sonne schien in den Strandkorb, ich hielt ihr mein
Gesicht entgegen und schreckte hoch, als Gesa sich neben mich
fallen ließ.

»So, die Truppe macht Kaffeepause. Sag mal, wissen die
eigentlich, wo die Möbel hin sollen?«

Ich zündete mir eine Zigarette an. »Nils hat doch einen Plan
gezeichnet.«

»Mhm …« Gesa spielte mit dem Feuerzeug. »Aber irgendwie
sieht das nicht so aus. Sie stellen gerade alles in eine Ecke.«

Eine Fahrradklingel brachte uns beide dazu, sofort die Zigaretten auszudrücken. Erst danach beugten wir uns nach vorne,
um zu sehen, wer es war. Marleen stellte ihr Fahrrad an den
Schuppen und kam auf uns zu.

»Hallo, ich bin wieder da. Habt ihr einen Kaffee für mich?«

Gesa stand auf. »Ich hole dir eine Tasse. Beim nächsten Mal
könntest du vielleicht rufen, dass du es bist. Schade um die
Zigaretten.«

»Wie alt seid ihr eigentlich?« Marleen setzte sich auf Gesas
freien Platz und lehnte sich zurück. »Ich hasse diese Bank-
gespräche. Außerdem dauern sie immer länger, als sie sollen.
Und? Wie weit seid ihr?«

»Der Möbelwagen ist fast leer. Wir liegen gut in der Zeit. Sag mal, konntest du meinen Vater gestern Abend nicht stoppen? Ich werde behandelt, als wäre ich nicht bei mir. Was hat er euch denn alles erzählt?«

»Viel.« Marleen grinste und trank schon mal aus meiner Tasse. »Er hat uns allen Liebeskummer deines Lebens geschildert und dass es schwer für ihn war, diese Männer nicht einfach vermöbeln zu dürfen. Und Kalli und Carsten haben noch nachgelegt, ihre Töchter hätten auch immer so gelitten, wir ...«

»Frau de Vries!«

Die Stimme klang laut, ungeduldig und sauer. Und sie gehörte dem blonden Möbelpacker, den ich vorhin beim Ausladen gesehen hatte. Jetzt stand er vor dem Strandkorb, seine Halsader pochte.

»Ich habe Sie gerade kommen sehen. Ich muss mit Ihnen sprechen, so können wir nicht arbeiten.«

»Hallo, Herr Keller. Was ist denn passiert?«

»Wir sollen hier Möbel anliefern. Wir tragen sie selbstverständlich auch ins Lokal. Das gehört zu unserem Service. Aber ich weigere mich, zum dritten Mal alles umzustellen, nur weil die Herren sich nicht einigen können. Und jetzt wollen sie auf einmal alles in U-Form.«

Das klang nicht gut. Ich nahm mir eine zweite Zigarette. Herr Keller wischte sich den Schweiß von der Stirn. Marleen wirkte verständnislos.

»Es gibt doch einen genauen Plan, wo was hinkommt. Ich verstehe das Problem nicht.«

»Plan?« Er schrie jetzt fast. »Was für einen Plan? Der Mann mit der Mütze hat so einen komischen Zettel und die anderen machen dauernd neue Vorschläge. Wir müssen in zwei Stunden auf der Fähre sein. Die Folien geben sie uns auch nicht wieder. Ich dachte, wir sollen den Müll wieder mitnehmen. Mir ist das alles zu viel. Entweder klären Sie das mit denen oder wir fahren sofort.«

Ich hatte kein gutes Gefühl. Wir standen zusammen auf, um uns die Katastrophe anzusehen. Im selben Moment kam Anna Berg mit den Zwillingen in den Garten.

»Hallo. Soll ich die Mädchen rüberbringen oder nehmt ihr sie mit?«

»Wo sollen sie denn hin?«, fragte Marleen ahnungslos.

Jetzt war Anna Berg verwirrt. »Heinz hat gesagt, sie könnten ihm helfen. Mein Mann und ich sind noch einmal zum Segeln eingeladen.«

Es wäre schön, wenn mein Vater ab und zu mal Dinge mit anderen absprechen würde. Dass er so gar kein Talent dafür hatte, konnte man ja nicht an den Kindern auslassen. Ich atmete tief durch.

»Natürlich können sie helfen, ich nehme sie gleich mit rüber. Viel Spaß beim Segeln.«

Herr Keller schnappte nach Luft. »Noch mehr, die *helfen*. Frau de Vries, wenn jetzt auch noch ...«

»Kommen Sie, wir sehen mal nach, was da los ist.«

Entschlossen griff Marleen nach seinem Arm und zog ihn in Richtung Kneipe. Ich folgte ihr langsam, Emily und Lena im Schlepptau.

Das Bild, das sich uns bot, ließ mich an ›Versteckte Kamera‹ denken: An der linken Wand waren ungefähr zehn Tische aufgereiht, auf denen Stühle gestapelt waren. Rechts und links vom Tresen standen weitere Stühle, die Zwischenräume waren mit Folie ausgestopft. In der Mitte des Raumes stand mein Vater. Alle übrigen Tische und Stühle waren in U-Form angeordnet, an einer Seite ordentliche Reihen von Stühlen. Mein Vater sah aus wie ein Lehrer in einem leeren Klassenzimmer.

Onno entdeckte uns als Erster und stellte das Radio aus. Marleen starrte meinen Vater und die Tischformation an. Heinz drehte sich zu ihr um und strahlte.

»Da bist du ja wieder. Waren die Bankgeschäfte erfolgreich? Guck mal, die ganzen Tische und Stühle an den Wänden haben wir über. Die können die Jungs gleich wieder mitnehmen. Da sparen wir schon wieder Geld. Das ist doch super, oder?«

»Wo ist denn der Plan von Nils?« Marleens Stimme klang ein bisschen angestrengt.

»Ach, der Plan.« Carsten wedelte mit einem Blatt, das er vom

Tresen nahm, »das ist doch kein richtiger Plan. Mein Junge hat eine ganz normale Kneipe gemalt. Das war langweilig. Wir wollen doch eigentlich was Besonderes, oder nicht?«

Marleen schwieg. Mein Vater schob seine Hände in die Jeanstaschen und wippte vergnügt auf den Fußspitzen.

»Ich finde diese U-Form klasse. Die Leute können sich angucken und die Bedienung hat nicht so lange Wege. Es wundert mich, dass Nils nicht von selbst darauf gekommen ist. Ich denk, er hat das Einrichten studiert. Na ja, da zahlt sich eben erfahrenes Personal aus. Oh, hallo, da sind ja auch meine Lieblingsdamen.« Er ging den Zwillingen entgegen, die ihn anstrahlten. »Ihr könnt gleich helfen, die Tischdecken aufzulegen.«

Marleen schwieg immer noch. Hubert stellte sich zu ihr.

»Ja, Marleen, da bist du sprachlos, was? Die Jungs und ich sind wirklich ein gutes Team.«

»Sag mal, Hubert«, Marleen drehte sich langsam zum Liebsten ihrer Lieblingstante, »was hältst du davon, wenn du mit deinem Freund Heinz und den Zwillingen zum Weststrand fährst und den Kindern mal die Möwen zeigst?«

»Wie? Möwen?«, fragte Hubert verwirrt. »Wir sind doch noch gar nicht fertig.«

Ich ging neben den Zwillingen in die Hocke und flüsterte: »Er kennt alle Möwen. Und er weiß, wo sie nisten.«

Lena schlug sich die Hand vor den Mund.

»Ist das der Möwenkönig?«, flüsterte sie ehrfürchtig.

Ich nickte und legte den Finger auf die Lippen. »Aber, pst! Geheimnis.«

Aufgeregt zog Emily meinen Vater an der Hand. »Heinz, wir wollen mit dem Mann zu den Möwen.«

Mein Vater schaute die beiden erstaunt an. »Ihr wolltet doch helfen.«

»Nein, bitte, erst zu den Möwen. Bitte!«

Mit diesem Tonfall und diesen Augen hätten sie jeden Mann erlegt. Mein Vater sah Hubert an und wies auf die beiden.

»Hubert, wir haben doch hier alles erledigt. Den Kleinkram

können die anderen noch machen. Die jungen Damen haben einen Herzenswunsch.«

Als Lena ihre kleine Hand in Huberts schob, war die Sache erledigt.

»Gut.« Marleens Stimme klang wieder normal. »Dann fahrt ihr zu den Möwen und wir machen hier … Ach, Nils, da bist du ja.« Sie sah ihn nur kurz an. »Reg dich nicht auf, wir regeln das gleich. Sobald Heinz und Hubert weg sind.«

Carsten wischte mit der Hand über einen Tisch. »Ich glaube, ich fahre auch mit. Oder braucht ihr mich noch? Nils?«

Nils war blass und völlig sprachlos. Stattdessen antwortete Marleen.

»Nein, Carsten, fahr ruhig mit. Und Kalli, du auch. Onno, dich brauche ich aber noch.«

Sobald die vier mit den Kindern den Raum verlassen hatten, sank Marleen neben Nils auf eine Bank.

»Christine, wenn Heinz nicht dein Vater und Hubert nicht der Freund von Theda wäre, hätte ich gerade eben einen Doppelmord begangen. U-Form. Jetzt schnappen sie völlig über. Tolle Hilfe. Und wir können wieder von vorne anfangen.«

Herr Keller mischte sich ein. »Der mit der Mütze war der Schlimmste.«

»Und Sie sind eine Petze.« Immerhin war der mit der Mütze mein Vater. »Wir packen zuerst die Folien zusammen. Den Müll nehmen Sie ja mit. Los, kommt.«

Nach einer halben Stunde hatten wir mit vereinten Kräften das gesamte Verpackungsmaterial in den Möbelwagen geschafft. Der immer noch beleidigte Herr Keller ließ sich von Marleen die Lieferung quittieren, kassierte sein Trinkgeld und fuhr mit seinen Kollegen zurück zum Hafen.

Nils sah ihnen hinterher. »Das Geld sollten wir uns von den Herren wiedergeben lassen. Die mit ihrer U-Form.« Er schüttelte den Kopf. »So was Bescheuertes.«

Onno räusperte sich. »Ein bisschen mehr Respekt, bitte. Ich halte das ja immer noch für eine gute Idee, aber bitte.«

Marleen holte Luft. »Nils, wo ist dein Plan … Danke. Also, Christine und Gesa, ihr übernehmt die linke Tischreihe, Nils und Dorothea die rechte, Onno und ich fangen hinten an. Und los.«

Während ich mit Gesa den ersten Tisch hob, fiel mir ein, dass ich nun schon seit einer Stunde nicht mehr an Johann gedacht hatte. Irgendwie gab es mir Mut.

Wir hatten fast die Hälfte der Kneipe so eingerichtet, wie Nils' Plan es vorsah, als Onno auf einen Stuhl sank und seine Arme vor der Brust verschränkte.

»Ich kann nicht mehr. Ich habe Hunger. Es ist schon nach zwölf und es gab nicht mal Frühstück. Wenn es auch kein Mittagessen gibt, gehe ich nach Hause.«

Er klang nicht so, als würde er sich auf eine Diskussion einlassen. Marleen sah auf die Uhr.

»Na gut, dann machen wir jetzt Pause. Ich habe Linsensuppe gekocht, die ist in zehn Minuten heiß. Gesa, kommst du mit rüber, Tisch decken?«

Onno folgte den beiden, er ließ sich auf kein Risiko ein. An der Tür drehte er sich um.

»Ich fange an zu essen, egal, wann ihr kommt.«

Nils, Dorothea und ich schoben noch drei Tische an die richtige Stelle, dann streckte sich Nils und schaute sich um.

»Das wird doch. Ich habe auch Hunger, kommt ihr mit?«

»Gleich.« Ich ließ mich auf einen der Sessel sinken, die vor dem offenen Kamin standen. »Ich brauche noch fünf Minuten Ruhe.«

»Das ist eine gute Idee.« Dorothea setzte sich auf das Sofa gegenüber. »Wir kommen nach.«

»Na gut. Ich drücke euch die Daumen, dass Onno euch was übrig lässt. Bis gleich.«

Ich lehnte mich kurz zurück und schloss die Augen. Bevor ich sie wieder öffnete, hörte ich draußen ein Fahrrad und sofort die dazugehörige Stimme.

»Wo seid ihr?«

»Kalli muss einen eingebauten Detektor haben, der ihm immer meldet, wo es wann etwas zu essen gibt. Unglaublich.«

Dorothea erhob sich und ging ihm entgegen. Kalli stand schon in der Tür.

»Hallo. Seid ihr allein?«

»Die anderen sind drüben in der Küche, es gibt gleich Suppe.« Kalli lächelte erfreut.

»Ich denke, du bist mit meinem Vater und Hubert bei den Möwen?«

Ich quälte mich aus dem Sessel hoch. Mir tat vom Möbelschleppen alles weh. Kalli errötete und kratzte sich verlegen am Arm.

»Da kam was dazwischen ... Also, Carsten und mir ... Heinz und Hubert sind mit den Kindern weitergegangen, zu den Möwen.«

»Was kam euch dazwischen? Und wo ist Carsten?«

»Ähm, ja, also Gisbert ... er hat uns zum Observieren eingeteilt, aber Heinz hat gesagt, dass das nichts für die Kinder ist, deshalb musste ich anfangen und jetzt hat Carsten mich abgelöst, ich hatte so einen Hunger.«

Dorothea lachte. »Und im Moment observiert Carsten? Dann hat der meine Sonnenbrille geklaut. Sie lag nämlich die ganze Zeit auf der Fensterbank und ist jetzt weg. Wo schleicht er denn gerade herum?«

Kalli hob die Schultern. »Keine Ahnung. Während meiner Schicht saß Thiess die ganze Zeit in einem Strandkorb und hat gelesen. Das war vielleicht langweilig.«

»War er allein?« Ich musste das fragen.

»Carsten?«

»Nein, Johann Thiess.«

»Ja, deshalb war es ja so langweilig. Vielleicht hat Carsten mehr Glück. Ich muss jetzt sofort was essen.« Mit dem letzten Wort war er durch die Tür verschwunden. Dorothea und ich sahen ihn mit schnellen Schritten zur Pension gehen. Dorothea holte tief Luft.

»So langsam finde ich ihre Nachforschungen beängstigend.

Das kriegt doch was Krankhaftes. Der arme Thiess. Egal, wo er hingeht, ständig hat er einen alten Mann mit Sonnenbrille an der Hacke.« Sie musste lachen. »Stell dir das mal vor. An seiner Stelle wäre ich schon lange ausgerastet.«

Ich wollte gerade antworten, als mein Blick auf eine Frau fiel, die auf Zehenspitzen vor der Pension in ein Fenster spähte. Irgendwie kam sie mir bekannt vor. Ich stieß Dorothea an.

»Was macht die denn da?«

Dorothea beugte sich vor. »Keine Ahnung. Die guckt. Warte mal, ist das nicht …?«

Jetzt erkannte ich sie auch: Es war die Frau auf Gisberts Handyfotos. Die reiche alte Dame aus der ›Georgshöhe‹.

»Das ist sie.« Dorothea war schon auf dem Weg. »Das angebliche Opfer. Ich gehe jetzt da hin und frage, was sie mit Johann Thiess zu tun hat.«

Sie lief auf den Hof und rief: »Hallo, warten Sie!«

Die Dame zuckte zusammen und sah in unsere Richtung. Als sie Dorothea entdeckte, machte sie auf dem Absatz kehrt. Dorothea folgte ihr, an der Hofeinfahrt drehte sie sich kurz zu mir um und bemerkte dadurch nicht, dass Gisbert von Meyer auf seinem Moped um die Ecke geschossen kam.

Er fuhr sie einfach über den Haufen. Der Knall weckte mich aus meiner Erstarrung. Binnen Zehntelsekunden war ich an der Unfallstelle. Dorothea saß auf dem Hintern und umklammerte ihr Knie. Wütend starrte sie Gisbert an, der stöhnend unter dem Moped hervorkroch und seinen Helm abnahm.

»Du Idiot! Aua! Wie kann man nur so dämlich sein. Jetzt ist sie weg. Ich zeig dich an, du Trottel, du kommst in den Knast wegen Körperverletzung. Verdammt, Christine, mir tut mein Knie so weh!«

Gisbert setzte sich neben sie und strich vorsichtig über ihre abgeschürfte Stelle. Sie schlug ihm auf die Hand.

»Fass mich nicht an, Blödmann. Erst bringst du mich fast um und dann kommst du angekrochen.«

Ich strich Dorothea beruhigend über den Rücken. »Kannst du aufstehen?«

»Natürlich ... Aua.«

Ich zog sie hoch und sie versuchte aufzutreten. Es ging, sie humpelte nur ein bisschen. Gisbert saß immer noch. Ein bisschen leid tat er mir doch.

»Hast du dir was getan?«

Er schüttelte tapfer den Kopf und erhob sich mit leisem Stöhnen.

»Geht schon. Ein Indianer kennt keinen Schmerz.«

Ich hatte so einen Kommentar befürchtet.

Er betrachtete sein Moped. »Aber ich befürchte ein technisches Problem.«

Dorothea funkelte ihn an. »Tja, Indianer, wenn du deinen Führerschein nicht gewonnen hättest, wäre dieser Unfall gar nicht passiert. So was wie dich sollte man überhaupt nicht fahren lassen. Was machst du überhaupt hier? Observierst du Heringsmöwen?«

Er klopfte sich den Staub von seiner Hose. »Ich habe tatsächlich an der Aufklärung unseres Falls gearbeitet. Ich habe das Opfer beschattet, um sie zu schützen. Aber du hast mir alles zunichte gemacht. Schönen Dank.«

»Was ist denn hier los?«, rief Marleen, die gefolgt von Onno und Kalli herausgekommen war.

»Ist jemandem was passiert?«

Dorothea winkte ungeduldig ab. »Nichts weiter, nur von Meyers Hirn hat was abbekommen, das merkt aber keiner. Hast du ein Pflaster für mein Knie?«

Während Marleen Dorothea verarztete, besahen sich Kalli und Onno den Schaden an Gisberts Moped. Kalli wackelte am Lenker.

»Das ist eine Hercules, die kann das ab. Und die Schrammen kriegst du mit einem Lackstift wieder hin.«

Gisbert strich über den Holm. »Ärgerlich.«

»Was rast du auch so?« Ich hörte Schadenfreude in Onnos Stimme. Irgendwie mochte er den Inselschreiber nicht. »Mein kleiner Bruder hatte auch eine Hercules. Da war er sechzehn. Ich hatte ein richtiges Motorrad, eine Suzuki. Tja.«

Ich stieß ihn in die Seite. »Onno! So, kommt, wir wollten doch essen. Und die alte Dame ist jetzt sowieso weg.«

»Sag ich doch.« Gisbert war unglücklich. »Die ganze Karambolage für nichts.«

Nils und Marleen kamen mit der verpflasterten Dorothea zurück. Die schoss noch einen giftigen Blick auf Gisbert ab, dann sagte sie: »Ich gehe jetzt essen.«

Demonstrativ humpelte Dorothea vorneweg, Gisbert blieb abwartend stehen, bis Marleen sagte: »Jetzt komm, du kannst mitessen, das war ja doch ein kleiner Schock.«

Er fügte sich mit tragischem Ausdruck und schleppte sich mit anscheinend letzter Kraft hinter uns her.

Nach einer kurzen Mittagspause gingen wir wieder in die Kneipe zurück. Nils und Onno hoben sofort den ersten Tisch vom Stapel, Gesa und ich den nächsten, nur Kalli blieb unschlüssig stehen. »Also, allein ist das blöd. Ich möchte keine Schramme in die teuren Tische machen.«

Er wartete auf Marleen. Sie sortierte Wasserflaschen in Kisten und hob kurz den Kopf.

»Ich fasse gleich mit an. Das heißt, Gisbert, kannst du nicht ein bisschen mithelfen?«

Er sah sie entsetzt an. »Ich hatte gerade einen Unfall.«

Dorothea ließ fast alles fallen. »Ich glaube es ja wohl nicht. Von Meyer, ich vergesse mich gleich.«

»Herr von Meyer, bitte.« Gisbert erhob sich langsam. »Und im Übrigen habe ich auch gar keine Zeit. Ich habe noch zu tun. Kalli? Denkst du an die Ablösung? Aber eigentlich ist Heinz auch mal dran. Und Hubert hat noch gar nicht observiert. Wo bleiben die eigentlich?«

Kalli warf einen ängstlichen Blick auf Marleen, die ihn bereits drohend ansah.

Ob es an Dorotheas Schmerzen oder an ihrer Wut auf den fahrlässigen Mopedfahrer lag, sie baute sich mit gefährlichem Gesichtsausdruck vor Gisbert auf.

»So, mein Lieber, jetzt hörst du mir mal zu. Weder Kalli noch

Heinz, Hubert oder Carsten werden mit diesem dämlichen Räuber-und-Gendarm-Spiel weitermachen. Entweder ihr entschuldigt euch bei Herrn Thiess, der seit Tagen von geistesgestörten, sonnenbebrillten Rentnern und Möchtegernreportern verfolgt wird, oder ihr geht zur Polizei. Aber bis zur Eröffnung morgen hat hier keiner mehr Lust, auch nur einmal das Wort Heiratsschwindler zu hören. Geht das vielleicht in dein geprelltes Hirn?«

Gisbert rang nach Luft. »Was bildest du dir … Marleen! Sag du doch mal was. Es geht doch auch um den Ruf deiner Pension.«

»Dorothea hat recht. Wir müssen jedenfalls weitermachen, sonst werden wir nie fertig. Zur Eröffnung kommen ungefähr 120 Gäste. Dafür brauche ich jede Hand. Du kannst ja meinetwegen observieren, wen und was du willst. Aber bitte nicht hier und …«

Sie brachte ihren Satz nicht zu Ende, weil die Tür aufgerissen wurde und Hubert, mein Vater und die Zwillinge kamen.

»Hallo, da sind wir wieder.« Mein Vater bückte sich vor der Tür, damit Emily, die auf seinen Schultern saß, sich nicht den Kopf anstieß.

»Gisbert, alter Junge, du hast ja eine Mordsschramme an deinem Mofa. Hast du die Kurve nicht gekriegt?«

Onno lachte leise vor sich hin. »Dafür Dorothea.«

Hubert, mit Lena an der Hand, stellte sich neben ihn. »War was?«

Marleen sah die Zeit schwinden. »Nein. Alles gut. Gisbert wollte gerade los und wir haben noch einiges vor. Können wir jetzt?« Sie schaute warnend in die Runde.

»Ach, übrigens, Marleen.« Mein Vater hob Emily vorsichtig von seinen Schultern. »Vor der Pension steht ein Polizeiwagen. Ich habe den Beamten gefragt, wen er sucht, ich dachte schon …, der will aber nur zu dir, irgendwas abgeben.«

»Ja, gut.« Marleen ging zur Tür. »Macht bitte weiter, ich werde langsam nervös.«

»Marleen, warte.« Onno ließ sein Werkzeug einfach fallen.

Sie blieb stehen. »Warum?«

»Ich komme mit. Gerd hat Dienst, ich sag ihm mal Moin.«

Als beide draußen waren, fragte Dorothea: »Gerd?«

Nils griff zum nächsten Tisch. »Gerd ist Onnos Bruder. Und einer der Inselpolizisten.«

Hubert starrte gedankenverloren durchs Fenster. Ich stupste ihn an.

»Alles in Ordnung?«

»Wie?« Er zuckte zusammen. »Ich habe geträumt. Entschuldigung.«

Entweder hatten die Möwen, die Kinder oder mein Vater ihn fertig gemacht. Vermutlich war es die Kombination gewesen. Zumindest wirkte der Arme so, als hätte er eine Erscheinung gehabt.

»Also«, ich versuchte einen aufmunternden Ton, »wenn du Lust hast, kannst du Kalli helfen, Tische zu tragen.«

»Wird gemacht.« Er setzte sich sofort in Bewegung.

Mein Vater schlenderte inzwischen durch die Kneipe, an jeder Hand ein Kind, und zeigte ihnen alles.

»Seht mal, da vor dem Kamin stehen lauter Sessel und Sofas, da kann man sich hinflegeln und ins Feuer gucken. Das heißt Lounge.« Er sprach es wie »Longdsche« aus. »Das ist jetzt hochmodern und vornehm.« Er stutzte und zog die Augenbrauen hoch. »Und dahinten sieht es aus wie in jedem Restaurant. Ziemlich langweilig. Aber egal.«

Nils machte hinter seinem Rücken eine Grimasse, arbeitete aber schweigend weiter.

»Und hier ist der Tresen, da kommen diese Barhocker davor. Das ist dann wieder sehr elegant. Da warten die Herren auf die Damen, mit denen sie hier verabredet sind.«

»Warum warten die Herren denn?« Lena strich respektvoll über einen Barhocker.

»Weil die Damen immer zu spät kommen. Das ist ihre Natur.«

»Papa! Erzähl den Kindern nicht so einen Schwachsinn.«

»Wieso ist das Schwachsinn? Das ist Statistik.«

»Dann haben sie dich nicht mitgerechnet. Mama muss immer auf dich warten, weil du so trödelst. Und sie ist pünktlich.«

Mein Vater bückte sich zu den Kindern. »Ich habe euch Malblöcke und Stifte auf die Fensterbank gelegt. Malt doch ein paar schöne Bilder zur Eröffnung.«

Die Zwillinge zogen ab, ich schraubte ein Tischbein fester und sagte: »Feigling. Du gibst es noch nicht mal zu.«

»Deine Mutter kommt immer zu früh, das ist auch nicht pünktlich. Geht es dir wieder besser?«

»Ich hatte nur ein bisschen schlechte Laune. Mach dir keine Gedanken.« Ich schraubte verbissen weiter und wechselte das Thema. »Was habt ihr eigentlich mit Hubert gemacht? Er war vorhin ganz verwirrt.«

Mein Vater betrachtete Hubert nachdenklich, der am anderen Ende des Raumes zusammen mit Kalli Tische schleppte. »Ich weiß auch nicht. Ich war kurz weg und habe ihn bei den Kindern gelassen, und als ich zurückkam, war er so komisch.«

»Wieso? Wo bist du denn hingegangen?«

Er lächelte zufrieden. »Ich habe Marleen ein wunderbares Einweihungsgeschenk gekauft. Sie wird Augen machen.«

Das klang gefährlich. »Was hast du denn gekauft?«

»Ein Fischernetz. Gebraucht.«

Mir fiel der Schraubenzieher aus der Hand. »Papa, das wollte sie doch …«

»Pst! Da kommt sie.«

Marleen sah aus, als hätte sie ein Gespenst gesehen. Sie ging auf mich zu, dicht gefolgt von Onno, der ihr vor Aufregung fast in die Hacken trat. Bevor sie etwas sagen konnte, fragte mein Vater:

»Und? Was wollte die Polizei?«

Sie nahm ihn erst jetzt wahr. »Nichts Besonderes. Nur was fragen.«

»Und was ab… au.«

Onno zog mit schmerzverzerrtem Gesicht sein Bein zurück. Marleen legt ihre Hand auf seinen Arm. »Habe ich dich getroffen? Das tut mir leid.«

Sie lächelte ihn entschuldigend an, ich war mir sicher, dass es Absicht gewesen war. Dann flüsterte sie mir zu: »Ich muss dir gleich was erzählen. Wenn wir allein sind.«

Ein Geräusch, das wir alle kannten, unterbrach sämtliche Aktivitäten. Gisbert kam mit seinem zerschrammten Moped auf den Hof gebrettert. Der Unfall hatte ihn nicht zum umsichtigeren Fahren gebracht. Dorothea sah aus dem Fenster.

»Herr, gib mir Geduld. Und da kommt auch noch ein Taxi. Will das auch zu uns?«

Es wollte, hielt in der Einfahrt und ließ Hannelore Klüppersberg und Mechthild Weidemann-Zapek aussteigen. Beide trugen Jeans und olivgrüne Hemden.

»Fehlt nur noch das Tarnnetz.«

»Dorothea, komm mal vom Fenster weg.«

Mein Vater warf ihr einen ungeduldigen Blick zu und ging dem Trio entgegen. Carsten fuhr gleichzeitig auf den Hof und stieg unter Beobachtung der getarnten Damen elegant von seinem Fahrrad ab. Dorotheas Gucci-Sonnenbrille ließ ihn seltsam aussehen. Er winkte Dorothea, die immer noch gebannt am Fenster stand, verschmitzt zu. Sie stöhnte.

»Nils, wenn du ihm auch nur annähernd ähnlich wirst, war es das mit uns.«

»Du, ich bin wie meine Mutter. Das sagen alle.« Nils schob ungerührt den nächsten Tisch in seine Endposition. »Reg dich nicht auf.«

Die Truppe enterte die Kneipe, die Damen zuerst, dann Gisbert und mein Vater, und schließlich Carsten. Wir sahen ihnen gespannt entgegen, allein Nils arbeitete weiter.

»Nils!« Diesen Ton hatte nur ein Vater. »Mach doch nicht so einen Krach. Wir müssen euch was erzählen.«

»Und wir müssen fertig werden.«

Ich bewunderte Nils für seinen Mut. Der traute sich was. Gegen seinen Vater.

»Nils!«

Er stellte den Tisch gerade hin und setzte sich drauf. »Ist ja schon gut. Was gibt es?«

Es war überall das Gleiche. Carsten nahm die Sonnenbrille ab und klappte sie zusammen.

»Wir wollten euch nur berichten, dass unsere Observierung beendet ist. Und, meine Damen, korrigieren Sie mich, wenn es nicht stimmt, wir waren durchaus erfolgreich.«

»Ja.« Mechthild Weidemann-Zapek warf sich in die Brust. »Das kann man so sagen.«

»Hat er Ihnen etwa Avancen gemacht?« Mein Vater guckte besorgt.

Sie nickte triumphierend. »So gut wie.«

Ich war zwar nicht in der Form meines Lebens, aber Untertöne konnte ich noch hören.

»Was heißt ›so gut wie‹?«

Hannelore Klüppersberg ging nicht darauf ein.

»Wir waren den ganzen Nachmittag in der ›Georgshöhe‹. Wir sind erst auf und ab gegangen, dann haben wir uns am Tisch neben Herrn Thiess niedergelassen und Kaffee getrunken.«

»Ich saß einen Tisch weiter«, warf Carsten ein.

»Mit meiner Sonnenbrille? Und hast rübergestarrt?«

»Dorothea, lass sie doch mal ausreden.« Mein Vater wurde ungeduldig.

»Er hat so demonstrativ weggeguckt, das hatte Methode«, erklärte Mechthild weiter.

Jetzt wollte ich es wissen. »War er allein?«

Gisbert glättete sein Haar, bevor er antwortete. »Natürlich. Er hat gemerkt, dass wir ihn eingekreist haben. Da geht er doch kein Risiko ein.«

»Also hat er die Damen gar nicht angemacht, und ihr habt ihn auch nicht überführt?«

»Ach, Christine«, versuchte es Gisbert in väterlichem Ton. »Er hat sich so eindeutig verhalten. Wach endlich auf. Du hast dich in diesem Mann getäuscht. Er ist ein Verbrecher.«

»Es langt.« Marleen schlug mit der flachen Hand auf den nächsten Tisch.

»Genau«, ich hatte das Ganze so unglaublich satt und ging zur Tür, »und deshalb gehe ich jetzt eine rauchen.«

»Christine?«

»Was ist?« Ich drehte mich zu meinem Vater um.

»Nichts. Ich meine ... falls du Feuer brauchst ... ich hätte da noch Streichhölzer.«

Er warf sie mir zu. Langsam wurde ich erwachsen.

Zwei Zigarettenlängen später hatte sich die Stimmung in der Kneipe wieder beruhigt. Kalli und Hubert wischten die Tische ab, Marleen und Dorothea stellten die letzten Gläser in die Vitrinen, Onno und mein Vater sahen den Zwillingen beim Malen zu. Das Meisterdetektivquartett war nicht zu sehen.

»Und?« Ich schob einen Stuhl dazu. »Sind die Lockvögel wieder im Einsatz?«

Mein Vater deutete auf die Mädchen, die sich konzentriert über ihre Bilder beugten.

»Nicht vor den Kindern. Die schlafen sonst schlecht.«

Emily hob den Kopf. »Die heißen Lachmöwen und nicht Lockmöwen. Und ich muss noch nicht ins Bett, es ist doch noch ganz hell draußen.«

»Stimmt.« Mein Vater tippte auf das Bild. »Der Schnabel muss länger werden. Weißt du, Christine kennt sich mit Möwen nicht so gut aus wie wir.«

»Dann musst du Hubert fragen«, erklärte Lena und zeigte mit dem Finger auf ihn. »Hubert ist nämlich genau wie der Möwenkönig. Weil der auch alle kennt, Lachmöwen und Sturmmöwen und Silbermöwen und ...«

Vor lauter Nachdenken zog sie ihre Stirn kraus. Zum Glück bekam sie Hilfe von ihrer Schwester.

»Heringsmöwen. Und man darf nicht immer die Eier sammeln und die Papas von den Möweneiern, die greifen die Eiersammler an. Nie die Mamas.«

»Genau, Emily.« Mein Vater nickte stolz. »Das ist wie im Leben, da beschützen auch die Väter ihre Kinder. Die Mütter brüten nur.«

»Aha.« Ich zeigte mich beeindruckt. »Wenn sie nicht zu spät kommen.«

»Genau.« Lena vollendete den Möwenschnabel auf dem Blatt vor sich. »Du, Christine?«

»Ja?«

»Hubert ist genau wie Lille Peer. Genau so. Aber das ist geheim.« Sie biss sich auf die Unterlippe und sah mich ernst an. Ich hielt ihrem Blick stand.

»Ja, der kennt sich mit Möwen aus. Das habe ich mitbekommen.«

»Nein, ich meine auch mit …«

»Da kommt Mama.« Emily rutschte vom Stuhl und lief Anna Berg entgegen. »Mama, wir waren mit dem Möwenkönig am Strand und da haben wir …«

»Moment, Emily, lass mich erst mal richtig reinkommen.« Sie hob ihre Tochter hoch und kam zu uns. »Hallo! Ihr seid ja schon fast fertig, das sieht ja toll aus.«

»Na ja.« Mein Vater stand auf und sah sich um. »Ein bisschen viel Tische vielleicht.«

»Auf dass sie immer alle besetzt sind. Hat mit den Kindern alles geklappt?«

»Aber klar. Die zwei sind ja auf Zack. Die haben gut auf Hubert und mich aufgepasst, nicht wahr? Und wie war das Segeln?«

»Großartig. Und noch mal vielen Dank. Mein Mann und ich haben wirklich was bei Ihnen gutzumachen. Sie sind als Babysitter unbezahlbar.«

Mein Vater winkte geschmeichelt ab. »Ach was, das ist schon in Ordnung. Und meine Tochter kann ich ja auch alleine lassen.«

»Wir denken uns was aus. So, ihr beiden, jetzt packt mal zusammen und bedankt euch. Also frohes Schaffen und bis bald.«

Als auch der letzte Gegenstand an der richtigen Stelle stand, der letzte Zentimeter abgewischt war und alles so aussah, wie es Nils Plan vorsah, fiel mir ein, dass Marleen mir etwas erzählen wollte. Ich ging hinüber in die Pension, wo sie gerade mit dem Blumenlieferanten telefonierte.

»Also gut, ihr kommt dann gegen halb sieben, dann haben wir noch genug Zeit, alles zu dekorieren. Bis morgen, danke.« Sie legte auf und atmete tief durch. »So. Jetzt haben wir alles. Gesa ist gerade zu den Catering-Leuten gefahren und gibt denen die endgültige Liste und dann haben wir alles organisiert.«

»Du wolltest mir noch was erzählen …«

Marleen vergewisserte sich, dass uns niemand hörte. »Stimmt. Ich wollte nur nicht, dass Heinz oder Gisbert das mitbekommen, dann wäre gleich der Teufel los gewesen.«

»Was war denn nun?«

»Gerd war doch vorhin hier, der Polizist.«

»Onnos Bruder.«

»Ja, er hat mir das hier gegeben.« Sie griff hinter den Tresen und zog eine schwarze Brieftasche hervor, die sie mir gab. »Die haben Gäste am Strand gefunden und bei ihm abgegeben.«

Ich klappte sie auf und entdeckte als Erstes eine Visitenkarte: »Ihr Zuhause auf Norderney, Haus Theda.«

»Und?«

»Nun schau doch mal weiter.«

Hinter der Karte steckte ein Personalausweis. Ich zog ihn raus und starrte auf ein Foto von Johann! Sogar auf ein ausgesprochen schönes. Nur dass darunter ein ganz anderer Name stand: Johannes Sander.

»Geboren in Köln, 1.86 m, Augen braun.« Ich las es halblaut vor. »Das kann doch nicht wahr sein. Sander? Wieso nennt er sich Thiess?«

Marleen guckte mir über die Schulter. »Lies weiter, da ist noch die Adresse und die stimmt. Bremen.«

»Aber der Name ist falsch. Was soll das denn? Hat er dir den Ausweis nicht gezeigt?«

»Ach, das war doch alles so hektisch. Ich sehe mir auch nicht von jedem Gast den Ausweis an, das braucht man nicht mehr. Und hier, seine Handynummer war auch dabei, ich habe ihm auf die Mailbox gesprochen, dass seine Papiere hier abgegeben wurden. Übrigens sind auch noch alle Karten drin, das waren ehrliche Finder. Jedenfalls habe ich ihm gesagt, er solle morgen vor der Eröffnung vorbeikommen und die Brieftasche abholen, den anderen Namen habe ich übrigens nicht erwähnt.«

»Seine Handynummer habe ich auch.«

»Ja, dann ruf ihn doch an. Oder schlag ihm ein Treffen vor, dann kannst du sie ihm geben.«

Ich überlegte nur ganz kurz, bevor ich seine Nummer wählte. Mein Herz schlug viermal pro Freizeichen. »Guten Tag. Hier ist die Mobilbox des T-Mobile-Anschlusses 0171…«

Ich legte auf. Dann vielleicht später. Aber der Entschluss war gefasst. Ich würde Johannes Sander anrufen. Was auch immer dabei herauskam.

Marleen hatte vorgeschlagen, dass sich alle um 20 Uhr in der Kneipe treffen sollten.

»Ich gebe ein ›Wir-haben-es-geschafft-Bier‹ aus. Und Hubert grillt Würstchen.«

Mittlerweile hatte ich ungefähr zehnmal auf die Wahlwiederholung gedrückt, ich konnte den Text schon mitsprechen. Johann/Johannes hatte nicht zurückgerufen, ich war also nach wie vor auf dem gleichen Stand.

Mein Vater, in seinem bunten Norderney-Hemd, Dorothea und ich gingen gemeinsam hinüber zur Kneipe, die jetzt tatsächlich den Namen Bar verdient hatte. Als wir in der Eingangstür standen, sagte Dorothea das, was ich dachte:

»Es ist die schönste Bar, die ich kenne.«

Im vorderen Bereich sah man die Lounge, die weißen Sessel, die um den Kamin standen, dazwischen Kerzenständer und kleine Tische, der hintere Teil war das Restaurant.

»Das sieht sehr schön aus.« Mein Vater sah sich zufrieden um. »Ich finde, das hätte kein Innenarchitekt besser machen können.«

»Wir hatten einen Innenarchitekten.«

»Ach, na ja, unser Nils. Die guten Ideen kamen doch von uns. Hallo, Kalli, da bist du ja, wir haben doch ganze Arbeit geleistet, oder?«

Die beiden gingen zuerst nach hinten zum großen Tisch, den

Marleen und Gesa gerade deckten und setzten sich nebeneinander.

»Was ist? Dürfen wir noch nicht rein?«, fragte Carsten hinter uns.

»Doch.« Ich trat einen Schritt zur Seite. »Wir sind nur begeistert, dass alles so schön geworden ist.«

»Tja«, Carsten schlug Nils auf den Rücken, »für sein Studium habe ich auch ordentlich geblecht. Das sollte wohl was werden.«

Wir schlenderten langsam an unserer Arbeit der letzten Tage vorbei. Es hatte sich gelohnt. Hubert kam mit Grillschürze und einer Platte in der Hand durch den Seiteneingang.

»So, die ersten Würstchen sind fertig, sind wir vollzählig?«

»Ja.« Onno überholte uns rechts, setzte sich neben Kalli und hielt Hubert seinen Teller hin. »Du kannst mir gleich eins geben.«

»Du bist der verfressenste Elektriker, den ich je gesehen habe.« Mein Vater schob ihm die Schüssel mit Salat hin. »Was machst du bloß, wenn du nicht mehr jeden Tag hier essen kannst?«

Onno kaute schon. »Neue Baustelle. Das geht schon.«

Die nächste halbe Stunde war friedlich, alle aßen, kaum jemand sprach und das Kofferradio, aus dem uns die letzten Tage die Schlager gequält hatten, stand mittlerweile wieder in Marleens Keller. Stattdessen kamen leise Pianoklänge aus der neuen Anlage.

»Sag mal«, mein Vater nahm seine Brille ab, das Zeichen, dass er mit dem Essen fertig war, »läuft morgen bei der Eröffnung auch dieses Geklimper oder kommt eine Kapelle?«

Das Geklimper wurde in diesem Moment von einem vertrauten Knattern übertönt.

»Ach nein, was will der denn schon wieder? Bettelt er nach Schlägen oder was?«

»Dorothea!« Mein Vater schraubte den Deckel auf die Senftube, die ihm von Onno sofort wieder abgenommen wurde.

»Gisbert ist die Presse. Du kannst doch kein Lokal eröffnen, ohne Medienkontakte zu pflegen.«

Er drehte sich zur Tür, wo Gisbert von Meyer stand und seinen Helm schwenkte.

»Gisbert, mein Junge, komm rein in die gute Stube, nicht so schüchtern. Du kennst doch alle.«

»Leider.« Onno nahm sich das fünfte Würstchen.

»Einen schönen guten Abend.« Gisbert von Meyer verbeugte sich linkisch, bevor er sich zu meinem Vater setzte. »Marleen, ich gratuliere schon mal, die Blumen kommen morgen. Die zahlt ja die Zeitung.«

Dorothea bückte sich unter den Tisch, um ihre Serviette zu suchen.

Gisbert nahm einen Block aus seiner Tasche und legte einen gespitzten Bleistift daneben.

»Sollen wir gleich ein paar Interviews machen oder ist es euch morgen lieber, wenn hier die Prominenz tobt, im Partygeflirre? Der Bürgermeister kommt übrigens auch. Hat er mir wenigstens fest versprochen, dem stelle ich natürlich gleich ein paar unbequeme Fragen.«

Dorothea stöhnte, als sie wieder auftauchte. Onno sah erst sie, dann Gisbert an.

»Eigentlich haben wir Feierabend. Und wir wollten ein bisschen Ruhe.«

»Dann eben nicht.« Block und Stift wanderten wieder in Gisberts Tasche. »Ist mir auch recht. Ich habe den Artikel sowieso schon im Kopf. Wisst ihr, ich packe einfach die beiden großen Norderney-Themen dieser Tage zusammen: den Heiratsschwindler und die Eröffnung dieser Lokalität.«

»Gisbert! Bitte.« Marleen war jetzt schon genervt. »Es ist langsam gut. Wir können das nicht mehr hören.«

»Ihr könnt nicht immer wegschauen. Wir haben Beweise, morgen übergebe ich das gesamte Material der Polizei. Die werden einen Kniefall machen.«

»Mein Bruder ist die Polizei.« Onno hatte ganz schmale Augen bekommen. »Der kniet nicht.«

»Was weißt du schon? Du hast doch keine Ahnung von der Brisanz meiner Indizien.«

»Indizien. Ist ja lachhaft. Die Bilder von deinem komischen Handy sind doch auch gelöscht.«

Kalli und Heinz griffen ein. Im Chor: »Onno. Gisbert.«

Die beiden Kontrahenten ignorierten den Zwischenruf. Gisbert bekam rote Flecken am Hals.

»Die Adresse ist falsch, er hat gelogen und betrogen, er hat unseren V-Frauen auffällig nachgestarrt, ach, was erzähl ich dir. Hat doch keinen Sinn. Du Elektriker.«

»Und was ist mit dem Namen?«

»Was für ein Name? Der Mann heißt Johann Thiess.«

»Falsch.« Onno triumphierte. »Ganz falsch. Mein Bruder und ich haben seine Papiere sichergestellt. Der heißt ganz anders.«

Hubert ließ seine Gabel sinken. »Wie, anders? Wie heißt er richtig?«

Onno wischte sich seinen Mund mit der Serviette ab. »Habe ich vergessen. Irgendwas mit M oder P oder so, jedenfalls nicht Thiess. Aber die Papiere habe ich gesehen. Und Marleen auch. So. Du Schreiberling.«

Alle Augen richteten sich auf Marleen. Ungerührt fragte sie: »Seid ihr alle mit dem Essen fertig? Dann räume ich mal ab.«

Mein Vater hielt sie am Arm fest. »Doch nicht jetzt. Wie heißt er? Sag mal. Und wieso hast du die Papiere gesehen? Wieso erzählst du das nicht?«

Marleen befreite sich aus seinem Griff und begann, die Teller zu stapeln.

»Ich habe den Namen vergessen, irgendwas Kompliziertes. Und im Übrigen wollten wir über dieses Thema bis nach der Eröffnung nicht mehr reden. Und die ist erst morgen.«

»Russisch? Oder Chinesisch?«

»Was?«

»Na, der Name.« Mein Vater knetete seine Finger. »Erinnere dich!«

Marleen beugte sich über den Tisch, sodass sie dem Gesicht

meines Vaters ganz nahe war. Sie sprach sehr deutlich und gefährlich langsam.

»Heinz, mein Lieber, reg mich jetzt nicht auf. Morgen ist Eröffnung, danach sehen wir weiter. Hast du mich verstanden?«

Er zog seinen Kopf ein und lehnte sich zurück. »Aber ja! Kein Problem. Dann eben morgen. Was ist, Jungs, hat einer von euch Lust auf eine Runde Skat?«

Ich glaub, es geht schon wieder los
– Roland Kaiser –

Der Wecker klingelte um halb sechs. Ich schreckte hoch und fegte ihn dabei vom Tisch. Er war sofort stumm. Ich schwang meine Beine aus dem Bett und blieb kurz sitzen, um wach zu werden. Dann sah ich auf mein stumm gestelltes Handy, das neben dem Bett lag. Kein Anruf war eingegangen.

Wir hatten meinem Vater gesagt, dass die Blumen erst um halb zehn geliefert würden, Marleen hatte Angst, dass Heinz auch noch floristische Talente bei sich entdecken würde. Ich hatte versucht, sie zu beschwichtigen:

»Marleen, er ist total farbenblind und kann keine Rose von Rhabarber unterscheiden.«

»Ja, eben«, war ihre Antwort gewesen, »deshalb riskiere ich auch nichts. Aber du glaubst doch auch nicht, dass er sich die gelieferten Blumen ansehen würde, ohne auf kreative Ideen zu kommen. Nein, lass ihn kommen, wenn alles dekoriert ist, ich habe morgen früh keine Zeit für Diskussionen.«

Ich zog eine alte Jeans und ein T-Shirt über und schlich ins Bad. Nach kurzer Überlegung griff ich meine Zahnbürste und steckte sie in die Jeanstasche. Lieber bei Marleen Zähne putzen, als schlafende Väter zu wecken.

Als ich die Pension betrat, roch es bereits nach Kaffee. In der Küche standen gefüllte Thermoskannen, ich nahm einen Becher aus dem Schrank und goss ein.

»Guten Morgen, Christine. Hast du ihn geweckt?«

»Guten Morgen, nein, der Wecker hat nur einmal geklingelt, bevor ich ihn erwischt habe. Heinz hat nichts gehört.«

Ich reichte Marleen den Becher, sie nahm ihn erleichtert.

»Na, Gott sei Dank. Dann haben wir Blumenfrieden.«

Es knackte, als ich mich hinsetzte, sofort erhob ich mich wieder.

»Was war das?«

Ich fingerte meine zerbrochene Zahnbürste aus der Hosentasche. »Ich wollte keinen Krach im Bad machen und mir hier die Zähne putzen. Jetzt ist sie hin.«

Der Griff war gerade noch zwei Zentimeter lang, damit konnte man vielleicht noch Badezimmerfugen sauber machen, auf keinen Fall mehr Zähne.

»Die passt jetzt in jede Tasche, ich habe in meinem Bad noch eine neue.«

Marleen schob mir die Kaffeekanne hin. »Hast du ihn erreicht?«

»Wen?« Es war mehr die Uhrzeit als schauspielerisches Talent, die mich das fragen ließ.

»Wen wohl? Gisbert von Meyer natürlich. Um die letzten Details eurer Verlobung zu besprechen. Na, Johann Thiess.«

»Nein, ich habe ungefähr zwanzigmal angerufen, es war immer nur seine blöde Mobilbox dran. Dann habe ich ihm draufgesprochen, dass er sich melden soll, aber nichts. Jetzt weiß ich auch nicht, was ich machen soll.«

»Er wird sich schon melden.« Marleen stand auf. »Es ist Viertel nach sechs, wir sollten rübergehen, die Blumen kommen gleich. Ich nehme den Kaffee mit.«

»Ja, ich muss aber noch schnell Zähne putzen, ich komme gleich nach.«

»Gut, die Zahnbürsten liegen im Badezimmerschrank, zweite Schublade.«

»Ich beeile mich.«

Als ich zehn Minuten später mit Pfefferminz-Atem den Hof überquerte, hörte ich einen leisen Pfiff.

Mit dem Gedanken »Lass es keinen alten Mann sein« drehte ich mich langsam um.

Er saß auf den leeren, gestapelten Kisten neben dem Schuppen und sah mich an. Ich fühlte mich wie nach einem Stromschlag, meine Knie wurden weich, ich ging unsicher auf ihn zu.

»Hallo, Christine.«

»Hallo, Johann. Entschuldigung, Johannes. Ich hatte mich wohl verhört, als du mir neulich deinen Namen genannt hast.«

Er stand auf und ging ein paar Schritte auf mich zu. Ich konnte sein Rasierwasser riechen. Seine Stimme war sehr sanft und sehr leise.

»Können wir zum Strand fahren? Ich möchte dir gern alles erklären.«

»Wie stellst du dir das vor?« Ich zeigte auf die Kneipe. »In vier Stunden kommen die Gäste. Ich habe dich gestern dauernd angerufen, du hast dich nicht einmal gemeldet und jetzt schnippst du mit dem Finger und ich soll alles stehen und liegen lassen?«

Wieso regte er mich eigentlich so auf? Und wieso war er so gelassen und selbstbewusst? Er trat einen Schritt zurück und lächelte.

»Na gut. Dann verschieben wir das. Du siehst übrigens schön aus in diesem alten T-Shirt. Und du riechst nach Pfefferminz. Also, bis später.«

Er warf mir eine Kusshand zu und ging zur Einfahrt. Entweder war er unglaublich abgebrüht oder das Beste, was mir seit langem begegnet war.

»Johaaaaannnes?«

Ein sanftbrauner Blick über die Schulter. »Ja?«

»Und deine Brieftasche?«

Er klopfte auf seinen Jeanshintern. »Hat mir Marleen schon gegeben. Habe ich eingesteckt. Danke.«

Als er um die Ecke verschwand, fuhr der Lieferwagen des Floristen auf den Hof. Ich winkte ihn auf den Parkplatz und merkte, dass meine Hände zitterten.

Die beiden Frauen, die aus dem Wagen stiegen, reichten mir

gleich eine Kiste mit kleinen Rosensträußen. Marleen stand plötzlich hinter mir.

»Morgen, Jutta, hallo, Gudrun, ihr seid ja superpünktlich. Christine, geh doch mal zur Seite.«

Ich drehte mich um und ging mit meiner Kiste in die Kneipe, immer noch mit dem Geruch von Johanns Rasierwasser in der Nase. Im Eingang blieb ich stehen und überlegte, wo ich die Kiste hinstellen sollte.

»Christine, beweg dich mal. Stell das endlich hin, der ganze Wagen muss ausgeladen werden.«

»Du hast ihn doch auch gesehen. Johann meine ich.«

»Ja, sicher. Ich habe ihm seine Brieftasche gegeben.«

»Hat er was zu seinem Namen gesagt?«

»Ich hatte keine Zeit, ihn zu fragen. Und wir haben jetzt beide keine Zeit, darüber zu reden. Bitte, sonst tauchen hier gleich Heinz, Kalli und Hubert auf und binden alberne Kränze.«

Sie hatte recht. Ich machte mich auf den Weg zum Entladen.

Um neun Uhr hatten wir mit Hilfe von Jutta und Gudrun, die ich noch mal nach ihren Namen fragen musste, die Kneipe mit kunstvollen Blumengestecken und einem Meer von Rosenblüten für die Eröffnung festtauglich dekoriert. Marleen trat einen Schritt zurück und musterte alles zufrieden.

»Super. Danke, ihr beiden, ihr seid großartig. Ihr kommt dann um elf wieder, oder?«

Jutta wischte sich die Hände an einem Tuch ab und nickte. »Natürlich. Das lassen wir uns doch nicht entgehen. Es ist übrigens toll geworden, Glückwunsch, Marleen.«

»Ja, da muss man nur die richtigen Leute mit den richtigen Ideen haben, dann wird aus so was eine Goldgrube.«

Die fröhliche Stimme meines Vaters ließ Marleen zusammenzucken.

»Guten Morgen, Heinz. Habt ihr schon gefrühstückt?«

»Nein, Hubert kommt ja nicht in die Puschen, da habe ich mir gedacht, ich schau hier mal schnell nach dem Rechten. Bleiben die Blumen so?«

»Was heißt ›so‹?«, fragte Gudrun verwirrt.

Heinz zögerte. »Na ja … ich finde sie ein bisschen unordentlich. So lange und kurze Blumen durcheinander und …«

»Das bleibt so.« Die Stimme von Marleen klang bestimmt.

Beruhigend legte Heinz die Hand auf Marleens Schulter. »Das geht auch. Es ist eigentlich ganz hübsch. Und so schön bunt. Ist ja keine Kirche, unsere Kneipe.« Er wich unseren Blicken aus. »Aber ihr seid ja schon fertig, dann gehe ich mal frühstücken. Kalli kommt bestimmt auch gleich.«

Er ging zwei Schritte, dann drehte er sich wieder um. »Ach, Christine, wir müssen uns noch umziehen. So nehme ich dich nicht mit zur Eröffnung. Auch wenn es zu den unordentlichen Blumen passen würde.«

Er tippte sich an die Mütze und schlenderte in die Pension zurück. Gudrun sah ihm zweifelnd hinterher.

»Den habe ich doch in der Zeitung gesehen, das ist doch dieser berühmte Gästeführer, oder?«

»So was in der Art.« Marleen quittierte den Lieferschein. »Das kann man schlecht in zwei Sätzen erklären.«

Um halb elf trafen wir uns schließlich alle auf dem Hof. Mein Vater trug eine graue Hose und einen dunkelblauen Blazer mit goldenen Knöpfen. Das Bonbonhemd hatte ich morgens bereits in Marleens Waschmaschine gestopft. Heinz schmollte, zog aber fast widerstandslos ein weißes Hemd an. Kalli kam im blauen Anzug, Carsten im grauen. Als Onno im Cord-Blazer auftauchte, wurde er skeptisch beäugt.

»Hast du nichts Elegantes im Schrank?« Kalli klaubte einen Faden von Onnos Schulter.

»Wieso? Der ist fast neu. Und die Hose ist aus Stoff. Ich gehe ja nicht zu einer Beerdigung. Und Anzüge machen alt.«

Marleen trug einen weißen Hosenanzug. Mein Vater pfiff leise, als er sie sah, Marleen lächelte ihn an.

»Vielen Dank. Ihr seht auch flott aus. Ist Hubert schon los?«

»Ja, der ist zum Hafen gefahren. Hör mal, du musst dir aber was umbinden, auf weiß siehst du ja jeden Fleck.«

Sie nickte, dann wurde ihr Blick starr. »Ich glaube, ich ziehe mich doch noch um.«

Gisbert von Meyer, auch im weißen Anzug, trug eine Zimmerpflanze im linken Arm, über der Schulter seinen Rucksack, vor der Brust die Kamera.

»Marleen, herzlichen Glückwunsch zur Eröffnung, auch im Namen der Redaktion. Oh, wir sind ja im Partnerlook. Hallo, Christine, das ist sehr hübsch, dein Kleid.«

»Gisbert.« Mein Vater schlug ihm auf die Schulter, die Blätter der Pflanze zitterten. »Dann mach mal gleich ein paar Bilder, solange noch alles so ordentlich ist. Auch vom Büfett, nachher ist das abgefressen.«

»Was gibt es denn zu essen?« Onno spähte in den Eingang. »Auch warm?«

»Es gibt alles«, sagt Kalli anerkennend. »Ich habe vorhin schon geguckt. Das haben sie gut gemacht.«

Carsten sah zur Hofeinfahrt. »Wo bleibt denn Hubert? Ich denke, er holt nur Theda von der Fähre ab. Die hat doch schon lange angelegt.«

»Er holt noch etwas für mich ab.« Mein Vater flüsterte verschwörerisch. »Unser Geschenk.«

Im selben Moment kamen die ersten Gäste um die Ecke. Beladen mit Blumen, gut angezogen und lächelnd gingen sie auf den Eingang zu, an dem sich Marleen postiert hatte.

»Sollen wir nicht ein Spalier bilden? Damit man sieht, dass wir dazugehören?«

»Papa, bitte nicht. Überlass die Begrüßung doch einfach Marleen.«

»Och, ich weiß nicht … Kalli, Onno, Carsten kommt doch mal mit. Wir stellen uns wenigstens daneben. Und Christine, du kannst vielleicht so ein paar Gläschen Sekt rumreichen.«

In dem Moment erschien ein junges Mädchen mit langer schwarzer Schürze, die ein Tablett mit Gläsern balancierte.

»Darf ich Ihnen etwas anbieten?«

»Wer sind *Sie* denn?« Mein Vater nahm sich sofort ein Glas und musterte das Mädchen ungeniert.

»Mein Name ist Suse. Ich serviere hier zusammen mit zwei Kolleginnen.«

»Aha. Hör mal, Christine, das hättest du doch auch mit Dorothea und Gesa hingekriegt. Sagen Sie mal, Suse, was kriegen Sie denn für einen Stundenlohn?«

»Papa!« Ich nahm mir schnell ein Glas. »Danke, Suse. Da drüben sind übrigens gerade neue Gäste angekommen.«

Nach und nach füllte sich der Platz vor dem Lokal, die Ersten gingen jetzt hinein.

»Wollen wir nicht auch reingehen?«

Mein Vater sah sich um. »Dorothea fehlt noch. Und Hubert. Und wo ist Nils?«

»Der holt seine Mutter ab.« Carsten ließ seine Blicke über die Gäste wandern. »Ach, da kommen sie. Hier, hallo, hier sind wir.«

Er ging seiner Frau und seinem Sohn entgegen, während sich Gisbert von Meyer breitbeinig neben Marleen stellte und wild mit der Kamera vor dem Gesicht gestikulierte. Er sah aus wie ein Paparazzi.

»Wenn er jetzt noch die Bürgermeistergattin anbrüllt, dass er von ihr ein Lächeln will, und sie Baby nennt, dann haut Marleen ihm eine rein.«

Dorothea war unbemerkt hinter mich getreten und beobachtete Gisbert mit hochgezogenen Augenbrauen.

»Wollen wir nicht auch reingehen? Oder auf was warten wir?«

»Auf Hubert und Theda und mein Geschenk.« Mein Vater musterte Dorothea. »Meinst du nicht, dass dieses Kleid etwas zu weit ausgeschnitten ist? Kalli hat gesagt, der Pastor kommt auch.«

»Ach, Heinz«, sie legte ihm die Hand auf den Arm und lächelte zuckersüß, »ich kann gerne sagen, dass wir uns nicht kennen. Kein Problem.«

Gisbert stellte sich wieder in Position und gab alles. Die Objekte seiner Begierde hatten anscheinend mit großer Presse gerechnet. Frau Weidemann-Zapek sah aus wie eine Wolke aus Vanille, Chiffon über Chiffon, für dieses Kleid hatte sie ungefähr 100 Meter Stoff verbraten. Und weil es ein so gelungenes Modell war, hatte Freundin Klüppersberg dasselbe in Pistazie an. Beide trugen Strohhüte, deren Chiffonbänder hinter ihnen herwehten, als sie mit Trippelschritten auf Marleen zustöckelten. Sie lächelten und winkten nach allen Seiten, Gisbert übertraf sich beim Knipsen, und wir hatten plötzlich Hollywood auf Norderney.

»Guck mal, Heinz.« Selbst Onno war beeindruckt. »Sie sehen aus wie die Jacob Sisters. Nur ohne Pudel.«

Mein Vater wollte gerade antworten, als er etwas entdeckte, was ihn versteinern ließ.

»Also, das glaube ich ja wohl nicht!«

Er starrte auf die ankommenden Gäste, schob mich beiseite und ging mit langen Schritten auf die Gruppe zu, die gerade bei Marleen stand. Wir folgten ihm, Dorothea kurz hinter mir, dann Kalli und Onno. Ich konnte nicht erkennen, was ihn so aufregte, sah aber Gisbert, der fassungslos seine Kamera sinken ließ und meinen Vater ungläubig anblickte.

Und dann erkannte ich das Paar, das gerade mit einem Präsentkorb vor Marleen stand:

Johann-Johannes im hellbraunen Anzug und an seinem Arm die Dame, die ich erst auf Gisberts Handy und dann vor der Pension gesehen hatte.

»Das ist doch der Heiratsschwindler mit seinem Opfer«, flüsterte Kalli und zupfte mich aufgeregt am Kleid. »Und was macht Heinz denn jetzt?«

»Papa!« Ich versuchte ihn aufzuhalten, wir waren nur noch zehn Meter entfernt. »Warte! Nein!« Ich sah ihn bereits in ein blutiges Handgemenge verwickelt. Und er war 73.

Onno überholte mich. »Heinz, warte mal. Keine Alleingänge.«

Seine Stimme klang entschlossen. Es half. Mein Vater stoppte und drehte sich zu uns um.

»Dorothea, ruf die Polizei. Onno und Kalli, ihr kreist ihn ein. Und du, Christine, bleibst hier stehen.«

»Da ist Heinz.«

Die Zwillinge rannten strahlend auf uns zu.

»Bringt die Kinder in Sicherheit.«

Mein Vater klang jetzt wie Robert de Niro und sah aus wie Terence Hill. Langsam ging er weiter, flankiert von Onno und Kalli, gefolgt von Dorothea und mir. Ich gab Emily und Lena ein Zeichen, sie sahen mich fragend an und blieben stehen.

Ob es an den Gesichtsausdrücken der drei Musketiere lag, wusste ich nicht. Als wir den Eingang erreicht hatten, war es jedenfalls totenstill. Marleen sah das Paar, das vor ihr stand, verwirrt an. Die Frau war bei näherem Hinsehen mindestens Mitte 70, sie hielt Marleens Hand immer noch in ihrer.

Mein Vater räusperte sich. »Marleen? Gibt es ein Problem?«

»Äh, nein, Heinz. Das sind Frau …«

Das vermeintliche Heiratsschwindleropfer drehte sich um. Sie war perfekt geschminkt, sehr gut angezogen und stellte sich mit rauchiger Stimme vor:

»Margarete Tenbrügge. Guten Tag.«

Sie wandte sich wieder an Marleen. Johann sah mich entspannt an und lächelte, was mein Vater wiederum bemerkte. Er ging einen Schritt auf ihn zu und packte ihn am Arm.

»Würden Sie uns bitte …«

»Heinz, lass mal.« Marleen schob meinen Vater zur Seite und wandte sich wieder an die alte Dame.

»Sagen Sie das bitte noch mal.«

Frau Tenbrügge lächelte charmant in die Runde. »Ich bin mit Ihnen einverstanden. Wissen Sie, als ich Sie das erste Mal gesehen habe, also auf den Fotos, erschienen Sie mir viel zu jung, aber mein Bruder ist ja schließlich erwachsen und wenn Sie ihn glücklich machen, dann soll es eben so sein. Er hat es verdient.«

Ich verstand nur Bahnhof. Die anderen offenbar auch.

»Wissen Sie, Marleen, ich darf doch Marleen sagen, ich habe Johannes vorgeschickt, weil ich ein Golfturnier und vorher keine Zeit hatte. Er sollte mal schauen, wie Sie so sind. Ich habe leider den Verdacht, dass er sich ein bisschen ungeschickt angestellt hat, er konnte als Kind schon nicht schauspielern. Na ja, jedenfalls haben wir uns jetzt endlich kennengelernt.«

Mein Vater sprach mir aus der Seele: »Ich verstehe kein Wort.«

»Das ist doch der Sohn vom Eierkönig.« Emilys helle Stimme kam aus dem Hintergrund.

»Was?« Ich versuchte angestrengt, irgendeinen Sinn in die Geschichte zu bringen. Es gelang mir nicht. Plötzlich schob sich von hinten jemand in die Gruppe.

»Geht es hier nicht weiter?«

Hubert drängelte sich an Onno und Kalli vorbei und stellte sich neben Marleen.

»Und da ist der Eierkönig.« Das war Lenas Stimme. Hubert winkte den Mädchen zu. Dann beugte er sich zu Margarete Tenbrügge. »Na, meine Liebe? Du mit deiner Neugier und Ungeduld. Du hast ja keine Ahnung, in welches Schlamassel du deinen Neffen gebracht hast.«

Neffen? Langsam setzte sich in meinem Kopf ein Puzzle zusammen. Hubert legte den Arm auf die Schulter von Margarete. »Marleen, Ihr Lieben, darf ich vorstellen, meine Schwester Margarete. Sie konnte es nicht ertragen, meine neue Liebe noch nicht persönlich kennengelernt zu haben. Dabei hat sie nie Zeit gehabt, sie war ein halbes Jahr auf einer Kreuzfahrt.«

Er stellte sich auf die Zehenspitzen und winkte über uns hinweg. Wir gingen ein Stück zur Seite und ließen Theda durch. Sie trug ein grünes Kostüm, das perfekt zu ihrer grauen Kurzhaarfrisur passte, und lächelte, wie immer mit Grübchen. Hubert streckte ihr die Hand entgegen.

»Und das, Margarete, das ist Theda. Die Frau meiner späten Jahre, die Tante von Marleen und die ehemalige, hörst du, ehemalige Besitzerin dieser Pension.«

Margarete und Johann sahen erst sich und dann Theda verblüfft an. Huberts Schwester schluckte, fand aber erstaunlich schnell ihre Fassung wieder.

»Oh. Dann habe ich mich wohl vertan. Johannes! Ich denke, du hast gefragt, wem die Pension gehört. Da waren wir ja auf der ganz falschen Spur. Theda, ich freue mich, Sie kennenzulernen. Nichts gegen Sie, Marleen, aber so gefällt mir das viel besser.«

Sie hakte sich bei Theda unter und schob sie ins Lokal. »So, und jetzt gehen wir beide einen Sekt trinken. Meine Familie nennt mich übrigens Mausi.«

Ich fühlte mich einer Ohnmacht nah.

Mein Vater musterte Johann unsicher. »Ja, ich weiß jetzt auch nicht ...«

Hubert stellte sich neben ihn. »Heinz, das ist mein Sohn Johannes, wir sagen eigentlich Johann. Ich wusste nicht, dass er sich hier im Auftrag meiner Schwester als Privatermittler umtreibt, sonst hätte ich natürlich viel früher eingegriffen.«

Mein Vater hob die Schultern. »Man weiß ja, wie das ist. Die ersten Jahre hat man die Gören auf den Knien sitzen und erklärt ihnen die Welt und dann plötzlich sitzt man beim Frühstück fremden Menschen gegenüber. Ich hatte es mit Christine auch nicht immer leicht. So, und jetzt brauche ich ein Bier.«

Er schob Kalli und Onno durch die Tür. Als ich mich umdrehte, hatte ich Johanns Gesicht vor mir. Rehbraune Augen. Mir fiel nichts Kluges ein.

»Tja.«

»Das wollte ich dir alles schon heute früh erklären. Ich wusste nur nicht, wo ich anfangen sollte. Hast du jetzt noch Fragen?«

»Wieso Thiess?«

»Das ist der Mädchenname meiner Mutter. Ich wollte mich nicht unter meinem Namen einmieten, ich dachte, dann wäre klar, dass Hubert mein Vater ist. Und Mausi, also meine Tante Margarete, hatte sich in die Vorstellung reingesteigert, dass mein Vater einer jungen, mittellosen Sirene zum Opfer gefallen ist, die mein Erbe verjubelt. Das hat ihr keine Ruhe gelassen. Und wenn Mausi etwas von einem will, kann man sich nicht dagegen wehren.«

Ich war unglaublich erleichtert. Und hatte ein schlechtes Gewissen, dass ich ihm so misstraut hatte. Zärtlich strich er mir eine Haarsträhne aus dem Gesicht.

»Wir können ja noch mal von vorne anfangen. Obwohl ich das ganz lustig fand, dass die ganze Zeit alte Männer mit Gucci-Sonnenbrillen hinter mir her waren. Ich fühlte mich richtig wichtig. Komm, wir trinken jetzt auf die Eröffnung und auf unsere Väter.«

Die ganze Eröffnungsfeier lief ab wie ein Film. Ich ging von Tisch zu Tisch, nahm Blumen und Geschenke für Marleen in Empfang, suchte immer wieder Johanns Blick und fand ihn meistens auch. Mein Vater hatte ein langes Gespräch mit dem Bürgermeister, dann mit dem Pastor, später sah ich ihn mit Margarete Brüderschaft trinken. Gisbert schlich sich von hinten an mich heran, ich ließ mein Glas fallen, als er mich plötzlich ansprach.

»Trotzdem war die Beweislast erdrückend. Aber ich sag immer, besser einmal zu vorsichtig als plötzlich tot.«

»Ja, sicher, Gisbert, das ist sehr weise von dir. Hast du jetzt alle Gäste interviewt?«

»So gut wie.« Er warf sich in die Brust. »Der Norderneyer an sich ist der Presse gegenüber ja sehr aufgeschlossen.«

Marleen rief mich, ich musste ihn leider stehen lassen.

Der Norderneyer an sich feierte auch gern. Die letzten Gäste gingen erst gegen Abend. Nachdem Marleen Suse und ihre beiden Kolleginnen mit Trinkgeld verabschiedet hatte, sah sie sich in ihrer Bar um. Dorothea und ich verstanden das als Aufforderung und fingen an, Gläser und Aschenbecher einzusammeln. Marleen kam zu uns.

»Nein, das machen wir später. Jetzt stellen wir einen großen Tisch nach draußen und trinken Champagner. Los, Onno und Kalli sollen mit anfassen.«

Als Marleen, Dorothea und ich mit Gläsern und Flaschen dazukamen, hatte sich schon eine Tischordnung ergeben. Mein Vater saß zwischen Margarete und Hubert, ihm gegenüber Johann, der einen Stuhl für mich frei hielt, daneben Onno, Kalli und Carsten, gegenüber Gesa, Nils und dessen Mutter. Theda saß links von Margarete, ihr lautes Gespräch übertönte kaum die Geschichten, die mein Vater Hubert erzählte.

»Sie wäre so manches Mal aufgeschmissen gewesen, deine

Nichte, Theda. Ich weiß nicht, wie die Mädchen das alleine geschafft hätten, das wäre nichts geworden, allein diese Handwerker ...«

Onno guckte hoch. »Gibt es auf dem Büfett noch diese kleinen Spießchen?«

Gesa stand auf, um nachzusehen. Ich verteilte die Gläser und setzte mich. Mein Vater sah mich an.

»Na, Kind? Jetzt ist doch alles in Ordnung, siehst du. Ich habe dir immer schon gesagt, es wird nichts so heiß gegessen, wie es gekocht wird. Und du hattest so einen Liebeskummer.« Er wandte sich an Hubert. »Das hat mir richtig das Herz gebrochen, man kann es ja nicht ertragen, wenn die Kinder so traurig sind.«

Hubert nahm mitleidig meine Hand, ich entzog sie ihm.

»Ist ja gut, Papa, mir geht es sehr gut. Hubert, es gibt keinen Grund mehr, mich zu trösten.«

Er seufzte. »Diese Verwicklungen. Ich hatte ja keine Ahnung, wer dieser Heiratsschwindler sein sollte, bis ich dann beim Möwengucken mit den Kindern plötzlich meinen Sohn und meine Schwester am Strand sehe. Ich dachte, mich trifft der Schlag.«

»Und wir waren so vorsichtig.« Margarete nahm ihr Glas und prostete uns zu. »Johann, du taugst wirklich nicht zum Detektiv. Das muss ich leider so sagen.«

»Ich hatte da auch keinen Spaß dran.« Er nickte seiner Tante zu. »Und wenn man dann noch sieht, wie es andere richtig machen, wird man ganz frustriert. Carsten, Kalli, eure Tarnung war Weltklasse.«

Mein Vater beugte sich vor. »Du hast dich aber auch selten dämlich benommen. Du hättest doch mit mir sprechen können.«

Ich verschluckte mich. »Papa, das glaubst du doch selbst nicht. Du warst dir doch ganz sicher.«

»Ach, das war doch nur Gisberts Hysterie, man weiß doch, wie diese Presseleute sind ... Wo ist er eigentlich?«

Gesa kam mit gefüllten Tellern vom Büfett zurück. »Hier, die Reste. Gisbert hat Suse nach Hause gefahren. Er fand sie wohl nett.«

Dorothea grinste. »Auf dem Moped? Die Arme.«

Ich spürte Johanns Hand, die sich auf mein Knie legte und schob mein Bein näher. Mein Vater bekam die Bewegung anscheinend mit.

»Sag mal, Hubert, kann dein Sohn meine Tochter eigentlich ernähren?«

»Papa. Bitte.«

Ich wurde rot. Johann lachte nur. Mein Vater sah ihn missbilligend an.

»Da gibt es gar nichts zu lachen. Das muss man doch mal fragen. Übrigens, ich weiß ja nicht, welche Pläne du hast, aber ich mache dich darauf aufmerksam, dass ich mit meiner Tochter hier noch eine Woche Urlaub verbringe. Für eine Frau ist eine stabile Beziehung zu ihrem Vater wichtig. Ihr könnt euch gern mal verabreden, aber die Prioritäten sollten dir klar sein.«

»Natürlich.« Johann hielt dem Blick meines Vaters stand. »Übrigens, Mausi, hast du deinem Bruder erzählt, dass du dir hier eine Wohnung kaufen willst?«

Sein Vater blickte überrascht hoch. »Im Ernst?«

»Ja.« Margarete nickte. »Ich bin ganz verliebt in diese Insel. Und ich finde, im Alter sollte die Familie zusammenrücken. Und da du jetzt öfter hier bist, ist das doch eine gute Idee. Ich habe schon eine besichtigt, schönes Objekt, aber es ist viel dran zu machen.«

Kalli beugte sich vor. »Wo ist die denn?«

»Direkt um die Ecke. In dem gelben Haus da vorn. Ich wollte nachher noch mal hin. Sie ist schon leer, aber wie gesagt, sie muss komplett renoviert werden.«

Mein Vater trank seinen Champagner aus und schüttelte sich.

»Was ihr an dem Zeug nur findet, ich kriege davon Sodbrennen. Ich muss mich mal bewegen. Sagen Sie mal, Margarete, wollen wir uns die Wohnung schnell mal angucken?«

Sie sah auf die Uhr. »Warum nicht? Der Besitzer ist jetzt da.«

»Gut.« Mein Vater stand auf. »Onno, Kalli, Carsten, dann lasst uns mal gehen. Wir sehen uns mal an, was da alles gemacht werden muss.«

Margarete nahm ihre Handtasche und erhob sich. Die vier Männer ließen ihr den Vortritt.

An der Tür drehte sich mein Vater um.

»Falls es länger dauert und ihr noch weggeht, um zehn bist du zu Hause, Christine.«

»Papa!« »Heinz …«

»Ja, o.k., aber nicht so spät. Ich mache mir schnell Sorgen. Und dann schlafe ich schlecht. Also, viel Spaß.«

Er hatte Augen wie Terence Hill.

Hallo Mama,   *Norderney, den 30. Juni*

hier sind die Bilder der Eröffnung. Man kann ja alles Mögliche gegen Gisbert von Meyer sagen, aber seine Fotos sind wirklich gut geworden. Ich habe Dir draufgeschrieben, wer wer ist. Mein Lieblingsbild ist übrigens das, auf dem Papa Marleen das ausgeleierte Fischernetz schenkt. Du musst Dir nur ihren Gesichtsausdruck angucken. Das ist Contenance! Ich finde es ja toll, dass Du Mittwoch kommst, Hanna hat mir gesagt, dass sie Dich so abholt, dass Ihr die 14.15-Uhr-Fähre bekommt. Papa hat angekündigt, dass er nicht jeden Tag in Margaretes Wohnung arbeiten wird, er will Dir selbst die Insel zeigen, Kalli würde immer alles so umständlich erklären. Im Moment malt er die Wände hellgelb, er glaubt, es ist champagnerfarben, aber Margarete gefällt es trotzdem. Sagt sie jedenfalls, sie ist wirklich sehr nett. Mir geht es wunderbar, ich bin jeden Tag am Strand, Papa besteht nur darauf, dass wir abends gemeinsam essen, also er, Kalli, Onno, Carsten, Hubert, Theda, Marleen, Dorothea, Nils, Johann und ich. Er hat sich so daran gewöhnt.

     Bis Mittwoch, beste Grüße von allen, C.
P. S. Es kann sein, dass Papa noch eine Woche dranhängt, er sagt, sie wollen alles fertigbekommen. Margarete wäre ohne ihn aufgeschmissen. Du würdest das verstehen.

Dankeschön
— Bert Kaempfert —

Ich bedanke mich bei Helga Lübben und Gila Hass für die Hilfe und die Abende in diversen Norderneyer Kneipen, bei Marion Bluhm für die kreativen Strandspaziergänge, bei Dr. Rainer Moritz für einen Schlagerkaffee im Literaturhaus, beim bekannten Gästeführer Rudi Schmidt für alle Sylter Geschichten, bei Fernando Aco, Jürgen Fiedler, Mathias Gross, Heinz Gumpelmayr, Petra Heuckeroth, Josef Kager, Leo Lang, Heinz Marti, Michael Messer, Ulrike Raapke, Andrea Roos, Heinz-Andrea Spychiger, Martin Treml, Christoph Viering und ganz besonders Claus Keller, bei Joachim Jessen und der Agentur Thomas Schlück, natürlich beim ganzen Verlagsteam, bei der Druckerei Kösel (insbesondere Dieter Naumann), bei Monika Köhler, Maren Langenohl, Renate Müller, Michael Muselmann und wieder mal bei Silvia Schmid.

Dora Heldt

P. S. Und mit Verbeugung vor Fritz-P. Steinle, dem ich so viel Arbeit gemacht habe. Danke.